艾雯全集3

散文卷三

不沉的小舟

艾雯自選集

倚風樓書簡

綴網集

目次 Contents

艾雯自選集

倚風樓書簡

綴網集

艾雯全集3

散文卷三

不沉的小舟

不沉的小舟：台北市，水芙蓉出版社，一九七五年四月初版。三十二開，二〇二頁。

◎水芙蓉版原目：

敬禮！明天、平安磬石、光榮的日子、月台、年的序幕、不沉的小舟、遊牧吟、兩個世界、風雨歸車、寂靜的時光、驛馬車、載著春天的船、又再擁抱世界、有霧的日子、疾馳在夢的邊緣、一個人在旅途上、花好月圓、春遲、浮萍之感、心靈的喚醒、優遊歲月、小茉莉、水仙花、玫瑰酒、童年瑣憶、童話・童年・童心、無師傳授、好一個暑假、知識的窄門、我們去阿里山、綠水三千、寧謐的風沙島、大道之行、海上長城、池凝寒鏡貯秋光

◎說明：

本集據水芙蓉初版編入。

童話・童年・童心等一篇已收錄於《森林裡的祕密》。

敬禮！明天

我曾經許諾過許多許多的明天：
那個計畫，將在明天開始，
那個草案，將在明天實行，
明天我將去探訪一位久睽的友人，
明天我可以作一次嚮往已久的旅行。
明天我將好好地重新安排生活，絕不因循苟安，
明天我決定摒除一切俗務，專心一致從事自己喜歡的工作。
但是，這世界上有一樣東西總說即將來臨卻始終不來——那就是「明天」。

我曾經期待過不少不少的明天：
明天可能出現一個奇蹟。

明天也許一步就邁上了成功之路。
明天開的花會比今天更美。
明天的日子會更充實、更豐富。
明天的生活會更合理、更完善。
明天，我將達到我的願望，獲致我的理想。
可是，這天底下有一件事情總是說馬上要來卻從不來臨——那就是「明天」。

我曾經倚賴過無數無數的明天：
這件事，等明天去做豈不是更好；
那個的話，明天開始也不遲。
說不定明天更容易，
說不定明天轉好運。
等明天吧，比較準備充分。
沒什麼不能等到明天，而明天過了還有明天……
然而，這宇宙間有一種姿態總說立即來臨卻永遠不會來——那就是「明天」。

有人親眼見過明天麼？有人親自接觸過明天麼？有人確實把握過明天麼？有人當真生存在明天麼？沒有，相信誰也沒有，因為當明天切切實實來到面前，卻已成為「今天」。

明天是什麼？是渺渺茫茫的憧憬，是詭譎多變的幻象，是莫測深奧的懸宕，是難以猜透的謎，是一個橫亙在生命中的未知數。明天，是閃耀於天際的虹霓，美麗的光彩給人鼓舞與希望，卻並不是一條堅實的、可以供人們一步一步向前進行的道路。

而今天，也便是昨天的朋友。

今天就在面前，就在手中。可以享有美好的黎明，可以安排完整的白晝，可以享受詩意的黃昏，可以擁有寧謐的夜。從早到晚，盡可以支配每一分鐘屬於自己的時間。

與其期待明天收穫，唯有今天先耕耘。

與其許諾明天完成，還是今天先行動。

與其依賴明天開始，不如今天作準備。

與其妄想明天轉運，不如今天下功夫。

因為人人生存在今天，生活在今天。

也許，我已浪費了太多生命的原料在明天的期待，也許，我已蹧蹋太多的心願在明天的許諾，而在期許中，誰知又疏怠了，漏失了多少原可以掌握的今天？到頭來，還只是兩手空空。

如今，我已疲於期待，我已倦於許諾，就讓我平心靜氣地生存在今天，生活在今天罷！我不是貪婪無厭的人，也不是有太大野心的人，只要在今天能擁有任何一份極微小的、單純的、思想的收穫，精神的鼓舞，心靈的慰安，行動的光輝；以及一點點喜悅，一點點愛，一點點滿足與一點點感謝！

敬禮！永不來臨的明天，而我已決定把足跡深深地印在今天。

《文壇》

編註：本文原刊於《文壇》第一三四期，一九七一年八月一日，頁五十二～五十三。

平安磐石

陽光普照，甘霖潤澤，和風輕拂，大地上一片生機。
一株纖柔的幼苗正萌芽，
一棵嬌嫩的花秧正吐蕊，
一個幼小的嬰兒正誕生人間。

這便是生命，美麗的生命、健康的生命。根要扎得深，扎得堅實，修長的枝幹挺立在驕陽下，嫩芽展出一簇簇青青的翠葉，「竹報平安」。茁壯的梗莖依偎在靈石畔，蓓蕾綻放出一朵朵鮮豔的花兒，「牡丹富貴」。背脊挺得直，腳步踏得穩，稚弱的嬰兒長成活潑潑的少年，朝氣蓬勃的青年，長成社會的中堅，世界的巨人。

生命多麼可愛，成長又多麼美妙！只是，只是自然界潛伏著可怕的蟲豸，大氣中也有可惡的細菌。謹慎點，小心抗禦那害蟲的侵襲；仔細著，別疏忽了防衛病菌的危害，且讓生命平安的、健朗的成長。

成長多麼美妙，生命又多麼可愛！

健康的身體，煥發著健康的手采，像曙光明燦閃耀，流露出健康的氣息，像黎明潔淨芬芳，洋溢著健康的生命力，像松柏欣欣向榮。

健康的心地，明朗、豪邁、慷慨、熱誠，散布著快樂和喜悅。像和煦的春陽，炫耀著光和熱。

健康的思想，正確、純真、積極、達觀。像高山的澗流，出谷的清溪，澄澈照人。

健康的精神，堅毅、果敢、提高人格、激勵向上。像初升的旭日，揚射著生存的勇氣。

健康的品性，高尚、正直、完美、不為陋俗沾染，杜絕罪惡潛滲。像火中錘鍊的真金，像白蓮出淤泥而不染。

健康的心靈，涵蘊著謙遜、寬容、博愛、仁慈。像無垠的宇宙，包容著天地河川、日月星辰。

生命不是生活，是享受健康。

健全的事業，寓於健全的身心。

唯有延年益壽，才能創建偉大的事業，領略人生的幸福。

上帝萬能的手，創造了人類。
人類伸出博愛、仁慈的手，奠下維護生存的平安磐石。
平安磐石，是健康的根本，是幸福的保障，是人類生存的基礎。
陽光普照，甘霖潤澤，和風輕拂，大地一片生意盎然。
竹報平安，花開四季，延年益壽，瓜瓞綿亙，人間充滿祥和之氣。
生命多麼可愛，成長又多麼美妙！

民國六十三年防癆郵票蔣夫人繪國畫・《中央月刊》

編註：本文原刊於《中央月刊》第六卷第一期，一九七三年十月三十一日，頁八十三～八十四。

光榮的日子

歲月的輪迴中，有個璀璨的新生季，春天。

人類的一生也有個光輝閃耀的春天，青年。

春天，那是歌唱的、歡樂的、生氣蓬勃、欣欣向榮的日子。

青年，那是活躍的、進步的、發展的動力、創新的金色時代。

在春天裡墾拓、播種、萌芽、開花，才能預期夏日的茂盛，秋冬的豐收，年年生生不息。

在年輕時吸收、培植、琢磨、鍛鍊，才能領導未來，擁有世界，創造時代。

如果說人生如浮雲，青年便是那貫穿雲層的長虹，想征服太空，待跨越行星。一手擎天，雙足蹬日，再摘下星月，在人間鋪一條光明的路。

如果說人生是一部冗長的樂章，青年便是那一組最優美的旋律、最凸出的音符，一支熱情澎湃、活潑奮發的進行曲。

如果說人生如流水，青年便是那出澗的清泉、奔放的激流，越過狹谷，沖過礁石，騰躍向前，匯合浩蕩的江水，注入淼瀚的大海。

擁有寶貴財富的不是財閥，不是大腹商賈，不是投機取巧之輩，而是青年。性格中的正直、熱誠、樂觀、勇敢，品性中的高尚德行、正義感、同情心，蓬勃的朝氣，充沛的活力，冒險犯難的精神，以及美麗的青春，這才是無價之寶。

擁有廣大世界的不是帝王，不是強權，不是瘋狂野心之徒，而是青年。輝煌的理想，偉大的抱負，凌雲的壯志，瑰麗的宏圖，遠大的願望，高尚的志趣……未來世界的改造，理想王國的建立，人類文化的促進，全在青年掌握之中。

青春不是矯揉，乃是藝術；

青春不是驕恣，乃是力量。

青春不是赤頰紅顏，乃是意志，是活力，是生命湧注的泉源，是一種勇敢的氣質。它所向的地方，膽怯和疑懼一掃而光。

噢！青年，大時代的青年，決心就是力量，行動就是成功。從現在出發，向目標進軍：走向浩瀚無垠的海洋，廣闊無際的天空。未經探勘的叢山，草莽未闢的森林。從現在出發，向目標進軍：走向繁榮社會的工廠，持續生命的農莊，維護人類尊嚴的法律之門，三民主義的政治殿堂。從現在出發，向目標進軍：走向研究發明的實驗室，涵博深奧的圖書館，闡揚真理的輿論界，發揚文化的藝術之宮。……青年的責任是從渺小的生存中建立不朽的生命，青年的使命是由個人平凡的生命中，爭取大眾轟轟烈烈的生存。

不要向我們說偉大的名字，我們年輕時候就是我們光榮的日子。

噢！青年，大時代的青年，在光榮的日子中，懷著光輝美麗的希望，至高至善的理想，勇往直前！

《中央月刊》

編註：本文原刊於《中央月刊》第五卷第十期，一九七三年八月一日，頁八十～八十一。

月台

是起點也是終點，是開始也是結束；
是歡聚也是離散，是出發也是歸宿。
從來沒有一個地方，能匯集如許人的流動量，從來沒有一個地方，能擁有如許悲歡離合。

從清晨到白晝，從黃昏到晚上，從黑夜到黎明，數不清的腳印，帶著來自各地的泥土。重重疊疊，密密麻麻踩上去；有紅色的土來自山間，有褐色的土來自田野，有黑色的土來自城市，有白色的土來自海濱。聚攏又散失，堆積又瀉落，沒有一粒種籽能在土裡長根，如同沒有一雙腳步會在這裡駐留；緣因——

這只是流動的浮土，
這僅是過往的月台。
月台展延在任何一個城與城交接的地點，守望在任何一個城鎮的邊緣，它只是默默地佇候，騷擾不停的是人們，為生活、為名利、為野心、為夢想……來來去去，忙忙碌碌，這是個製造離散的時代，列車頻頻靠站又開走，卸下一批乘客在月台，又從月台上載走了另一批。來的腳步掩蓋了去的腳印，去的腳步也覆蓋了來的腳印。輕快的腳步播散著歡聚的愉悅，沉重的腳步載負著如許離愁，從容的腳步踱向預定的目標，匆促的腳步顯示心情的迫切，遲緩的腳步纏繞於厭倦，悠閒的腳步只為一次探訪，也有猶疑不穩的腳步，屬於那迷失了自己的旅客。

多少次，我也曾被卸在月台，多少次，我也曾從月台離去，我不知道自己的腳步又顯示出什麼？近年來，別離總多於團聚，失望總多於獲得。寂寞、惆悵，和一份深沉的蒼涼，常是我密切的旅伴。離去不是離去，心仍縈留於親情，歸來不是歸來，浮土又焉能扎根？

人生旅程中有無數的月台，生命旅途中有無數的驛站。所有的台和站，只是供中途小憩，只是供轉車再出發，別長期滯留，沉滯不是寧靜，將使靈魂腐蝕；別長期停頓，停頓不是安定，將使生命委靡。

是起點，但願不是終站；
是開始，但願不是結束，
是出發，歸宿尚待尋求，
是離散，歡聚當可期待。

攜著輕便的行李——裝滿信心和小小的願望，我隨時準備踏上人生的月台，只等待時間的列車來到，出發再出發！

《文壇》

編註：本文原刊於《文壇》第一四七期，一九七二年九月七日，頁二十二。

年的序幕

像留在枝頭的最後一片葉子，被寒風一吹，悄然飄墜。當我撕下那頁僅存的、薄薄的日曆紙，彷彿覺得自己做了樁不可饒恕的、殘酷的事。因為我又親手扼殺了那可以是燦爛的、可以是美好的、可以是豐收的、可以是屬於有成就的三百六十五個日子，在我手底卻就那樣沉寂的消失。就像滿樹鮮嫩碧綠的葉子，黯然憔悴，又一片片墜入泥淖。待怵然警覺，再想收拾挽回時，已太遲了。

時光永不倒流，任何對已經過去的事，總是太遲了。如果生命史上有幾頁空白，已無法填補，如果生活中造成什麼缺憾，已無法重修，如果感情上有虧負或裂痕，已無法彌縫，如果已經錯過的機會，再也無法捕獲。但是，有一樣永遠不會太遲的；就是立刻停止悔恨——對已經成為過去的一切不再惋惜，不再懊傷，不再追悼。

當你的心靈受傷滴血，
時間自將撫平創痕；

當你哭泣過長夜，
翌晨的微風自會拭乾淚漬；
當你心情黯淡，
黎明的曙光即將照澈；
當你情緒低落，
明朝的旭日自會振奮。
失望和苦惱不是難以自拔的陷阱，而應該是淬勵自己的工具。
唯有最美好的、最堅忍的，方如旭日般萬古長新，一切虛偽的、脆弱的、可憎的、邪惡的，都將與落葉同歸於腐朽。

像揭開新娘聖潔的披紗，我輕輕地，鄭重地揭下第一頁日曆；揭開了一年的序幕。眼睛見到的是整齊的一疊，手指接觸的是豐厚的一疊，驟然間，我覺得從未有過的富足；我又擁有了嶄新的、光鮮的、完整的三百六十五天。

三百六十五天展開在我前面，待我自己去安排。

每一天是一頁空白，由我塗上我喜愛的色彩，由我寫下我智慧的微光，由我填上我熱誠的貢獻。

每一天是一個期待，一個希望，一個未知數，一個待開發的資源。

每一天可能是一個奇蹟，可能是一生的轉捩點，可能是一個新生命的開始。

每一天會有創造的滿足，工作的喜悅，思想的莊嚴，行動的快樂，心靈的安慰，勤勞的收穫。

當枯葉凋落，枝頭早已萌發新芽，舒展嫩綠，滿樹青翠蔥蘢，生意盎然，帶來第一個春訊。

且懷著快樂的思想，鄭重地揭下第一頁日曆，揭開這一年的序幕：

但願——

今年更勝過去年！

《中華副刊》

不沉的小舟

我覺得常使人生顯得比較可愛、使世界顯得比較美麗、使生活顯得比較豐富和更有生氣的，不是那些大的成功、大的收穫；而是日常生活中一些小小的興趣、小小的愛好，以及一些小小的喜悅。

當我們把生存的目標訂得高高的，終其一生，全力以赴，這旅程是何等的艱辛、漫長；當我們長年累月被那些繁冗瑣碎的俗務所支配，更何況那許多苦悶寂寞滲透其間，這生活又何等枯燥乏味？但是，就像旅途中到處點綴著野花，覆蔽著綠蔭，沙灘上閃爍著貝殼，礦山中豐富的寶藏。生活中的各種興趣，有散布在我們周圍，有深藏於我們心底；有的與生俱來，有的無意發現；有的需要培養，有的還待發掘；有的於無形中耳濡目染，也有那一見鍾情的，就待有心人去領略、去享受、去覓取。只要擁有對任何事物的一份愛好，便將使蒙塵的心靈潤澤，使窒悶的靈魂蘇息，使貧乏的精神豐盈，在片刻的浸潤中，忘憂更忘我。

天性淡泊平凡的一生中，似乎沒有什麼大的喜悅、大的快樂；但小小的樂趣，卻是享受不盡。歷史最悠久的，是閱讀。也可以說是我與生俱來的愛好。當我初識之無，書本便是我寂寞童心的安慰使者，是我的忘憂草，是啟開我除了那森嚴沉寂的老屋外，進入另一個世界的大門的鑰匙。而數十年來，這份興趣早已滲入生活，融入生命中。

有什麼能比乘一葉輕舟、泛漾在平靜而浩淼的海洋上那樣令人心曠神怡，渾然忘俗？那滿載著思想的、不沉的小舟，便是書；乘著它優遊於知識的海洋，盪漾於智慧的清溪，載浮載沉，逐波隨浪，順著時代的河流潺潺向前流轉，去探勘未知的涯岸，去開拓嶄新的港灣，航向無窮，駛向無限……

書本真是世上最奇妙不過的東西，而那些鉛字，彷彿一個個都賦有魔術。不論何時何地，只要一卷在手，立刻就使人從狹仄的生活圈子，進入另一個深遠廣袤的天地；從混濁的人間，進入另一個清新玄妙的世界；從囂鬧雜亂的地面，進入另一個幽靜美麗的花園。剎那間化浮躁為寧靜，化煩惱為安詳，化積鬱為淡泊，化憂愁為和諧。寂寞時不再寂寞；每當讀到一篇引起感情共鳴的文章，有如獲得一位傾心相許的知己，一個慰勉有加的摯友，不管他是生在現代抑是幾個世紀以前，失意時不再沮喪；人生不如意事常八九，每當心灰意懶，往往只是幾行鼓舞的文字、一段激勵的句子，便使我從消沉中重新振奮起來。這一生，不時警惕我、提示我，給予我更多生存的勇氣，生活的鬥志，使性靈得免於深陷入生活的泥淖中的，不是別的，而是書本。有時由於一點啟迪，猛然悟徹，就像一道曙光通過幽暗的心靈。

有時達到一個新的境界，那種豁然貫通的喜悅，令人沉醉。它常常是一粒明礬，澄清那思想的渣滓；常常是一把塵拂，拂除那心智上的塵垢；有時也是一劑油膏，敷潤情感上的挫傷。在陰暗的日子裡，自有陽光璀璨、星辰滿天；在沉悶的日子裡，自有浪濤撼岸、清泉淙淙。縱使蟄居窮鄉僻壤，錦繡河山，繁華世界，也恍惚就在眼前。儘管局促斗室，海闊天空，神妙宇宙，也任憑心馳神遊。更妙的是享受這份樂趣，不拘時地，也不需要任何準備，如果有那麼一時半日的閒暇，盛暑中端出一張躺椅，在綠蔭下，一卷在手，自然心定神閒，不汗自清涼。晝長難排遣，可以放一張藤椅在綠紗窗下，或階前廊上，選一冊好書，再加一杯新泡的清茶，兩樣可口的零食，看看吃吃，好不優哉遊哉！最安逸還是每晚睡前那一刻清靜，映著幽澈的燈光，斜倚軟軟的枕墊，當深深地浸沉書本中，渾不知更有多深，夜有多長。要不然忙裡偷閒，在等候什麼的時候，在守著油鍋熱、牛肉爛的空隙，在洗燙頭髮受刑的時刻，只要一卷在手，不僅能解除焦灼和不耐，還不照樣樂在其中！

我自知不是一個效率專家，讀書沒有目的，不為求知，也不為功利，只為享受讀書之樂而讀書。因此，對到手的書向來一視同仁；其中包括自己買的，作者朋友題贈的，女兒孝敬的，以及各種長期贈閱的雜誌。自然而然的，連帶逛書店和舊書攤也成為一大樂趣；當有些收穫，興孜孜回家，慎重地蓋上收藏印章，或整舊如新，那份喜悅和得意自不必說；就是一無所獲，也像進了百花盛放的花園，出來留下滿眼悅目的色彩，沾一衣襟花香，又是何等賞心樂事！

除了閱讀，我也喜歡園藝、小動物、圖畫、服裝設計，收藏各種小玩意、郵票、卡片、紀念章，以及最近嗜愛的火柴盒。自然，還有許許多多可愛的事物，正在向我煥發著誘人的光輝。如同在屋前應該有一塊可供迴旋的園地，我高興我總還能在繁瑣的俗務中，讓心靈保留一份閒暇，足供我畢生享受不盡。

《中央月刊》

編註：本文原刊於《中央月刊》第一卷第十二期，一九六九年十月二日，頁九十七～九十八。

遊牧吟

我的羊兒

一肩行囊，數捆書籍，不再留戀苟安，不再囿於習性。由南而北，我們是逐水草而居的遊牧民族。

頭頂上是無垠遼闊的藍天，腳底下卻沒有一寸屬於自己的土地。生來便屬於這個世界，這片國土。但這世界、這土地並不屬於我；到哪裡，我是過客，到哪裡，我是浮萍。且借一座遮避風雨的篷帳，暫供棲宿。

篷帳下，也有我能解渴的一瓢飲，也有我能填飢的陋食，也有我能取得的溫暖。我別無奢求，只求一注清澈的溪流，一片鮮嫩的水草，放牧我的牛羊。

我的羊兒，最鍾愛的那隻名叫「心靈」，一身潔白如雪，純真、善良、嬌柔而又十分敏感，得隨時保護牠避免受到傷害，受到感染。被嬌寵慣了的是「思想」，有點任性，有點驕恣，行動敏捷突兀，常常不受約束，到處遊蕩，到處探險，有時卻也把我這監護人帶向新奇的境界。叫「精神」的那隻比較穩健、結壯、勇敢而帶點憨直。當我感到氣餒或消沉時，總是從牠那一無畏懼、穩如磐石的風度，恢復自信，增加生存的勇氣。可愛的「智慧」，牠是那樣聰穎、乖巧、優越而不同於凡庸。常遭受詛咒的是那隻叫「生活」的黑羊，魯鈍而有點貪婪，飼養牠頗費心力，卻是十分忠實可靠。

我的羊兒，追隨我須臾不離，忍飢耐渴，受苦挨凍，從不怨懟；遭受冷落，缺少照料，也不棄我而去。由於牧羊人的疏怠，二十多年來飲於止水，飼以枯草，困於僻壤，以致羊兒們看來顯得如此蒼白、遲鈍、寒傖、孤陋……

那一次翻山過海的長途徙遷，失去了豐饒肥沃的家園。這一次自南遷北，留下璀麗的陽光在南方。不是波希米亞，只緣無處扎根，又何妨做個到處為家、逐水草而居的遊牧民族！

有一天，有一天我將引領我的羊兒去清水之畔。

倚風樓，民國六十二年十一月・《幼獅文藝》

編註：本文原刊於《幼獅文藝》第三十九卷第一期，一九七四年一月，頁一三〇～一三一。

兩個世界

迎春花開時，接讀妳的手箋，而如今，前院和後院已飄送著一陣陣白蘭和茉莉的芬芳。不是我太疏懶，原想趁春時勤於耕耘那小園和心園中的花壇，誰知島上的春更比江南短暫，驚鴻一瞥，還不曾窺清她的絕代丰姿，便已隨風而逝，又只剩下了長夏漫漫，忒難消磨。花氣氤氳中，我展紙吮筆謹先向妳致上稽遲的歉意，以及衷誠的祝福！

妳說我近來更沉默了，噢，也許，發光必須吸收更多的熱，使用過久，或繃得太緊的弦線，必須調整或換上新的，休息並不是停止，也許是蓄備更多的熱能。妳當然見過江水，那樣聲勢壯闊，滔滔不絕地向前奔流，妳也曾見過河流，有些深靜無波，聲息不聞，但妳能說它不在流動？妳又說我是否因為生活在狹隘的小天地中，而感到了厭倦？噢，不。這一點，妳完全錯了。記得妳我曾一起研讀過那位作家和哲學家梭羅的作品，他隱居在湖濱自蓋的小木屋中，靜靜的觀察、諦聽、研究、思維、夢想，終於領悟了宇宙的祕奧，也寫下了他不朽的著作。是的，我愛自然，愛寧靜淡泊的生活，愛純屬於性靈的那份率真。我的住所也許不比小木屋大多少。梭羅有他的華爾騰湖、森林，而我有我的綠色王國、田野、小溪，還有兩個世界。

一點都用不著驚訝，兩個世界——那是白晝和夜晚。

只要有一雙可以看、懂得觀察的眼睛，有一對能夠聽、懂得諦聽的耳朵，和一個善於感受體會一切的心靈，任何只生活在一角土地上的人，都能享有這兩個如此豐富而又美妙的世界！

每天，當第一道曙光透過濃霧，照臨宇宙萬物，那個充滿了光和熱，充滿了彩色和音符的世界，便奇蹟一般的展現，起初是一些細微輕柔的音符，串綴成明快的旋律，那是鳥雀們的晨興曲。從牠們的鳴喉我聽得出那嘰嘰喳喳的是調皮的麻雀，牠們的小嘴和牠們的腿一樣，從來不停；那啾啾唧唧試著稚嫩的新聲的，是一種體態極其輕盈嬌小的鳥，牠們行動時總是三五成群，跳躍在枝梢間或是迴旋在低空；那千迴百囀，珠圓玉潤，唱得最出色的是有著黃胸脯的灰背鳥，牠們常是比翼雙飛，結伴同行，有時一隻飛來停憩在竹籬上，引吭高歌一曲，立刻遠遠便傳來另一個相似的聲音，遙遙唱和。鳴聲未已，另一隻鳥已飛來停在附近，啄一會羽毛，便又並翼飛去；那清脆嘹亮，具有一種金屬性的顫音的，不知是不是那頭上有一撮白毛的褐色鳥？因牠常在高枝孤芳自賞，輕易不見倩影。這一片啁啁唧唧，一致唱出對新的一天開始的歡迎，唱出對生命的熱愛，和對這個世界的讚美，傳入剛從酣睡中甦醒的感官，有一份寧靜的愉悅，一份純淨如孩子的心情。我伸手掀開窗簾，朦朧的晨曦透入窗紗，落在我眼簾上。朝霧正在散開，天際變幻著世界最絢麗的色彩：鴿灰、藕白、蟹青、茄紫，瑪瑙、橘紅……但剎那間這些雲彩都消失淡去，只剩下光燦燦一片無垠的金，碧澄澄一片無垠的藍。我欣然離開休息的牀，離開屋簷，走到外面，走向那綠色的王國。兩株老榕樹在階前相互參差交疊成一座拱門，一座永生的、常青的拱門，我穿過那座華蓋，枝葉微撼，彷彿頻致歡迎，而頂上濃綠叢中鳥的鳴囀也更清晰嘹亮了，草端的露水濡濕了我裸在履外的足趾，清新的大氣在我四圍流轉，柔和的朝陽沐浴著我，我感到自己脈搏的跳躍，呼吸的起伏，融和在那晨風、朝陽、新鮮的大氣中。

我走近那座長長的花壇，那些葉片、花蕾和盛開的花朵上，閃動著晶瑩的露珠，更顯得生意盎然，它們長得並不太整齊，因為我從來不忍修剪，我總覺得當剪子下去，那從莖枝滲出來的液汁，就像動物的血液。植物也有生命，一定也會有痛的感覺，任何生命應該有它自由生長的權利，怎又能由於人們客觀的美感而使它腰斬肢折，橫遭斲傷，它們也不算十分茂盛，因為我認為施用污穢的肥料對那樣超然出塵、美麗嬌柔的生命是一種玷辱、一種褻瀆，它們自然地生長，如同每個人有他自己的形相和性格。在這裡，它們更沒有世俗的貴賤之分，不管是什麼品種的花草，當我自播種籽，看它們萌芽、茁長、開花、結子，我同它們一起分享到生的喜悅。

當我巡行於我的綠色王國時，籬外的一切人類生命的活動也正開始，迎著朝陽，一個個矯捷的身影騎在車上，或是跨著健朗的腳步，勇往直前。那發亮的眼中閃爍著對智慧的渴念，那年輕的臉龐煥發著青春的光彩，這年輕的一代，是人類生命的春天。迎著朝陽，三三兩兩，小手牽著小手，細碎的腳步朝著一個方向，小臉蛋上展漾著無邪的笑意，小嘴不停地說著唱著，像一片啁唧的鳥語，像一串搖撼在晨風中的銀鈴，這年幼的一代，是人類生命中的朝晨。從一粒砂中可以窺見宇宙。從這兩代身上，我彷彿已看到人類的明天，看到一個民族的遠景。

隔著矮矮圍牆，傳來左鄰右舍主婦們從事家務活動的各種聲音，一陣陣自來水響，彷彿一道湍急的山澗從天而降，一片鍋鏟刀砧的碰捶敲打，彷佛是現實生活中的一組交響曲，不時更摻雜著哄逗孩子、呼雞喚狗的柔聲細語，從這些熟悉的聲音裡，我約略知道她們正在做些什麼；無疑的，那不過是一些瑣碎、繁雜，而又刻板平凡的工作。然而，在繁瑣和凡庸中，該又寓藏著多少勤勞和耐心！莎士比亞說：「太陽的臨空照耀，為的乃是顯示一個好妻子在家操作時的美慧容姿。」也有人說：「這世上有各式各樣的影響，而一位賢慧的妻子手裡，握著它們的全部的鑰匙。」一個主婦用她的手和心，安排一個溫暖的家，而一個溫暖的家不僅是幸福所在之地，更培養出高貴的品德，孕育著偉大的理想，以及撫育健康的下一代。

隨著朝陽漸漸上升，小巷中又更熱鬧起來。送牛奶的響著鈴聲剛過去，清除垃圾的牛車一路輾壓著石子又來了，接著賣包子饅頭的山東大漢，賣菜的莊稼人，賣水果的年輕女郎……各人用自以為最動聽、最悅耳的腔調，吆喝曼唱，每個人以不同的生活方式奔赴一個目標——生存。

漫長的白晝，人人可以擁有最富裕的時光，從事勞心和勞力的工作，又從辛勞中獲得安慰和喜悅。只有懶散的人，才一無所有也一無所得。當我的心靈因泅游在前人的智慧中而感到疲乏，當我的眼睛因塡太多的字而感到痠澀，當我的手指因拈針過久而感到軟弱時，我便悄悄打開那扇淺藍的門。小巷通向不遠的田野，兩隻狗前前後後的跟隨著我，跑得太遠了，便踅回來在我面前轉一個圈，馬上又似脫弦的箭簇般疾奔前去，腳印踐處，一條灰黃色的蜥蜴驚慌地躲入碎石堆中，一隻青蛙連跳帶竄的從田塍上滾落下去。一群蚱蜢撲著翠綠的翅膀，疾地從一片深草裡飛出來，又降落在遠遠的另一叢深草中，唯一不受驚動的是正在田裡耕耘的水牛，安然背著犁具緩緩踱步，泥土在牠後面翻出褐色的浪花。偶爾從趕牛的農人嘴裡發出一聲吆喝，繩鞭唿地在空中劃了個弧形，紫銅色的胳膊上閃著一層汗光。那些正在收割的甘蔗田裡，蒙面女郎揮舞著鐮刀，隨著甘蔗一排一排的倒下，笑語聲響徹了田野。年輕的莊稼漢似乎要在姑娘面前逞能，大捆大捆地扛著甘蔗往牛車上堆，這裡，力的表現，單純的歡樂和樸實的感情，是生活的另一種方式。

屬於白晝的世界，是力的世界，動的世界，寓有一切生長、勤勞和動作的美！

當暮靄四合，黃昏的星辰閃現在天空，白晝那幅生動美麗的圖畫又悄然隱退在朦朧的霧雰時，我在室內放一支輕柔的音樂，或是坐在門前石階上，承受涼沁的晚風，讓心緒平靜，思念澄清，如同夜晚來臨，一切煩囂歸於沉寂，空氣澄清而又新鮮。

夜晚是如此安靜，如此深沉，而又如此神祕的一個世界！

在這個世界裡，活躍的不是官能，不是四肢，而是思想。

思想是人類靈魂的雙翼。白晝，當人們忙於工作、勞動，它常常斂翅小憩，或靜伏等待。而當恬美的黃昏降臨，當安謐的黑夜降臨，在片刻的閒暇中，在片刻的寧靜中，它便悠然鼓動雙翼，悄悄地低翔，輕輕地迴旋，又突然振翼高飛，衝破心靈的桎梏，衝破牆和瓦的阻隔，一直衝向九霄雲外。

像植物生根於土地，像岩石固定於地面，我們人類世世代代居住在地上。大地是豐腴的，但不及天空遼闊，唯有思想，把我們從地下帶到天空，自由飛翔。

當我想到天空，當我輕輕地鼓動思想之翼，我彷彿便感到白雲在我身畔飄浮，太陽使我暈眩，月光如水，我正在銀波中泅泳，而四周閃爍不停的星星，使我像進入一座盛開著鑽石花的花園。

當我想到海洋，當我輕輕地鼓動思想之翼，我恍惚正佇立海濱，帶有鹹味的海風吹拂著我的頭髮，一碧萬頃的海水從面前展延到遠遠的天際，微波撞著海岸，在腳畔串起長長的花環。又恍惚正泛舟海上，浪濤起伏，海風獷厲，船揚著白帆，乘風破浪，駛向神妙的港口，駛向遙遠的海岸。

當我想著遠方，當我輕輕地鼓動思想之翼，我似乎看見了那盈盈積雪的山巔，那長蛇般蜿蜒盤旋在叢山中的城垣，那玉帶似的江流和蛛網似的湖沼。那些我曾經相識而又久違了的大地山河。我熱情地呼喚，彷彿聽到它們正憂傷的應答。

有人說：人生原是與苦俱來的。是的，橫亙在人生途程上有那麼多苦難、憂傷、煩惱，以及無邊的寂寞。有人說：人生只是一堆瑣事的總和。不錯，現實生活中有那麼些繁冗、瑣碎、卑微、平凡的俗務，像一張無形的網，把人密密地罩在裡面。但是，當我輕輕展開思想之翼，我便使自己高舉而超越這一切，我使自己進入更崇高的境界而獲得一種淨化和解脫。這超越和解脫，又使生命更新，而獲得更多生存的力量。

人們不滿足於自己的財富，物質的匱乏，欲望的不能達到，總惱恨這現實世界的貧乏。但是，當我輕輕展開思想之翼，我便升入另一個最豐富的領域。那裡有先哲們智慧的結晶、思想的菁英。那裡亮著科學那永恆不滅的華燈，那裡綻放著億萬年不凋的藝術的花朵，當我的心靈浸潤其間，悠然地體會涵泳，我便覺得自己是這世界上最富有的人。

思想，那靈魂的雙翼，在茫茫的黑夜中，唯有它把我帶向黎明。在凜冽的寒冷中，唯有它把我帶向陽光。當我苦惱時，它給我最大的安慰，當我懊喪時，它給我最多的鼓舞，而當我寂寞時，它是我最忠實的伴侶。

噢，我的可敬的好友，妳說：當我生活在如此豐富神奇的兩個世界中，怎又會感到厭倦？

《詩・散文・木刻》

編註：本文原刊於《詩・散文・木刻》第五期，一九六三年一月十五日，頁三十四～三十六。

風雨歸車

揮一揮手，我黯然向你說了聲：「再見！」車窗外，你也在揮手，隔著厚玻璃，我聽不見聲音，但我知道你說的也是「再見！」

列車緩緩地駛出月台，便進入灰濛濛的雨幕，像一條魚竄入密密層層的網罟中，我掛好潮濕的風衣，悄然坐下，喃喃地又在心裡重複了一遍：「別了，吾友，別了，台北，別了，膩味的雨！」

但不曾告別的仍是雨，千縷萬縷，一路織不盡密密層層的網，有魚兒被罩住在網裡的感覺。說也巧，一生難得來次台北，卻十天裡總有五六天是遇上下雨的日子。那潮濕的空氣，濘滑的街道，滯重的雲塊裹住黏濁的煤煙，低低地鎮壓在參差的屋頂上，鎮壓在人們的心頭，令人感到窒息，令人懷念起南部的晴朗……

「南部，」你準又會略帶不屑地搖搖頭說：「我就住不慣！」

我知道，不僅你會這樣說，所有在都市住久了的人多半有這種想法。是的，南部沒有那份畸形的繁榮，沒有高度的、物質文明的享受，沒有富於刺激性的名利場中的追逐和爭奪，也沒有那許多人情上的應酬、宴會、迎來和送往。它所擁有最多的正是都市所缺少的——悠閒。

此刻，輪聲轆轆，列車載著我正從陰鬱駛向晴朗，從繁華駛向樸素，從緊張駛向悠閒——

「噯，悠閒。這兩個字對我好生疏、隔閡！那是古老的、落伍的時代產物。現在誰都一天忙得要命，還能有什麼閒情逸致！」

你說這話時我們一定彼此瞅著，分不清誰對誰有著更多憐憫的神色——也許你認為我太落伍，而我又覺得你無藥可救。忙，究竟忙些什麼呢？我無法了解你，就如不了解那許多生活於都市的人們，幾點幾分鐘做什麼，幾點幾十分又做什麼，每天把時間切割得一段一段，一方一方。生活的安排成了鐘面上的數目字，生命的韻律只是鐘擺式的擺動，其間沒有一點餘罅通融。譬如說有朋自遠方來，滿懷熱誠，亟欲與久違的故友一敘睽別之情。但是，為了免得一頭闖去不是撲了個空，或是人雖在陪著，心裡卻正因為另一件要做的事急得好像熱鍋上的螞蟻，甚至暗暗抱怨來得不是時候，事先一定先得鄭重地來個電話或書面聯絡。而好不容易等到約定的日子時間，專往拜訪，又必須記住人家幾點鐘還有別的事情，不要到時忘記了告辭。想想那樣一分一秒計算的友情，該有多麼可笑，又多麼可悲！如果你認為悠閒是落伍時代的產物，那麼，一切機械化的人生大概就是工業社會的產物罷？行動、思想，甚至感情，都可以按上一個開關，隨時控制——哦！請不要生氣，我絕不是指桑罵槐，只是獨自在車上坐著寂寞，想到哪兒就扯到哪兒。不過一個人真的能修養到什麼都可以控制，也就沒有煩惱和歡喜了，豈不很妙！

雨似乎小了些，窗外隱隱顯露出遠山近樹，悄悄地臨前，又悄悄地引退。但車廂裡的霧越來越濃了，原來我旁邊正坐了個抽煙斗的中年人，他的說話和他的煙一樣，噴個不完。也許，這也是個屬於平時習慣把生活安排得一格一格的人，要不難得車上有那麼一段清閒的時光，不欣賞景致，不獨自靜思，卻向一個素昧平生的旅伴敘說家常。我用一隻耳朵聽著，心想可惜那不是你。不是嗎？許久難得聚首一次，能夠在一起說話的時間從來就沒有過那麼長——從台北一直可以說到台南。

真的，在台北那些日子亂糟糟地，彷彿投身在遊樂場裡，那座旋轉不停的大茶杯中，身不由主地跟著在旋，在轉。一會兒成了條乾癟的沙丁魚，被擠壓在喘不過氣來的公共汽車裡，一會兒成了隻小小的螞蟻，茫然混入成群結隊恍惚在逃避水災的螞蟻群中。又得不時提防著那些橫衝直撞的大甲蟲。頭頂，廣告牌上的霓虹燈，爭先恐後地閃爍著、追逐著，底下噪音更自四面八方會合衝激，人的流、車的流、光的流，一陣陣湧來，一陣陣湧去。……讓人暈眩，讓人心悸，讓人感到自己是在急流和波浪中浮沉、衝盪、緊張、疲累、厭煩，使我渴望超越這一切；找到一處穩實的涯岸，一角清靜的土地。——

這一會雨更小了，半透明又半朦朧地展視著田野的景致，隱隱約約，輕描淡寫。就像那天在博物館影展中看到的一幅鄉景，有一份幽邃的美，一份空濛的寂寞，也有一點兒輕愁和迷惘——不記得我可曾告訴過你？就在那裡，我找到了我要找的，藝術就有這一種奇妙的力量，它帶人進入另一個境界而暫時忘卻身處的環境。還有，那是陽明山，不是假期，不是花季。也是微雨、黃昏、滿山涵泳著寂寥的陰影。但聞山泉淙淙，松濤呼嘯。在新生社那長長的紅絨氈迤邐而下的甬道上，輕輕地、軟軟的，印下一個個夢的腳印。那是碧潭，讓小舟泛向清流深處，一邊是蒼鬱的山巒，嶙峋的岩石，一邊是荒涼的沙灘，莽莽的蘆葦。不妨卸下鞋襪揀一疊沙礫坐下，看白雲悠悠飄過山脊，任急流濯洗雙足，也滌清了胸際的塵思俗念。那是中央圖書館，智慧的寶庫，書的堡壘。千百年前哲人的思想，和七十年代的文化在這裡融匯。求知的人懷著崇敬和渴慕的心情，靜靜地來這裡開拓自己思想的領域。還有，那是牯嶺街上的舊書攤，去那兒不必衣冠楚楚作紳士淑女狀，可以站在路邊翻半天舊書，也可以蹲在攤旁逐一審視搜索。說不定砂裡淘著金子，找到一本心愛的絕版書，那份喜悅和滿足，不是排半天長龍看場電影，或所費不貲在觀光飯店看一場低級的脫衣舞所能比擬的。

「嫌了半天，究竟還是有可取的地方。」彷彿你的聲音又在勸我：「還是決定搬來台北吧！」

眼前驟然一陣黑，是列車進了隧道。你的聲音撞在石壁上變成空洞的回聲，震盪在四周，倏黑倏亮，一連串過了好幾個山洞。才發覺雨不知在什麼時候停了。織女正忙著收回她紛的雲絮，由厚而薄，由深而淺，她總會仁慈地留下幾朵最潔白鮮明的點綴天空，就像紛擾的大地上總還有不少清靜乾淨的地方——非常感謝你勸我的一番誠意。我也曾數次動過心；在一個僻靜的地方待久了，生活往往會變成一泓止水，停滯、平靜，缺少活力，吸收不到新的東西，趕不上時尚。而來台北，接近這時代的心臟，感受到這時代的脈息，可以領受新的一切，可以求取更多的發展。但是，我怕我永遠不能適應那樣緊張、忙碌、匆促的生活，而放棄我現在所擁有的寧靜、淡泊和悠閒。在台北我參觀過朋友住的新式公寓，那些正像雨後春筍般一幢幢絡續在興建的住宅。果然漂亮、整齊、光線充足、設備完善，但美中不足，卻都缺少一個院子。我總覺得住宅若缺少了園地，人就沒有那種腳踏實地的感覺，沒有植物在泥土裡生長，也享受不到樹的綠蔭、花的鮮豔、鳥的歌聲和盎然的生意，而成天只是關在屋頂和圍牆中間，沒有伸展的餘地。你說那又跟住在精美的鳥籠裡有什麼分別？

閒暇的時間就和屋前的園地一樣，如果生活太狹隘，心靈便失去了迴旋的餘地。我喜歡住有園地的房子，如同我喜歡在生活享有一份悠閒——別笑我執拗，崇尚悠閒生活，原來便是東方民族的特性，中國人的人生哲學，更何況我又是生活於中國人最善於優遊歲月的姑蘇，怎忍讓現代的物質文明，把悠久的、彌足珍貴的民族特性吞噬得一乾二淨？

林語堂先生曾在《生活的藝術》一書中說：我認為文化本來就是悠閒的產物。所以文化的藝術，就是悠閒的藝術——善於優遊歲月的，才是真正智慧的人。我倒無意於把自己列入智慧的人，只是我熱愛人生，熱愛生活，卻不願意使生活變成「為生活而生活」。

噢，嚕嗦了半天，只為的告訴你我還是樂意安於寧靜淡泊，安於優遊歲月，安於做一個保有純粹我國民族性格上的優點的中國人！

真開心！天已經完全晴朗了。久睽的陽光顯得格外燦爛，格外可愛！田野現出一片新綠，三五隻白鷺悠閒地翩躚於翠綠叢中。那修竹掩映的農舍，那蜿蜒的小溪，那盛開的紫雲英，全和我去時一樣。那時我帶著一身小鎮的泥土氣息，帶著一身百合的清香和玫瑰的芬芳，帶著一份興奮的心情和一顆摯誠的心，投向台北，此刻，怡然歸來，你問我帶回了些什麼？沒有別的，我會保留著印象最好最深的記憶，以及朋友們可貴的盛情摯意！

我取下乾了的雨衣，撿起輕便的箱子，準備就緒，只等列車一停，便投入燦爛的陽光。

別了，真的別了，吾友。別了，台北，別了！膩味的雨……

《人間副刊》

編註：本文原刊於《徵信新聞報・人間副刊》，一九六五年六月五日，第七版。

寂靜的時光

悄悄地向白晝告別，跟亮光說了再見，現在是夜，一切囂鬧復歸於沉寂，一切浮華復歸於莊嚴，一切虛矯復歸於真實——一天中，我獨偏愛這寂靜的時光。

寂靜的時光，多麼安詳，多麼寧謐，多麼深沉而又神祕！天上是寂靜的星群，底下是寂靜的大地，萬物在寂靜安息，而安息，蘊蓄著更新。

寂靜的時光，空氣澄清，塵土復歸塵土，濁者自沉，清者上揚，夜空明淨而透徹，彷彿混沌初開，宇宙始創。一脈沉寂，一脈冷凛，而在沉寂和冷凛中，生命默默成長、展揚。

夢朵在寂靜中悄然結蕾，又悠然綻開，像綻開在黃昏的曇花。幽幽地布散著芬芳。有人從它獲得現實中難以取得的滿足，有人自它獲得清醒時祈求不到的安慰。也有無夢的酣睡，像一劑萬靈軟膏，敷潤著疲乏了的筋骨，緊張的神經，敷潤著煩惱的心情，憂傷的靈魂。

燈花在寂靜中一一點燃，燃亮了的燈下有溫暖，有等待。亮過又熄滅了的燈，安排好一個到明天的睡眠。一個平安寧謐的夜。而星星，是永不熄滅的燈。每夜每夜，照耀著天上的神仙！也指示著地下夜行未歸的人！

夢朵搖曳多姿，燈花忽明忽滅。在寂靜的時光，有沉睡的人，有做夢的人，也有那守望著長夜的人。

守望著長夜：

夜行的列車，巨輪輾碎了黑暗，從一個站到另一個站，周而復始，終點也即是起點。

夜裡起碇的船，從黑夜航向白天。

佇立在海岸的哨兵，從黑夜守望著黎明。

傳說活躍在林中的小精靈，從黑夜一直跳舞到晨光微現。

還有，還有深夜筆耕的工作者，在紙上磨穿了一個又一個寂靜的長夜。

寂靜的時光，心智有如不被雲霧蒙蔽的星月般明澈，精神有如穿過峽谷的晚風般爽朗。而思想，思想就似夜晚的空氣一樣澄清、透明。想一想白天的作為，想一想一天中見過最美的東西，做過最有意義的事情，讀過最好的作品，接觸過最特出的人物……思想的雙翅輕展，思想的領域擴拓，超越了自己，在寂靜的時空想得更深更遠。囚蟄了一天的心靈，開始舒放活躍。就像一注激騰的泉水，亟待向上噴湧——於是，抓住那飛揚、那激騰、那奔放、那噴湧，凝固成一個個字，提煉成一句句子，擲落在紙上，有如種籽播散在土壤。

在寂靜的時光，出發再出發，航行復航行。守望著一個黑夜又一個黑夜。而尖細的筆尖，恰似那纖足套上魔鞋，不停地在格子裡跳著跳不完的四方舞。從事筆耕者，便是那夜行的列車、那夜航的船、那守望在海岸的哨兵、那森林裡徹夜跳舞的小精靈。也便是他自己，專門刻劃人生，刻劃理想，刻劃著人類的善和惡、愛和恨、美和醜、悲和喜，刻劃著漫漫長夜的靈魂工程師。

漫漫長夜，夜果真很長麼？不，夜並不太長，只是因為寂靜，寂靜使時光顯得悠長。若嫌白日嘈雜過於短促，那麼該在黑夜保持清醒，細細領略和體會這寂靜的時光。

現在是夜，寂靜的時光。

天上是寂靜的星群，底下是寂靜的大地。

許多人在安息，許多人在夢中獲得慰藉。

而安息，蘊蓄著更新。

讓願睡的好好去睡吧。而我獨偏愛夜，偏愛這寂靜的時光。

在這寂靜的時光，我將循著心靈的軌道出發再出發；我將沿著思想的大海，航行又航行。

而夜越深，越接近黎明。

《劇與藝》

編註：本文原刊於《劇與藝》第三期，一九六五年六月，頁一〇〇～一〇二。

驛馬車

在黃昏時分，當暮靄四合，煙霧溟濛，白晝和黑夜交接融洽之間。我喜歡掩上書卷，輕輕地播放一支〈驛馬車〉（THE STAGE COACH），獨自默默地欣賞。

在深靜的夜晚。當一切繁囂歸於沉寂，人們都進入夢境，我喜歡留著些幽淡如星星的燈光，輕輕地播放一支〈驛馬車〉，獨自靜靜地聆聽。

一遍又一遍，那憂傷、悒鬱的旋律，反覆地迴旋在四周，盪漾在空氣中，彷彿是一陣陣浪潮，不住地激盪、起伏。我閉目凝神，覺得自己恍惚飄浮在那音樂的浪潮上，一組音符徐徐湧升，一組音符又緩緩降落，一波接著一波，逐漸引伸，展延，一直被飄送到遙遠的，浩瀚遼闊的海洋，而上面是蒼茫的天宇，那四周是無邊無際的虛空，海風悲壯，海濤吟嘯。我載浮載沉。隨波起伏。沒有思慮，也沒有煩惱。有似初生的嬰兒，懞然臥在搖籃裡輕晃慢搖。不問何處是海波盡處，也不管潮浪把我飄送去何處？只是不願停下，停下羈泊那時間的涯岸！

一遍又一遍，那淒涼、悲愴的旋律，反覆地盤旋在室內，繚繞在心頭，宛如一叢叢柔韌的絲，一張張輕軟的網，密匝匝環繞在左右，一重重撒落在周圍。織成了一片迷茫的霧、音波的霧、意識上的霧——而我，正獨自踽踽地走在霧裡，走在路上，一條漫長寂寞的路。

漫長的路，不知何處是起點，何處是終點，狹窄的小徑過了是崎嶇的山路，幽暗的荒林盡頭是驚險的峭壁，剛跋涉過一道河灘，前面又是莽莽蒼蒼，一片荒涼的原野！

一串顛頓的腳步，一聲輕微的喟歎。多麼，多麼寂寞的路程！

多少歲月，多少時光，只在路上彳亍行進，從曙光微曦到驕陽臨空，從日暮黃昏到月殘星稀，花開花謝，春去秋老，從青春到少壯，從少壯到白頭。

一串沉重的腳步，一聲愁悶的歎息，多麼，多麼冗長的路程！

一邊是理想，一邊是希望，正好分載兩頭。輕輕的一肩行囊。但是，為什麼卻越來越沉重？一路上，又絡續地增添了些什麼？哦！是了，是那感情的包袱，是那生活的負擔，是那為人的責任，是那時代給予的使命，還有，屬於這個苦難中的國家民族所經歷的那許多憂患。

負擔越來越沉重，腳步越來越疲憊，而目標，總是那麼的遙遠。

多麼冗長而寂寞的旅程！噢，這便是人生。生之旅程，原是寂寞而冗長的。

旋律一轉比一轉低沉，緩慢，彷彿一個倦極欲睡的人一聲聲自胸際發出的怨嗟，從醒睡之間吐露的囈語。矇矓中，就自喃喃低訴著那個一路去追尋的夢想……

路永無止境。

腳步也永不停歇……

《亞洲文學》

編註：本文原刊於《亞洲文學》第五十二期，一九六四年十月，頁五十四～五十五。

載著春天的船

每次有叫賣花的經過籬外，就像小孩子經不住賣飴糖的鈴聲誘惑一樣，我總是忙不迭放下手裡的事情，開門出去看看籮筐裡裝著些什麼花草，一番審視，一番兜銷，少不了手裡又枝枝葉葉的捧了幾株進來。

今天，我又從花販那裡揀了五株玫瑰，一株淺粉，一株嫩黃，一株象牙白，另外兩株據賣花的推薦說是比較名貴的新品種，一株是紅白相間的，枝梢已著了一粒淡紅的蓓蕾。還有一株——拙訥的花販結巴了半天，忽然指指空中說：

「就是這種顏色！」

我抬起頭來朝他指的望去，這時已近黃昏時分，璀爛的晚霞將褪未褪，灰白的暮靄欲掩未掩。頂上那片天壁，藍中透著紫，紫裡泛著白，白裡又滲著點緋，說不上究竟是雪青，是淡藍，還是淺紫，而空中除了這片素淨的色彩，別無他物。我不禁懷疑地問：

「你說是天的顏色？」

「對啦，就像天的顏色一樣。」賣花人黧黑的臉上綻出欣然的憨笑，不住地點頭稱是。幾時見過雪青的玫瑰？我嗤笑著，誰肯相信，賣花的卻一再保證，新品種的，原來要比一般玫瑰貴五六倍的價格，但他願意減低售價，並先收三分之二的價款，等花開後證實他所說的無訛，再補收餘款，因此，這第五株玫瑰，可以暫稱為雪青色的。

只是當我喜孜孜地捧了五株玫瑰進來，卻不禁煞費躊躇，原來我那三四尺寬二丈多長的花壇上，早便密密叢叢，栽滿了花草，就像擠得滿滿的列車，再沒有餘地可以容納後來的乘客！

群芳國中，我固然最愛風華絕代、豔麗而不失雍容高貴的玫瑰，和狷傲冷豔的秋菊。但只要是花，我統統都喜歡。不分品種，不管類別，弄到花秧花苗，一律分配一撮土壤、一掬清水，讓它自由地扎根、生長、開花。因此，我的花壇可以說是花世界的聯合國，花民族的大團結。資深的木槿旁邊，緊偎著繁密的茼蒿菊，玫瑰枝底下，是一叢叢茉莉。立葵寬闊的葉子擠壓著大麗菊，日日春簇擁著杜鵑，細長的金魚草臨風搖曳，薔薇的蔓枝越過了繡球。秋海棠獨踞一隅，剪春蘿散布在四周，百合和石蒜參差交錯地排列在花壇邊緣。曇花那厚實的莖葉找到山櫻作依靠，纖柔的鳳尾草碰上任何花枝都想攀交，從寒冷的山巔移植來的幽蘭，悄然躲在白蘭花的濃蔭下……還有好些不知名的花。栽花人心裡卻是熟稔有數，從來也不曾忽略過誰、冷落過誰。而花兒們雖然摩肩接踵，擠擠攘攘，但彼此分享著空氣和自由，一同在陽光裡伸展，在微風中起舞，在雨水下滋長，相處得融融曳曳，欣欣向榮，也未見誰傾軋過誰、排擠過誰。

當我一手鐵鏟，一手剪刀，逡巡在花壇前時，或是心神怡愉地欣賞著那一片盎然生意時，總不由得深深地感歎造物的神奇、自然的奧妙，只是一粒粒微小的種籽，加上一撮土壤，一掬清水，以及汲之不盡的陽光，便使世界變得如此多采多姿，使人類生活增添了多少美、多少情趣！

自然界的擁有多采多姿的花兒，就像人間擁有豐富溫馨的愛，誰能想像，一旦這世上沒有了花、人間剝奪了愛，該是多麼冷酷、醜陋、殘忍、陰暗的一幅世界末日圖！

前些日子寒流過去不久，報紙上渲染著春將來臨的消息，報導著人們各處去尋春的新聞，而在我家小園的花壇上，早便綻開著各種各色的花朵，遠遠看去，紫姹紅嫣，花團錦簇，一片燦爛，逐株欣賞，嬌妍嫵媚，濃豔淡緻，更是各有各的丰姿，各有各的韻味。軟軟的風裡浮漾著令人陶醉的芬芳，引來了彩蝶翩翩，蜜蜂盤旋，有著金屬聲音的小鳥，在樹巔花架上跳躍低飛——我並不羨慕那些難得離開城市去尋春的人們，我也用不著去擠車，去等待，去筋疲力盡地尋覓春的蹤跡。因為，因為春早已悄然蒞臨，就駐留在我小園裡！

幾經斟酌，終於為新來的五位嬌客，找好了容身之地，我仔細地開穴、整根、填土、澆水，栽完了最後一株，撣去身上的泥土，心裡泛起一份迎接新生命的喜悅，而四周圍那許多花花草草，一株株微微點頭，盈盈彎腰，彷彿也都向新加入的夥伴致最熱忱的歡迎之意。

家人常笑我的栽花過於擁擠，缺少整齊，但大自然中萬物生長，幾時又是挨著高矮，排著隊伍，分開等級品類來著？就要這般融會了如許鮮豔的色彩，如許豐盛的生命，才顯得更茂盛、更熱鬧、更生意盎然！

我那多采多姿的花壇，就像是一艘綠色的長船，載著不謝的春天，停泊在我窗前！

《詩・散文・木刻》

編註：本文原刊於《青年俱樂部》第八期，一九六五年四月一日，頁一〇四～一〇五，而非文末註記刊物。

又再擁抱世界

通過憂傷，通過死亡

時令已進入十月，沒有蕭蕭的秋風，沒有清清冷冷的秋雨，南台灣灼灼的驕陽蒸騰下，幾番欲涼猶熱，連季節也把握不住方寸，亂了腳步。而唯有我那糾纏多年的氣管宿疾，卻從不誤失它的叩訪；也許是我一向太寬容它，太漠視它了。今年竟乘我情緒低落，心思沉潛，毫無鬥志之際，挾帶著一股陌生的威力，驟然以嶄新的姿態突襲，每當夜半人靜，萬籟俱寂，我乍然從窒息中驚醒，輾轉枕上，彷彿一條魚擱淺在沙岸；探首窗外，有如一垛牆橫亙在胸腔。掙扎徒然，搏鬥無效。一息似有似無，若斷若續。乃使我身心防線猝然崩陷……

夜不再是寧謐，不再是憩息，夜深沉，夜未央，夜漫漫無盡……從黑夜折騰到天明，晨寒浸滲蜷縮一隅的身軀，抬起倦澀的雙眸，璀璨的晨曦照耀下，小院裡依舊一片蒼翠。委頓的我卻是一片瑟縮在秋風裡的黃葉，僅憑一線生意維繫。也許，不知道哪一個深夜，黃葉無風自墜；一口氣憋不轉來，寂然離開人間——

我不禁伸臂向著朝陽，在心底深深呼喊：「我不甘心！」我不甘心！為生存的自由，我曾從苦難中奮鬥過來，為應付現實生活，我一直艱辛地作戰，為一個高尚的理想，我曾嚴厲地鞭策自己，為一個不渝的信念，我不斷地努力向著目標試探。當我一旦遽然倒下去，不僅是生命的終結，理想的滅亡，也即是向命運投降，向現實屈服！

噢，我要通過憂傷，通過死亡，如同溪流掙扎過狹窄的山隘，沖激過崎嶇的峽谷。用我稚拙的筆，再度譜出生之樂章，彈我生命的弦琴，重新奏出美好的旋律。

通過死亡與憂傷
和平居住
在「永在」的心中。
生命的流水不斷地奔注。
日色與星光
攜帶著生存的微笑，
春日攜帶著它的詩歌。
波起復落

花開又殘
我的心渴望復歸原地。
在那「無盡」的腳邊。
——泰戈爾

指引我，指引我征服恐懼，征服軟弱，回到健朗可愛的生命之中。我將不再浪費，不再蹉跎，不再在等待與憂傷、懊悔與猶疑中虛度。

不是旅行，不是度假

依然到處氾濫著車的潮流，人的波浪，燈的汪洋。穿過霓虹的繽紛，水銀燈的蒼白，紅綠燈的警惕，我又投入這繁華都市。來了又去，去了又來，只不過一千多日子的相隔，卻是兩種截然不同的情懷。

一樣的城廓，一樣的路程，兩種不同的心情。每次北上，總彷彿學生度暑假似的輕鬆愉快，從生活的困禁中獲得假釋般愉快輕鬆。一身如燕，無牽無羈。縱使不能海闊天空飛翔，卻也優哉遊哉，隨心所欲地扮演一次吉卜賽，客串一下觀光客。紅磚地印下悠閒情致，公共汽車四通八達。從上古的博物館到現代的西門町，由靜靜的畫廊到琴韻抑揚的咖啡廳。我輕輕敲開一扇扇門扉，享受友誼的溫馨。我悄悄逡巡一座座書城，沾一衣襟書香……而這一次，我變得如此衰弱和沮喪，計程車的輪子代替了我遊蕩的腳步，造訪的卻是一家又一家主宰人們生命的醫院。

小小的私人診所，簡陋如蔫頭行，枯坐著推薦自己給命運的候診者。氣派十足的私家醫院，豪華如觀光旅社，病人穿著光輝一似觀光客。而古舊的公立醫院，完全像擁擠騷擾的火車站，亂哄哄，髒兮兮，摩肩擦踵，盡是一張張蒼白、憔悴、被痛苦痙攣的臉。一個個委靡、衰憊、被病魔折騰得佝僂的身子。掙扎著排列在長長的掛號隊伍裡，耐心守候來的往往是一張冷酷無情的「號數已滿，停止掛號」，引起一陣自心底迸發的哀求：

「我從老遠趕來，已等了一個多鐘頭了。」

「人家還清早天一亮來的哩。」

「我昨天在這裡做了檢查，要看結果。」

「那也沒有辦法。」

「我實在……」

「現在說什麼都是廢話，不管用。」

肉身尚未得救，人的尊嚴卻已摧毀殆盡。心目中救主的善門並不是敞開的。

望著那些失望的表情，淒楚的眼色，無助的蹣跚，我暫時忘了自己的病，充滿為人的悲哀。

可悲的，枉為萬物之靈的人類，實際上比任何動物都脆弱，多一些智慧和文明，多一份貪婪和欲望，就不知多多少疾病。而動物受了傷，便躲在洞裡自己治療，人呢？人若被摒棄於醫院門外便只能坐以待斃。

時間凍結在等候中，思想滯留在癱瘓狀態。我只能不時調整呼吸，像調整一隻古老的鐘裡鬆弛的發條。

在溫度計、針管、聽筒的交晃下，掛號單、病歷表、藥方的飛舞中，那乏味辛酸的旅程總算告一段落，我有了一個療傷的洞穴——榮總醫院容納了我。

病人心目中的殿堂

醫院，病人信仰的殿堂。

醫師，病人依賴的神靈。

而弱者，是無助的病人。

滿懷著祈求的衷誠、得救的願望，我付出自己，付出信心，投宿於那一座修理生命故障的大工廠。

青青的山隈下，散布著一幢幢疏朗的建築，寬敞的視野自然使病困的胸襟豁然開展，清新的空氣頓使委頓的肺葉充沛了活力——好一帖免費贈送的大補劑！繁忙中有秩序，擁擠中不嘈雜。自動電梯徐徐的迴旋升降，不必喘息著攀越一層層山峰的樓梯；燈亮顯示出每人所屬的號碼，不必豎起耳朵，恭聆模糊傳呼你的姓名。護士小姐親切的照料；權威大夫略帶詼諧的命令……第一次門診，就留下良好的印象。我慶幸我住進了這東南亞最具規模的醫院，成為第十四病房的住客。

那天，風雨淒迷中抵院時，已是午後近黃昏，小小的病房一抹深暗的綠擁著一朶白，兩牀之間遮隔著綠色帷幕；窗前低垂著綠沉沉的窗簾。而我換上一身屬於病室的紫。伴送我來的女兒走了，留我在孤煢的燈影裡。拘留我的天地僅一牀、一几、一椅。世界和親人摒棄我在這一隅，時間凍結於空白中。一份淒涼如暮色般悄悄滲透——護士來抽血量體溫。年輕的駐院醫生好整以暇一句句的追索病的歷史。我述說自己像背一本乏味的手冊，而我是一件待檢驗的樣品。沒有人管妳想什麼，沒有人理睬妳的靈魂，證明生命的存在，只是一大堆脆弱的心臟、肺腑、神經、血球和骨肉的組合。

駐院醫生否決了門診的診療，一切待從頭來起。護士沒收我的藥品，彷彿我是個私帶大麻煙的癮君子。供我止渴的、服用的、充飢的，唯有開水。也好，權當那是一次洗禮。清澈的水，洗濯我，洗濯我肉體的痛苦，洗濯我內心的憂傷！

第一個無夢的夜，又從窒悶中驚醒，醒在陌生的恐懼中。起身去推窗子，卻是關得嚴嚴的。躡足走出病房，幽暗的長廊陰陰沉沉，偶爾傳來幾聲呻吟；來自受苦的肉體，和壓抑的靈魂。護士睡眼惺忪地俯撐在櫃台旁打盹，未曾上鎖的玻璃門外亦是一片漆黑，沒有光，沒有熱，更沒有我需要的新鮮空氣。只有踅回病房，與呼吸掙扎著等待黎明第一道曙光，等待拂曉清新的空氣，靈魂將在陽光下甦醒，生命將在照耀中展示。

黑夜逝去，
太陽升起。
起來，祈禱吧。
——紀德

祈求一個晴好的日子，如同祈求一個健康的身體。

坐以待旦

王爾德說：「不是哭穿長夜的人，不足以語人生。」而今晚，我獨自在黑暗中期待著，望穿了長夜，坐以待旦。

誰能比坐以待旦的人起得更早？深靜中，我分明聽見星星斂妝隱退，月亮寂然沉落，夜色徐徐降淡，趕在早起的鳥兒還不曾啼唱之前，我把自己裹得嚴嚴密密的，闖進黎明的莊穆，投入黎明的寧謐。

在褪去嚴肅的黑衫，換上璀璨的晨袍那一段空際，天宇是何等莊穆！何等深邃！冷冷雋雋展示一片蟹青、蛋青、珠灰、銀灰，神聖不可侵犯。淡淡約約幾顆星星欲隱還現；迷迷濛濛一彎冷月將墜未墜。晨風帶著凜冽的寒意，從山谷吹來，掠過高高的椰子樹梢，穿過柔垂的楊柳枝條，新鮮的大氣流來自天際，來自四方，盈盈地湧升，疾速地流動，像清冽的泉水，甘美的液汁，我試著深深地吸吮，緩緩地吐納，一點一滴潤澤著乾枯的氣泡，腫脹的氣管。彷彿甘露滴入花瓣，抖簌簌舒放自如。

踏著草上濡濕的露水，我任意選擇一隻涼涼的瓷凳坐下。楊柳無限柔情飄拂在我身前身後，溝渠的水流挾著來自山上的黃土，滾滾奔騰瀉落於腳下，對面一排排樓房肅靜地矗立在穹蒼下，想像不出哪裡面棲息著多少受苦受難的靈魂。但寧謐並不是靜止，莊穆也不是停滯。就在病房前面，那長長一條，從大門一直展延到山坡下的路上，默默地、靜悄悄地，不少人往來穿梭，絡繹不絕。原來那邊正日以繼夜趕著鑿山填基，擴建更多容納病患的大廈。有的是徹夜勤勞、神色凝重，帶著一副倦容下工回去。有的是精神抖擻，以鄭重赴任的姿態，匆匆地趕去參加那開拓的一群。偶爾也參插三兩個病院裝束的人，在健康來復的路上，緩緩地蹀躞，一兩件白衣裳，飄曳在藍衫和灰衣中，益顯得清新耀眼——竟有那麼些比我更早的人，趕在太陽前面！

曾幾何時，那青青灰灰，神聖不可侵犯的天空，卻變得生動起來，先潑上些淡淡的金，又滲入些淺淺的紫，加上點嬌柔的黃，著上些暈暈的紅……於是，整個世界在靜穆中悄悄地湧升上來，活躍起來，群鳥先開始了晨興曲，叢樹跟著節奏歡躍舞蹈，青山綠得彷彿要流下來了。灰色的建築益烘襯得宏偉軒昂，不再是夜空的剪貼。路畔一球球黃燦燦的相思花開得明豔照人，嬌小的日日春忙於展示一叢叢柔柔的白，一叢叢嫩嫩的紅，無限歡欣盡在不語中。就在我身旁，一朵盛開的扶桑花輕盈搖擺，笑靨相迎，好像輕聲細語說：「不是很美麼？這晴好的清晨！」

推著小車的清潔工，接早班的白衣天使一個個進病房去了。我披一身和煦的晨曦，穿花拂柳，走向門口。當玻璃門自動開啟的剎那，回過頭來再深深望一眼亮麗的空曠。

——謝謝你！大自然的醫生。在我接受我的醫生治療之前，先給了我提神醒腦的一帖清涼劑。

敞開的窗

如果臉上沒有雙眸，你如何知道世界是美是醜，花朵是紅是白？嬰兒的嬌憨如何可愛，家人的笑容如何親切？

如果房子沒有窗戶，你又如何知道是白晝是黑夜；是晴朗是陰霾？明月如何照耀牀前，微風如何吹拂窗紗？

平時，我喜歡住的房間有許多窗子，讓陽光充沛，空氣流暢。旅行時，我喜歡靠窗的位置，好盡情瀏覽欣賞。生病時，我更希望病房有寬敞的窗戶，因為唯有窗使我接觸囚禁斗室外的世界，饗取來自陽光和空氣的滋養。

給我安排一張緊靠著窗的牀位罷！

緊靠著一排長窗有張牀，但躺著的不是我。

轉輾於窒悶的眩暈中，我懊傷地望著沉沉下垂的窗簾，和安睡在窗下的病患，不由得想起了一篇小說：一家醫院樓上的病房裡，住了兩個病人，一個不能行動，一個心臟病發作時有生命危險。每天，靠牆那不能行動的病人總是聽靠窗的病人述說著窗外的景物，或經過的人和事，雖然說得娓娓動聽，解除不少病中寂寞，卻也充滿了妒嫉和嚮往。終於，有一個深夜當病人發作時，由於自私作祟，他狠一狠心沒有再幫他按叫人鈴……第二天他果然占有了那張臨窗的空牀。但是，窗底下除了一座坍圮的荒園，一無所有……

窗外是什麼？隨著清晨來臨，窗簾終於在我心目中像隆重揭幕般拉開了，好教人失望！原來十四病房是最後一間，正好成L形轉彎。不像前面那一排窗前有楊柳縈翠，扶桑映紅，大花園拱圍，而是未經拓植的一片斜坡，一帶短牆……這樣一幅淒涼的荒草、殘牆、廢墟！

期待的心乃遽然沉落於陰鬱中⋯⋯

好心的同房病友知道我對空氣的敏感，喚清潔工推開了塵封已久的兩扇大窗。清風立刻挾著新鮮的氣流悄悄湧進來，涼幽幽彷彿帶點沁甜，滿室漾溢。天然的不知比調節器裡的好上多少倍！不管景色如何，這美妙的波動，這明淨的流轉，頓使我呼吸順暢，心胸舒坦，頭腦清爽，閉上眼，我盡情地享受著；由它包裹著我，輕輕把我舉起，讓我的靈魂乘著大氣流去作一次遨遊罷！海闊天空，山陬水濱，暫且忘卻笨重的軀體被軟禁於三尺病榻。

一天天過去，不僅淒涼的感覺越來越沖淡，反覺得它另有一種天然的和諧，純樸的寧靜。山坡是個緩衝地帶，當陽光照射在上面再折進室內，已不再光芒四射，強烈灼熱，變得淡淡約約，柔和而溫煦。當風碰上斜坡再彎進房裡，已不會那樣狙獷狂野，放任不羈，變得悠悠舒舒，輕軟而飄忽。山坡逶迤而上，牆內野草披覆，牆外蘆葦蔓生。雜樹叢中挺立一株彎彎有致的野松，風過處，招展自如。雖然看不見山頂雲天，卻給人以閒雲野鶴的恬淡情致。噢，這不正是病中躁鬱的我所需要的！

一天清晨，奇蹟似的，睜開眼睛卻發現綠叢中閃耀著一點亮眼的紫，原來松枝上開了一朵牽牛花，縱使家中開得滿架滿籬，總不及這一朵嬌美，不及這一朵鮮妍。這以後或在枝梢，或在葉底，總有一朵綻開。遠遠地、高高地，舒展在柔和的光輝中，像是花神留下的一個微笑，造物遺下的一點愛意。每天搜索的眼光只要一接觸到它的韻姿，便覺得這一天都充滿了生意。

我恍然領悟：天生萬物，都有它美好的一面，看你自己有什麼樣的心情；若以乖戾之心、陰鬱之心、悲觀之心來觀察挑剔，沒有不醜陋的。如果心平氣和，與世界相安，和萬物相投，圍繞你的一切，又何嘗不可愛可喜！

趁一息尚存，便盡量敞開居室的窗子，病房的窗子，以及心靈的窗子罷！

生命的原料

一盞照射的燈，四張俯視的臉，圍繞著一位病人，我看過這樣一張名畫，慘澹的光景，令人心悸。

四張俯視的臉，一盞照射的燈，牀上那待宰割的羔羊不是畫，是我。懾迫的氣氛，使我惶恐。

進得醫院，一連串的抽血；從指頭、從耳墜、從靜脈，眼看著生命寶貴的源泉，一滴一滴，五西西十西西，流出母體，輸入玻璃管裡。我疼惜血液的損失，像時間的被浪費。兩樣，都是生命的原料。但是，駐院醫生猶嫌不足，宣稱要抽動脈血。

是時鐘停了擺動？是空氣凝固了？祈求一切馬上成為「過去」，但終是佇留在「當時」，我屏息靜氣，緊緊閉上眼睛，不敢看那四張凝神俯注，彷彿在稻草裡找針的臉，也不知道究竟有多少手指在探索隱藏於脂肪下的大動脈，隨著針尖戳一記，又螫一下，神經驟然緊張，又驀地收縮，心的躍動完全失去了規律。沒有人告訴我為什麼，沒有人勸慰我別懼怕，我只有無助地咬緊牙關，手指抖慄著轉開了枕下的收音機，求音樂來鎮壓情緒……活潑的旋律奔湧出來。

「哎！」我忍不住呻吟，蓋過了〈美麗的星期天〉。

也許熱門音樂更使醫生急躁，換一支輕快的……

「啊！」我迸出了眼淚，沾濕了〈風從哪裡來〉。

——是地球停止運轉了麼，抑是萬事大吉，天下太平？怯怯地透過淚花，卻見駐院醫生依舊一臉木然蕭然，負責抽血的小醫生擦著額角的汗水，兩位護士忙著收拾器械，而針管透明透亮，還是空空如也。

「明天再抽！」

以無罪釋放，又宣判了改期。

這一天我失去胃口，這一夜惡夢頻頻。

窗外霧濛濛，像我灰暗的心情，小醫生來自外面的霧中，誇張地述說他早上已做了兩個動脈抽血。沒有駐院醫生在旁邊，顯得自在多了。他回答我有關抽血的問題：是因為吐氣困難，必須測量血液中是否缺氧，抑或酸性中毒……這一解釋，我才恍然。說病人緊張是不對的，如果做醫生的封緘金口，完全不理會病者的情緒和心理，忍受痛苦之外，還有被播弄的感覺。

於是，又開始了另一次；一盞照射的燈，四張俯視的臉，手指的搜索，針尖的穿戳……，我在音樂中放鬆自己，默默地忍受著，一切終於過去了，高擎在小醫生手中的針管裡，殷殷地盛滿了鮮紅的血液，我幾乎感到自己的蒼白，這怕是抽出最多的一次了，也只有這一次，我絲毫不曾為損失的原料惋惜，反如釋重負般，感到無限輕鬆。

帷幔掀起，窗戶敞開，柔和的光輝和清風湧進室內，朝霧已澄清，又是晴朗美好的一天。

憂傷和恐懼：呵，生之黎明，已使它們飛逝、隱退。

守護天使

當靈魂受到壓抑，幽閉在病困的軀體中，不求安息而安息。當世界忽然隔絕，隱退於陌生的環境中，渴望溫情而沒有溫情。當寂寞穿過憂傷的道路，進入孤獨無助的生命之中。茫然環顧四周，眼睛所能看到的，朝夕所能接觸的，唯有一襲白衫，輕盈飄曳，倏忽來去，彷彿迴旋左右，卻又芳蹤杳然。

白衫飄曳，有時像一朵白雲，悠然出岫，舒卷從容。有時像一枝百合，聖潔自持，幽馨微吐。白衫飛揚，有時像一隻白翎，低翔盤旋，高飛凌雲；有時像一陣清風，輕柔吹拂，塵穢自去。輕盈的腳步，輕柔的言語，從容的舉止，溫和的態度——女性中選擇出來的女性；所有軟弱無助，受苦受難病人們的守護天使。病院中散布她們的蹤跡，如同在健康來復的路畔綻開著怡神悅性的花朵；在信心重建的道上閃耀著星星點點的燈火。

一夜輾轉不安地失眠，一夜斷夢不絕地擾亂，常醒在莫名的躁鬱中。輕盈地飄進來一襲亮眼的白衫，一聲悅耳的「早」！一個親切的微笑，一伸手揭起沉重的窗簾；讓晨曦帶來一室明朗，清除了夜來積聚的濁氣、穢氣、悶氣。我在心裡輕輕說：「謝謝。」

日夜的翻騰，日夜的碾壓，被褥凌亂，枕頭狼藉。翩翩地飄進來一襲明淨的白衫，熟練地拉一拉墊褥，扯一扯被單，抖一抖氈子，拍一拍枕頭，動作乾淨俐落。好舒適的牀！足使妳安逸的閉目養神，倚枕憩息。我在心裡輕輕地說：「謝謝！」

落落寞寞，彷彿被擱置在架上滯銷的罐頭，懨懨抑抑，身心總難協調。款款地飄進來一襲皎潔的白衫，溫度計輕輕放在舌底，手指輕輕按著脈息，計算著你生命的躍動，關注著你的血壓高低。一個一切OK的表示，祛除了疑慮和冷落之感。我在心裡輕輕說：「謝謝！」

迷迷糊糊，也許是沉睡正酣，囈語喃喃，也許是惡夢糾纏，肩膀上一記記輕拍，耳畔一聲聲輕喚，驟然睜開惺忪的睡眼，熒熒的燈光下，一襲潔淨的白衫，一手拿藥，一手端杯——夜深如許，是徹宵未睡人。翌晨，我經過值夜櫃台時，卻見她一手支撐著在打盹。

我把腳步放得好輕好輕，把呼吸調得很緩很緩，在心裡默默地致意：「早安，我的守護天使！」

別看守護天使們都那麼年輕，潔挺的白制服掩不住活潑的青春氣息，在她們執行職責時卻都那麼認真而熱忱。那位清清秀秀的小姐耐心地守著病人把藥丸吃完時，固執得像個小母親。那個純稚可愛的小護士研究了幾天我的病以後，那天一本正經來告訴我說，她昨天找到了國中課本，知道我是誰。那位嫻雅溫文的小姐，聽說我正在找一本醫生囑咐的治療手冊，到處探詢，直到我出院那天，她氣呼呼趕來把書塞給我——來不及說一句話又趕去值勤——我欠她的又何止於一本書的價款？

安心便是藥

「因病得閒殊不惡，安心是藥更無方。」病中，我總把蘇東坡的這兩句話，服膺在胸，當作「枕右銘」。

我總覺得人類很可憐。多一些智慧，多一點知識，似乎並不比其他動物活得快樂。為著一個生存的目標，為著物質生活，為著更高的享受，甚至為著生活中一些雞毛蒜皮、微不足道的瑣事，勞形復勞心，碌碌一生。幾曾有過多少悠閒自在、遨遊山水、林間徜徉的逍遙日子。

生活方式越趨向繁複，越是摒棄了最可貴的「單純」。

誰說「人生」不是「瑣事」的總和？

誰說「心」不是瑣事的奴隸？

住院的日子，我擺脫了一切，不聞不問。身心乃從奴役中解放出來，還我自由。而從侍候著躍升到被侍候的地位，更不須煩心傷神。至於病，就讓它留在病的部位，不許侵入思想中樞。痛苦總會過去的，就如吉辛所說：「它不能影響靈魂，靈魂才是永久性的。身體只是心的衣服或茅舍。讓肉體受痛苦去吧！我，本我，要站在一旁，做我自己的主人。」

閒閒地袖著雙手站在一旁，且讓醫生去擺布安排，我擁有難得的悠閒，也學會了服用那劑天然萬靈丹——安心。我慶幸自己仍擁有不算遲鈍的腦子，可以思想，有近視不老花的眼睛，可以觀察。還有勤快的雙手，可以寫和作，有稍嫌軟弱的腿腳，可以行動。有馬馬虎虎的胃、口，可以享用零嘴和美食……小小病室，可以是與世隔絕的囚房，也可以是躲避俗務的靜室。

如果晚上睡得安穩，醒在黎明的靜穆中，心內一無所罣，有著嬰兒般的純淨。曙光微曦，我走向那空曠的庭院，踏著閃閃的露水，緩緩踱過新綠的草坪。不時深深呼吸兩口清新的空氣，活動活動肢體。三五株楊柳，數叢修竹，掩映著散置在湖畔的石凳和巨石，我喜歡坐在凳上看早起的魚兒攪起一池漣漪，我也喜歡靠在大石上，仰望遠遠的山脈，和掠過天空的鳥群——一低頭，自己卻正印在水光波影中。我把湖當作梭羅筆下的「華爾騰」，把院子看成「康考特草原」。當我徜徉其間，暫時拋開了煩慮，忘卻了疾病，只留下單純的平靜。待朝陽挾著萬丈光芒照臨，深邃的天空明亮得不能正視，我穿過椰子林蔭，松柏幽徑，悄然回到病房。簡單的早餐已擱在几上，整理過的牀鋪升得高高地，等著我去補充熱能和休息。

隨便撥一個收音機的頻道，愉快的旋律安撫著我。隨手翻開一本心愛的書，優美的文字鼓舞著我。或是隨意與同房同鄉的病友閒聊幾句，濃郁的鄉情牽引著我……於是，倦意輕輕地包圍我，像初升的潮水，瞬時淹覆——

黃昏時分，病室中盪漾著親情的溫馨。

晚上盡可以安心闔上眼睛尋夢去，不必為明天的俗務煩心。偶爾放鬆自己真好！生命不再是重壓，瑣事不再是折磨人的責任，更不必時時鞭策自己，唯恐沉潛。

人類生活從原始進入繁複，又盼重新返璞歸真。如果一切都變得單純，也許我也不必因病才得閒了。

這樣的辰光

如果說一個病人會愛上所住的醫院，那似乎是很可笑的。但我確是愛上了醫院裡那寬敞雅靜的庭園；庭園裡那道小小的湖——以面積來，與其是湖，不如說是池塘，但我喜歡叫它為湖，在感覺上，湖比較有內蘊，有深度，看若一泓止水，平靜如鏡。又分明水波粼粼，或升或降，自有源頭活水來。岸上疏樹頑石清晰的倒影，恍如微妙的水晶宮。浮雲冉冉飄漾，飛鳥倏忽掠過，又給了它生動的韻致。而隨著陰、晴、晨、昏天光的變化，有時呈現半透明的藍，有時卻是暗深的綠。心情也同樣跟著色彩轉變；或是開朗、或是寧靜。湖的側邊有株綠得特別鮮嫩的樹，正好傾斜地把橢形的湖身隔成兩半，上午若接若離，像是半截浮橋，下午載浮載沉，又似一艘綠舟。是浮橋，是綠舟，都繫引著我的遐思幻想……一待我發覺這平靜的水裡，原來還生存著一大群不同種族的、饕餮的居民時，叩訪的時間又不僅限於清晨的溜達了。

每天早餐中有一個饅頭，我總是把它留下來，連室友及鄰室的病友都把她們的一份給了我，冗長的午後，當別人午睡正酣時，我悄悄從側門溜出去來到園裡，揀那柳蔭下坐下來，金色的陽光把一池湖水渲染得十分亮麗，當我俯視時另一張臉龐立刻從水底仰視著我，寧靜得有如雕像。撕一塊饅頭擲下去，白白的像一朵覆瓣茉莉飄落水面，沒有風浪，小茉莉卻左右晃動起來，激起一疊漣漪揉皺了雕像。湊近了仔細端詳，才看得出是一群纖細透明，長不及一寸的幼魚，叮牢在底下，宛如縫紉時用的針插倒懸著。魚小力微，只是緊緊叮住不放，一任它飄飄蕩蕩。接著第二塊下去，情況又不同了。這次很快地一躍而上的是一群二三寸左右，不及筷子粗細的小魚，苗條的身子成斜角形簇擁著饅頭，一會推到東，一會推到西，就在水面滑行旋轉，倒像在做一種泅水遊戲。正自飄的飄，轉的轉，驀地裡有如水底掀起了地震，水忽然大波大波的擴漾著，同一剎那飄著的饅頭似乎被一股吸力猛古寧丁吸了下去，還沒有看到是什麼水底怪物，轉著的一塊又消失了——我忙不迭連一接二遠遠地撒下去，一定準是潛伏的大魚午睡乍醒，那樣狼吞虎嚥。真擔心牠會把小魚一起吞吮下肚，大魚很神祕，眼看食餌一塊塊吞掉，總不露身形，有時嘴唇竄出水面臨空一吻，有時水底隱隱閃動著一抹灰紅。再怎麼守候，也不肯展顯。但往往在我不經意時，卻忽然潑刺刺一聲，銀鱗映著陽光，迅疾地在半空劃個閃閃爍爍的弧，璀璨的一瞥，又倏忽隱沒——食餌餵盡，水又恢復了平靜，大魚沉潛，小魚在疏淡的藻荇間悄然游行，紋風不動。我嬌慵地靠著岩石，享受十一月的陽光，享受輕柔的和風，享受魚樂，柳枝輕拂，澄澈明淨的藍天廣闊地伸展在我頭上。這樣的辰光我能夠待上一整天，只是常常忘記了時光在身邊流走。有一次施施然回到病房，正逢上值班護士端著藥從我病室出來，立刻挨了斥責：

「找妳半天吃藥找不到，跑到哪裡去了？」

「就在湖邊餵魚。」我吶吶地回答，好像逃學的小學生被老師當場逮住了。

「哎！餵魚？別把自己餵了魚麻煩可大啦！」對她的故作嚴峻狀，我只是默默地把她手裡的七彩丸子、苦藥水一一吞下去，然後乖乖地在牀上躺下，心裡卻嘀咕著。

什麼糖衣丸子、怪味藥水，哪比得上園中的陽光、清風，以及和魚們廝守的愉悅時光，對健康更有效！

又再擁抱世界

住院，沒有什麼雜務好煩心，沒有什麼閒情惹氣惱，倒有點像老僧參禪，四大皆空。只是時光不管你出世入世，依然在病榻畔悠悠流走，進院時青青的聖誕樹，什麼時候已在葉梢渲染上豔麗的脂紅？醫生通知我，可以出院了。

病未曾根治，也沒有再變化，就算是抑止在那兒，我想像那些嬌嫩的肺氣泡，數十年來，不停地吸入空氣，吐出二氧化碳。就像一些海底生物，翕張啟合，斂放自如。如今其中一部分——七萬萬五千萬的幾分之幾——卻冷冷然、木木然，靜止不動。不知是被污染的空氣所傷害，是受長年支氣管炎的影響，抑是使用過度衰退了，成為化石？

沒有新配方，沒有特效藥。離院前，醫師頒贈了一串忠告，一本手冊，囑咐我若要與病和平共存，保持相安無事，就不能受寒，不能勞累，不能受異味刺激，更不能生氣，鬧情緒，精神受創傷。必須嚴守中庸之道；走路不可太快，做事不可過度，仇人見面不動肝火，友人話舊不可亢奮，萬事小心，一切慢慢來。手冊上除了注意事項，重要的是教練腹部深呼吸，從腹部堆沙袋，運氣吐納，到吹氣如虹，遙控呼吸……哎！如若一旦我徹底做到這些，真可以說是修養到家，成為爐火純青，冷若冰霜，泰山崩於前而無動於衷的超人。而運氣吐納的功夫練出來，武藝中又多了一項別創風格的氣功。大可放下那支絞腦汁、泣心血的拙筆，改行拍武打片去了。

人總是感情動物，縱使短暫的駐足，臨別也不免有些依戀，有些忘不了的人和事。病房外臨水飄拂的垂柳，柔情脈脈帶給我多少依稀故鄉的情懷，路畔擎天柱似的兩排大王椰，寬葉舒展，拂除了多少心頭的鬱悶。濃蔭裡坐在台階上，閒看一襲襲潔白的衣裙飄揚過矮扶桑，消失在小徑盡頭。棚蔭下仰望那一簇九重葛，橘黃、金紅、玫紅三色花蕾，蔓延迴繞在白色格子間，襯著碧藍的天空，好一幅生動鮮明的圖案！只想摹下來作一本散文集的封面。我喜歡走在兩幢建築物間懸空長廊上，一紅一綠，像是兩座凌雲的虹橋，又像是通向太空艙的密封甬道。我喜歡靜靜的晝午，獨坐在湖邊岩石上餵魚，平靜的水面有魚也有我。

那個勤快的清潔工，總在清早撩起窗簾，為我放進一室新鮮的空氣和燦麗的晨光，那個背著兩只大口袋的報販，總在病室是閒人莫入的上午，為我帶來禁區外人類活動的消息，那個年輕的駐院醫師，來查病房時總是三緘金口，白衣飄揚處，如驚鴻一瞥。那個溫柔沉默的守護天使，總在靜寂的夜半輕催我服藥，那個久病成醫的朋友，免費廣播醫藥常識，那個關節神經炎患者，常推著輪椅來拜訪，那個總是一手拎著一只用管子連在身上的玻璃瓶，動過手術的年輕女人，談笑自如，就如一般婦女瀟灑地提著手提袋。還有那隻鬚眉生動，用透明塑膠編結的龍蝦，總讓人想起那位殘而不廢，以手藝來安排餘生的病人。

我慶幸我進的這家醫院有未經污染的新鮮空氣，寬敞幽靜的庭院。我慶幸我住的病室有軒亮的大窗子開向山坡，我慶幸我住院的這些日子，沒有陰霾，沒有風雨，都是晴朗美好的好天氣。我慶幸我同房的病友不是輾轉呻吟牀笫，或古怪執拗的人。我要開窗她同意吹風，我醒得早她喜歡早起，我說話她回答的是親切的鄉音。我要出院時，她說我當天出院，她也去辦手續，我若改明天，她就多留一天作伴——我們終於同時離開。在病室門口握手道別，互祝珍重。當汽車穿過凌空的虹橋，通過夾道的椰林，經過靜靜的湖邊，才記起早上還留了我和她兩個人的饅頭，不曾餵魚。

……能把人活上千百次，真是多美！

……如果我能擺脫了這疾病，我將擁抱世界！

——貝多芬

不用千百次，只要不受疾病折磨，不受命運擺布，不受環境支配，不受感情牽掣，至情至性活上一輩子，也就不虛度此生了。

健康來復的路上，可能還是會「也有風雨也有晴」，但能再擁抱世界，可真不錯。

病後一週年，民國六十二年十一月・《中華文藝》

編註：本文原刊於《中華文藝》第六卷第四期，一九七三年十二月，頁二十六～三十二；第六卷第五期，一九七四年一月，頁一九〇～一九六。

有霧的日子

春天，多霧的季節。

霧來時，不知道是深夜還是凌晨，醒來睡眼惺忪，看到的是一室幽暗的光線，一窗木楞楞的灰色，以為天還沒有亮，不料卻是霧凍結了黎明。

推出門去，沒有天空，沒有樹木，沒有路和房子，也沒有左鄰右舍。周圍是一團渺溟，一片凝靜，恍惚混沌未開，鴻蒙未闢，而我是唯一的生命。

走進靜止，走進凍結，走進闃寂。摸索的腳步是蝸牛的觸角，向前怯怯試探，細細霏霏，似雨非雨，沾上皮膚，潮潮潤潤，沾著臉頰，冰冰涼涼。靜止只是表面，實際上卻在無聲地升湧、翻騰。走一步，前面稍稍閃讓，後面立刻又密密層層的包圍攏來。迷迷濛濛，縹縹緲緲，沒有盡頭，沒有止境，似乎永遠走不出去，不是走，是深深地陷入，陷入濃霧的迷茫；不是步行，是浮泛；像一條小船，盲目地浮泛在濃霧瀰漫的湖上。

不需要燈塔，不需要路標，我的感覺就是我的眼睛，我的儀器。儘管一切都被嚴密遮蔽，儘管一切都深深隱藏，六千多個悠長的日子，曾躑躅於此，徜徉於此，徘徊於此，腳印串起腳印，怕不長得可以越山過海，繞著我可愛的故鄉打轉轉——我熟稔那些景物，知道哪邊是房屋，哪邊是田和池塘，哪裡該拐彎，哪裡該繞路，什麼地方有個低窪，什麼地方是道水溝……不用擔心迷失，害怕顛躓，我的感覺就是我的眼睛，我完全清楚我的航線，我的方向。

頭頂傳來啁啾的鳥啼，已來到那條鳳凰木拱衛著的林蔭大道，透過冷濕的霧，似乎鳥兒們的啼聲也顯得有點怯弱，遲疑地、猶豫地，一聲、兩聲，零零落落，彷彿在彼此試探：「怎麼回事，天究竟亮了沒有？」「看不見起飛嘛！」腳邊有什麼悉悉索索竄過去，不知是驚動了早起的青蛙，抑是貪睡的蜥蜴？我低下頭去，卻發現一簇嫩嫩的綠——灰色天地中唯一看得見的一株鮮明色彩。由極小極小的三個玲瓏心形幅湊成紐扣大小一片片圓葉，圓葉叢中又開著繁星似的更小的黃花，嬌嫩極了，也精緻極了。讓人覺得造物主縱使連最微小的生命，也從不忽略它的精心構造。

霧浮動漸漸快起來，四周的空間也慢慢擴大了。溟濛中顯露出景物模糊的輪廓，隱隱約約，影影綽綽，似近似遠，似遠卻近。先是朦朧的形象，繼之模糊的顏色，那沉沉濁濁的分明是人家朱門，長長的白垣卻延伸到虛無縹緲中。那鬱鬱蒼蒼不正是扶桑綠籬，為什麼吊垂在半空中的燈籠花熄了蠟燭。那幽幽邃邃的可不是詩情畫意的林蔭路，看起來黑幢幢的卻像無底的大隧道——驀地裡隧道那端什麼怪物迎面撲來，隨著一串急促的鈴聲擦身而過。原來是腳踏車上載滿蔬菜去趕早市的小販。身影及鈴聲倏忽消失，寧靜中又忽然飄過來一陣單調而有規律的吱——呀——吱——呀聲，循著聲音望過去，那邊好像在演皮影戲嘛。我站定了仔細從霧氣中去捉摸，才看出來是一個農人在灌溉他的菜圃。好原始的方式！一根粗竹子橫貫在極其簡單的木架上，一端繫一隻水桶，一端繫一塊巨石，農人悠然地拉著繩子一鬆一拉，讓木桶從水圳裡舀了水傾倒在斜斜的水槽中，再汩汩地流進田裡一條條土溝，看那一棵棵茁壯的包心菜，一株株挺秀的小白菜，我幾乎可以聽到那些根莖吮吸著鮮甜泉水的滋滋聲，在潤濕的泥土中舒展延伸。

飄飄漾漾，悠悠忽忽地，霧開始冉冉地散開，當初那麼渾渾濁濁，混沌而又冷漠，此刻卻變得裊裊婷婷，輕盈而又柔和，視野廣闊了，景物呈現出原來的面目，只是還蒙上一層薄薄的面紗，比平時反添了一份神祕感，一種朦朧的美。當霧雰越來越淡，由冷漠的灰色轉成高潔的淺藍，又由淺藍轉成明媚的淡紫，忽然間絞織進千萬縷陽光，立刻又變成璀璨的白金，好一片金色透明的縠紗！正思忖怎能剪裁一幅朝夕掛在窗前，倏忽間已煙消雲散，一剎那全蕩然無存。太陽以令人不可逼視的萬丈光芒照臨大地，一個光輝明朗的世界脫穎而出，澄藍的天空光潔得像才打過蠟，沒沾上一絲雲翳。樹梢、菜畦、池畔、路旁，閃耀著深深淺淺的新綠，溶入池塘中，滲進大氣裡，水也綠了，呼吸的更是沁涼又清新的綠意。鳥們興高采烈地飛一個迴旋，又來一次翺翔，一面歡欣地唱出生命的禮讚。蔓延在田塍路畔的牽牛花，忙不迭爭先恐後撐開一支支紫色的小喇叭，奏著春晨曲。吊鐘花隨著節拍不住在晨風裡搖盪。叮鈴鈴，騎著上學赴市場的車子多起來了，一個微笑，一個頷首，一串叮鈴鈴的鈴響；一身朝氣，一片生意，一個晴朗的好日子。

從混沌中出來，披一身光輝回去；從曚昧中出來，懷一份澄清回去，回去，小室仍在靜寂中。

空間的濃霧散了，那遮掩在靈台上的霧，蒙蔽在思想上的霧，鬱積在感情上的霧也該散了。春來且勤加拂拭，待還我一份至情至性的生活；還我一個瑩澈如明鏡的境界！

《文藝月刊》

編註：本文原刊於《文藝》第三十五期，一九七二年五月一日，頁四十～四十二，而非文末註記刊物。

疾馳在夢的邊緣

拋開那嘈雜和囂鬧，拋開那燃燒的霓虹，拋開那狂熱的人群，汽車駛向田野，駛向黑暗，駛向夜——那安謐、柔和、無限深廣的懷抱。

夜在這裡才是真正的自己，沒有被燈光割裂，沒有被鬧聲騷擾，它安詳地舒展著，從山陬到海岸，從森林到原野，從無垠到無垠……

汽車疾馳著，亮著的車燈似兩支銳利的巨錐，在深邃的黑暗中鑽出一個無底的涵洞，一條光的隧道。那是多麼神奇的涵洞和隧道！兩邊不是厚實的牆壁，不是堅固的岩石，只是無形無質的黑暗。穿過去了！穿過去了！但是，那是永遠過不完、穿不完的。

車子疾駛在深靜的黑暗中，有人打著呵欠，有人閉著眼睛，車身微微搖晃，倦意襲人中，恍惚拾回一份悠久的享受——是那初生的搖晃，輕輕的擺動，伴著慈母溫柔的催眠曲——

我倚靠著車窗，凝眸望入車外黑暗中。白天裡，我曾從這條路上經過，憑藉星光閃映下隱約的輪廓，默默辨憶一路的景物：那無限空曠的是稻田。在陽光下，有牛在收割過的田裡犁土，踱著沉緩的步子，從東頭犁到西頭，鬆軟的泥土翻成褐色的浪花。有農人在秧田裡忙碌，蒙面女郎與莊稼漢的笑語聲迴盪在田野間，驚起了潛在稻田深處的三兩隻白鷺，驀地展開雪白的雙翼，飛掠過碧綠的海，又降落在遠遠的稻田深處。而此刻，那辛勞了一天的牛大概安然偃臥在牛欄裡，闔上了那對大眼睛，嘴裡卻還有意無意地反芻著白天從田塍上吞食的青草，那莊稼漢已洗掉一身的泥土和疲倦，躺在鋪著草墊的牀上，旁邊是他的妻子，喃喃地在哄著最小的嬰兒入睡。那白鷺，卻不知是伏在田裡還是歇在樹上，那青青的禾秧，正沉酣於夜露的浸潤——一切都將入夢。

那微微閃著光的是那條河流。白天裡，陽光替它綴飾著千萬片銀鱗，載著兩岸綠影，一路蜿蜒伸展向田涯盡頭。數不清的鴨子便在河裡追逐、嬉戲、覓食、戲水，載浮載沉，好不逍遙自在！銀鱗攪亂了，清水弄濁了，牠們全不管，那一片叫囂歡吵的鬧聲，蓋過了水的奔流。而此刻，鴨群也許早就在矮矮的柵欄裡，你擠我、我靠你的偎依在一起安息了，那扁扁的長嘴停止了叫囂，停止了覓食，藏在溫暖的翅膀底下，只有這一刻才安靜下來。河水潺湲地流著，悄悄地穿過田野、樹林，夢想著遙遠的海洋……

一簇黯淡疏朗的燈光，像誰遺落在黑暗中的一把香火，迎面撲來，又倏地消逝。那是一個小小的村子，白天裡，這裡有著市集，綴著補丁的遮陽下陳列著魚肉，地攤上堆著蔬菜水果，矮矮的雜貨店從油、鹽到笠帽、汽水，包羅萬象，鄉下人全在這裡忙著交易。而此刻，遮陽撤除了，地攤收撿了，只有點點燈亮，從那上了門板的小店裡洩漏出來，也許，店主人睡意朦朧中還在盤算一天的盈餘。

遠遠的，一長條白光，像一道巨大的閃電墜落下來，把黑暗從中間截成兩段。那是一條大路，一條交通要道，白天裡，往來奔馳於路上的車輛穿梭，有載著笨重木材水泥的貨車，有載著稻草蔗葉的牛車，有載滿乘客的大巴士，有流線型的小轎車。而此刻，開車的乘車的也許都在別的城市休息了，只有清清冷冷的路燈，守護著靜靜的路。

黑黝黝的，又是無限空曠銜接著無限空曠……一切一切都已在夜的安撫下靜靜休息。

休息中寓有生長，休息使新的血液循環，使新的活力充沛。

一切一切都已安睡，都將入夢。

汽車疾馳在黑暗中，疾馳在夢的邊緣。

夢的邊緣有過不完的無底涵洞，有過不盡的光的隧道——

有什麼從窗外深邃的黑暗中透過玻璃，落在我眼皮上，那麼輕、那麼軟、又那麼沉綿……

輕輕地、輕輕地、不要停。從夢的邊緣馳過去，路還長著哩。

輕輕地、輕輕地、不要停。從夢的邊緣馳過去，夜還長著哩。

……突然車身一陣震動，眼前一片明亮，原來車已抵站了。

《文壇》

編註：本文原刊於《文壇》第二十三期，一九六二年五月一日，頁二十一。

一個人在旅途上

列車緩緩地駛離陰暗、古老、森嚴的台南車站，便滑進一片明燦的陽光中，眼界豁然寬敞，心境隨著開朗，連那份淡淡的離愁也輕煙般融化了，望著車窗外那遼闊的田野，無邊無際的深綠淺綠、氾濫的金液，覺得平時總讓自己局促於三間陋室，簡直是辜負了大好世界！

難得有機會旅行，更難得乘火車，巧的是偶然坐那麼幾趟，多半是一個人獨行，從南而北，或由北而南，長長的旅程，緊緊地閉著嘴，維持著矜持的坐姿於狹隘的座位中。四周全是冷然漠然的陌生人，稍一欠伸，唯恐碰上鄰座擠壓在扶手上那汗黏黏的手肘，略一轉側，又怕呼吸到那迎風逼人的大蒜臭或煙臭。再不猛不防一個油膩膩的頭顱忽然折斷了似的傾跌過來，或當妳凝目窗外時，第六感感到有什麼似蜂螫在盯視著，但一轉臉卻見隔座正眼觀鼻，鼻觀心，好一副凜然的正襟危坐狀。旅途中真能幸運地遇上一位彬彬有禮的紳士，溫柔可愛的淑女，和藹可親的長者，風趣健談的旅伴，以及羅曼蒂克的情調，那或許只是小說家筆底下安排安排而已。

獨自一個人旅行有一個人旅行的寂寞，也有一個人才能獨享的情趣，那就要看能獲得怎樣的座位而決定。同樣票價，同樣設備，同樣旅程。但兩種座位卻有完全不同的境界，截然不同的感受。靠人行道這邊的，會讓人感到是關閉在一只大箱子中，不能自由呼吸，前後左右圍困在人堆裡，不能自由轉動，別人吞雲吐霧，自己是條活燻魚。別人進進出出，你得是扇自動柵門。車輪碾壓鐵軌的聲音單調的搓揉著神經，教人難以忍受，好長好長的旅程，彷彿從一個世紀進到另一個世紀，一心只盼望著終站，有似囚禁盼望著解脫。可是，如果擁有一個靠窗的座位，那就擁有一個完全屬於自己的美妙天地；儘管四肢拘束於三尺方圓，眼睛卻有福了。那一片廣袤的天地一望無際的展現在眼前，每一瞬間都在變化，每一變化都顯示不同的美。是淡雅幽靜的國畫，是飄逸雋秀的水彩，是奔放豪邁的油畫，也是濃豔鮮明的柯達克彩色攝影，而共同的一點特色，是生動的、活潑的、變化的、具體的，在感受到美的同時，幾乎可以感觸到生命的躍動，體會到生命在呼吸、在滋長、蓬勃而燦爛……

生命的律動，召喚著性靈，呼喊著心神，當心馳神遊，已不再是困閉於車廂中的寂寞旅人，不再是碌碌眾生中的一個。是那清風，奔馳於莽莽曠野，飛躍於青翠田疇。是那白雲，騰翔在山巔群峰，飄揚於澄淨蒼穹。伴奏著那奔馳、那飛躍、那騰翔、那飄揚，是列車行進輕快的旋律，不停地歡唱著前進，前進──

前進復前進，掠一片田野又一條溪流，穿過一座山峰又一叢樹林，經過一座城鎮又一個鄉村。我喜歡看那古銅色的胳膊，和裹著七彩花布的手臂一起揮舞在陽光下；專攻耕耘的牛，從容地在褐色大畫板上刻劃出整齊的實用圖案。綠的錦緞上，不時柔柔地、輕盈地描畫一兩道白色的弧線；那是長腳的白鷺，情致悠閒地遨遊於牠們綠色的領域，我喜歡看那叢叢翠竹掩映的人家，小溪蜿蜒迴繞，魚池裡竹筏無人自橫，三五隻昂揚的白鵝，成群嬉戲的鴨子，優哉遊哉，樂在其中。我喜歡看長長的架空大鐵橋，錯縱高聳的欄杆那樣迅速地就逼近眼前閃過，要看仔細又禁不住頻頻眨眼。轟轟的吼聲與橋下沖激的流水合奏著一支雄壯的交響樂曲，還有那狹窄得只容得下一輛火車的小鐵橋，前後左右四面懸空，好像是在飛渡；渡過幽深的山壑，渡過綿綿的瓜田。如果有一隻伸縮自如的手臂，底下翡翠球似的西瓜似乎垂手可摘。我喜歡看起伏的群山，巒上煙黛縹緲，峰頂白雲縈繞，那樣莊嚴，又那樣神祕。而漸漸近來時，山麓山陬卻綠葉招展，山花含笑，一簇簇紅嫣紫姹的花朵，顫巍巍地彷彿要探入車窗……但倏忽間金的、綠的、藍的，紅的，所有色彩和光影都不見了，眼前一片潑墨似的漆黑，像是天地未闢，混沌未開。潑墨中隱約一團白白的似花非花，湊近去看清楚，竟是自己的臉！歲歲月月，朝朝暮暮，總只見自己的臉清晰地反映在明澈的水銀鏡中，如今從黑暗中出現，隱隱約約，朦朦朧朧，倒像來自另一個世界。隔一層冰冷的玻璃，我與另一個我默默相對，當我還來不及向那一個展開臉上繃平了的笑紋，卻又悄然隱退了——原來是經過一條長長的隧道，岩洞外面，又是一片洋溢著生命的綠，氾濫著金色的光。我喜歡看浩瀚的大海，遠遠地引伸在天際，薄霧籠罩下，顯得撲朔迷離。而幾番曲折迂迴，幾番遮遮藏藏，卻又突然湧現在眼底；銀波瀲灩，一串串潔白的浪花閃耀於蒼鬱的藍。那樣安詳，那樣寧靜，幾曾像載負了億萬年歷史的憤怒！我喜歡看一角巍峨的城樓，屹立在原野上，一簇簇參差的屋脊，閃現在綠叢中，那是人類生存在地球上的標誌，是人類開拓世界的偉績。且臨風寄意，祝福所有陌生的、相識的、孜孜誠誠、勤勤懇懇、為生存奮鬥的居民們。我喜歡看列車停靠一個一個的大站小站，像一隻好性情的吐納巨獸，吐出一群旅客，又納入另一批旅客，那些下了車的，抖落一身困倦和煤灰，攜著輕鬆的心情和笨重的行李，顯露出一臉到達目的地的釋然泰然，悠然離去。那些正待出發的，行色倥傯，表情緊張，為奔赴一個目標，一個理想，或一個前程，匆匆趕來，於是，和平的綠旗徐徐揮動中，吐納獸深長地舒一口氣，又開始了前進。

路無窮盡的向前延伸，一路有欣賞不盡的美景，列車進行中，又全是我的世界，我的天地。我擁有最豐富的寂寞，最美麗的平凡，最繁華的樸實，最生動的寧靜，而等目的地臨近，我便悄悄地從超然物外中喚回自己，如是到達的站，有我所渴慕的、嚮往的，充滿喜悅和新奇。如是歸去的站，也有滿足和安寧。

獨自一個人旅行有一個人旅行的寂寞；也有只一個人才能靜靜領略的美妙情趣。

《新生副刊》

花好月圓

但願人長久
千里共嬋娟

幽暗中，群山肅穆，湖水凝波，風寂寂，人悄悄，只為等待，只為盼望……驀地裡，宇宙彷彿從冥渺的黑暗中醒來，豐盈的圓月冉冉上升，一個新的世界誕生了。

一個嶄新的、透澈晶瑩、不沾一點塵埃的琉璃世界。如此清朗，如此明媚，如此超逸，如此莊嚴，而又蘊聚了如許溫柔！

柔輝照臨，群山恍若浮島，湖水輕漾銀波，睡蓮盈盈展瓣，散幽香在清風裡。承受著光的洗禮，人兒淨化了、澄清了，靈魂純潔一如初生的嬰兒，一片玉潔冰心，只是充滿了寧靜，充滿了柔情。

柔情似水，月明似水，脈脈清流中，正浮泛著數不清的小舟，那是希望之舟，愛情之舟。有將起碇的，有已遠航歸來的，有不繫的孤舟，飄泊無羈。有兀自在尋求理想的港口，有揚著輕帆、直駛夢嶼。也有像那聚散不定的海鷗，偶然相遇於波瀾間。還有，還有迷失了航向的——小心哪！在這朦朧的、撲朔迷離的夜霧中，原是最容易迷航的。

這柔情如水，月明如水的夜，可以容許點陶醉，可以容許點閒情，可以容許點綺思遐想，只是，別牽惹離恨。怕小舟載不起如許鄉愁！但願來年月圓時，天涯已無淪落人。

夜更深，月中天，照耀更澈，世界完全溶在迷濛的光與影中，恍惚匯成一道銀流，分不清月光在流，湖水在流，時間在流……載著寧靜，載著和平，載著花香，載著清風，載著人間多少柔情與祝福，多少希望與期待，從亙古流到今夕。

月亮映在湖心，天上有月團圞，水裡也有團圞月，宛如人間心心相印。

愛是圓滿

成功是圓滿

圓滿的剎那便是永恆。

且讓生命之舟停泊在這永恆的涯岸

飲一杯清洌的銀色酒汁

祝福，祝福這圓滿，祝福這永恆，祝福人長久，月常圓！

編註：本文原刊於《幼獅文藝》第二十三卷第四期，一九六五年十月，頁一二〇～一二三，原題〈月圓花好〉。

春遲

我悄悄地來到河畔，只緣得到了一個消息。

愛河，我並不陌生，堤岸上那芊綿的草地，那軟軟的沙土，都曾印遍我的腳印。縱使風吹土揚，青草偃倒又挺起，未能留下半點痕跡。但河上無限風光，兩岸如許詩情，幾時又曾忘懷？

幾時又曾忘懷？駕一葉小舟，盪漾碧波間。輕輕一槳下去，雲似雪花，天像四碎迸射的藍寶石。槳一停，又是一片雲天，倒影水中。穿過深邃如拱門的橋洞，橋那邊，波瀾壯闊，已瀕臨大海的邊緣。橋這邊，水流潺潺，仍是平靜的河流。波浪使人暈眩。掉過小舟，且讓它順流逐波，隨風自盪。聽水聲低扣兩舷，看漣漪寫成詩篇，渾不知身在夢裡抑是畫中。

幾時又曾忘懷？看漁人在河上撒網，水不揚波，人是凝重，水天之間，只一份安詳和諧的氣氛。網舉起來，漁人忙著拾取那在陽光下閃耀的銀鱗，卻可惜了網眼間一粒粒珍珠，又滴落河心。一天，網盡了曙光和晚霞，只帶走銀色的收穫。幾次想開口，開口借來網罩，揀一個晚上，也去網一網水底的月亮和星星。

多少個岑寂的黃昏？多少個彩霞染紫了河水的傍晚？我撫著鐵環，扶著石欄。緩緩地，從堤岸這端踱到那端，跟隨著流水，又怎能走得到盡頭？只有由得思念跟著水流。河的那端銜著海，海的那邊是家園。讓流水帶去我無限的鄉愁，讓流水分載我如許深憂。

多少個漆黑的夜？多少個深靜的晚上？兩岸燦爛的燈光，為河加上美麗的鑽石冠冕，使那一帶夜空顯得明耀，使河流顯得明耀，使河流顯得更幽深而神祕。迷眩於它新的姿態，常使我無言相對，使情侶們留戀忘返。但河水仍是默默地、活潑地流著。讓燈光守護在兩旁流過長夜，又流向另一個明天。

每一個明天，無論是清晨，晝間，或昏夜，當你佇立彼岸，眺望橋上行人如織，車如長龍，你會感到自己是這鬧市中唯一享受清靜的人。當你仰望白雲悠悠，俯瞰流水湲湲。你自會擁有一份恬淡寧靜，超然物外的心情。而在那軟軟的綠毯上，憩息一會，小坐片刻，看那修長如梳的檳榔葉子，梳理著一縷縷金色的陽光，銀色的月光，也梳理了你心頭如亂絲的煩慮。美麗的河，我幾時又曾忘懷！

我得到了一個消息，因此，我又悄悄地來到河畔。

那個消息，得自小園含苞的玫瑰，得自枝頭初萌的嫩芽，得自田裡甫插的新秧。它們欣然告訴我：春已來臨！

為探訪河上的春，我來到河畔。

流水依舊潺潺，白雲依舊悠悠，遠遠的橋上，行人依然如織，車如長龍。但是，總覺得有什麼不對，又總覺得像缺少了點什麼。

是河裡沒有小船盪漾，是岸上不見遊人逗留，是油漆剝蝕的長椅空自飄滿落葉，是憔悴的檳榔樹乏力地在風中搖曳，抑是那遍地如茵的綠毯，曾幾何時，卻變成了枯黃的乾草？是了，就為的缺少那點春意，竟如此沉寂，又如此的黯淡無光！

但一點不假，我曾得到春的消息。

難道是都市裡林立的煙囪和高聳的屋脊，使春神疏漏了這裡，難道是兩岸沉重的鐵環鎖住了，使春神不能跨越？

我失望地、毫不憐惜地踐踏著那片枯黃的草地。枯草一根根在腳底折斷、揉碎。一陣悉索，有似最後的呻吟。彎下腰去，隨手扳開一叢枯草。噢，那是什麼？是一點新綠！就在那枯黃的草莖中，透出一粒比翡翠還明豔的綠芽，尖尖的、嫩嫩的，卻顯示著盎然的生意。

我的探訪並未落空，只不過來早了一步。

春神恩澤萬物，並未疏略這一個角落。只不過來遲了一步。

懷著喜悅的心情，我輕輕地走下草地，又悄悄地離開了河畔。但是，我就會再來的，等河上春意更濃的時候。

《臺灣新聞報・西子灣副刊》

浮萍之感

送走了一年的風、雨、陽光，又迎來另一年的陽光、風雨。時間，像貓的腳步，輕輕的、軟軟的，從身畔走過，沒有聲音，沒有痕跡，也不曾表示依戀地挨擦一下，幾乎是絕情地走了過去。

那一季，沒有楓葉傲霜紅。那一季，沒有寒梅透雪香。那一季，一叢叢的綠還是一叢叢的綠，未曾稍稍褪色，好一個一年長如四季春！

移植的鳳凰木早已盤根蟠枝，濃蔭覆蓋。扦插的聖誕紅早已根枝茂密，臨風挺立。連浮栽在水盂中的葛藤也都莖葉蔓纏，長滿了根鬚。而我，二十年了，為什麼卻依舊有著浮萍的感覺？

二十年，又豈是短暫的時日？一粒種籽，能長成蔥鬱的大樹。一個嬰兒，能長成健壯的青年。一片草莽，能開闢成良田。一座荒村，能建設成城鎮。但是，我在我所棲留的地方，仍有著浮萍的感覺。

我棲留的地方，美麗、豐足，有四季常開的鮮花，一年兩熟的禾穀，是大海中一座不沉的綠島，是烽火中一塊安謐的樂土。人人享有充分的自由，如同享有島上清新的空氣，璀輝的陽光。在山陬和海岸，在城郭和市鎮，在這裡和哪裡，也曾留下我青春的腳印，留下我感情的懷念。二十個悠長的春夏秋冬中，有失落也略有收穫，有苦惱也還有喜悅。我歌頌，我禮讚，我由衷地喜愛這片海上樂園。只是，只是每當星移物換，歲序更番，那有如浮萍的感覺，便似濃霧從海上湧升，將我密密籠罩，將我緊緊圍困。我迷亂，我惶惑，我無力把持自己，就像一葉曾與驚濤駭浪搏鬥過來的小舟，已是傷痕纍纍。忽又飄泊迷失，四顧茫茫，不辨何處是涯岸，不知何方是港灣，那歸程，更在萬重波浪外……

我生活在我所棲留的地方，一角小院，任我種植，三間矮屋，供我作息，數架圖書，讓我神遊。儘管物質上貧乏簡樸，精神則常在豐富的境界。雖然局處於狹隘的小天地中，總不忘開拓廣闊的思想領域。平淡的歲月裡，我獨勤於灌溉，常使心園生意盎然，絢麗燦爛。勤於拂拭，不讓塵垢蒙蔽性靈中的一片真純，一片潔淨，一片赤忱。我已習慣於寂寞地開拓，默默地耕耘，何況淡泊寧靜，原是我心所願，至情至性的生活，更是我心所嚮慕。只是，只是每當黃昏時分，夜闌人靜，每當心靈中片刻閒暇，思想中一截空白，那有如浮萍的感覺，若颱風山洪，倏忽將我淹沒吞噬。柔若心底抽絲，絲絲縈繞，縷縷不絕，絞得心尖疼痛，抽得心瓣酸軟……我繞室徘徊，悵然若失。我心神不安，徬徨無主。我疏於開拓，怠於灌溉，倦於應付生活，更煩膩那缺少季節的日子！

遊蕩的漂鳥，永遠飄泊不定，也能飛越洶湧的波濤，飛向海的那一邊。

不羈的白雲，到處流浪飄泊，也飄過千嶺萬峰，飄向山的那一邊。

而我，只似浮萍一片，遺落在一泓止水中。

無根而生存，需要怎樣的勇氣，怎樣的忍耐，怎樣的力量呵！

只為忍耐中有所渴慕，有所盼望，有所期待：

當真理亮著鮮明的旗幟，引領扯滿風篷的船自海上歸去，回到海的那一邊。

當我的腳趾一踏上故鄉的土地，我便立刻生了根。迅速地、扎實地，深入大地的懷抱，吸吮著溫馨甜潤的乳汁，從此，永遠，永遠再無浮萍之感。

你若來自海的那一邊，不亦期待著這一天麼？

於岡山，元月十日夜・《皇冠》

編註：本文原刊於《皇冠》第三十一卷第二期，一九六九年四月，頁一二一～一二二。

心靈的喚醒

人是不能超於生活的。每一個人都在生活，每一個人都要生活。人生若是一場無日無之的鬥爭，生活便在戰鬥中展開，不斷地應付著日常的煩慮，和沉重的工作。生命若是一條永不停息的流，生活便得緊跟著不停地奔流，一路上艱辛地沖激礁石，越過險灘。這冗長的鬥爭，這單調的奔流，往往使人厭倦，使人心力交瘁。何況更有那無邊無際的寂寞、煩悶、苦惱橫亙在生活裡面，就像無法跨越的沙漠，橫亙在宇宙中。如果沒有一點精神上的鼓舞，性靈上的提升，生活中向上、向善的意念，難免越陷越深，以致迷失了自我，忽視了人生美好的一面。

那天讀《羅曼羅蘭傳》，中間有那麼一段……人生原是與苦俱來的，我們來做人的名分不是咒詛人生，因為它給我們苦痛，我們正應該在苦痛中學習、修養、覺悟，在苦痛中發現我們內蘊的寶藏，也在苦痛中領會人生的真際。……這幾句話曾給了我不少啟示，不是嗎？原來我們所生活的世界是如此廣大，原來生活中充滿了情趣，有如蘊藏豐富的礦脈，只待發掘。原來每個人都擁有世上最可貴的財富，乃是智慧、愛，和快活的心地。可是我們都忘記了、忽視了，只為日常生活在我們心靈上蒙上了一層油煙，只為世俗的煩慮在我們的思想上蒙上了一層塵垢，我們被現實生活壓彎了脊骨，只是低頭專注於面前做不完的瑣事，不曉得抬起頭來望一望、想一想，環顧一下周圍的境界和事物，檢視一番心底的寶藏。

朋友：讓我們從習慣的沉滯中喚醒心靈，共同來發掘心底財富、內蘊的寶藏罷！

《中央副刊》．《生活小品》序

編註：本文據《生活小品・寫在前面》添筆修改而成。

優遊歲月

到現在，我還不大清楚究竟是我安排了生活，抑是生活安排了我？有時我覺得自己是生活的主宰，十分權威。有時又覺得生活在支配我，處處都受牽制。

有形的表層日常生活，不過是一些瑣事的總和，尤其是身為親操井臼的主婦，那些雞毛蒜皮的俗務，實在不值得一提。

無形的內涵靈性生活，又純屬個人的修煉、穎悟，空靈而神祕，只供自己默默體會，更不能言喻。

而生活的連鎖，是由每一個階段，每一個不同的環串成的。勞碌半生，有流離顛沛中充滿了戰鬥氣息的日子，有生活重負下，求生的意志特別亢揚的時候。有置身在剪刀、紅筆、鉛字、稿子堆裡，孜孜不倦的另一種生存方式。有付出全部熱忱，聽筆尖日復一日刻劃過長夜的得意時光。也有在南台灣二十多年沉寂如止水的半隱居狀況，以及目前來台北的遊牧生活。都不過是連鎖中的一環，一種過程。生活畢竟是有各種可塑性的，不能融鑄成一個模型來臨摹，且摘錄一些生活中的情趣，做為抽樣檢驗罷。

也許是受家鄉那種優遊歲月、悠閒生活的影響，也許是從小未曾嘗試過那種生命力奔放、恣意歡樂的一面。我一直就傾向於安定、寧靜、恬淡自適的生活，在繁冗瑣碎的俗務中能保留一份閒暇。供自我優遊迴旋，在平凡庸俗的日常生活中發掘若干情趣，讓自己享有一些小小的愉悅。

我喜歡自然，喜歡生命，更喜歡一切美好的事物。住處只要有一角園地，我便忙著種些閒花閒草，眼看親手播下的種籽萌芽茁長果然美妙無比，任意扦插些斷枝殘葉，無根而能生存，更是神奇。我從不在乎花草的品種，也不忍心橫加剪刪，只擷取那盎然綠意，給家中增添一些生氣；在窗台壁架、案頭几上，點綴些許野趣。書房有著軒敞的大窗，我不曾掛上華麗的窗簾，卻借用自然的妙手，幫忙織就一幅玲瓏剔透的綠幃。柔柔嫩嫩的青翠叢中閃耀著豔麗的紅寶石小喇叭，清晨透過朝曦，輕蔭掩映案頭，只覺心胸開朗，靈思躍然，更在小香爐裡添一柱檀香，鳥語細微，香氣氤氳中，也常常是我展紙揮筆、捕捉靈感的好時光。

我們一家人都愛動物，母親是溺愛，女兒是疼愛，外子屬於觀望性，而我為牠們付出愛心和照料。因此家裡從來不斷那些溫馴可愛的小食客。來台北只剩下狼狗愛瑪，和新鄰居送的一隻金絲雀。大狗忠心耿耿，揮之即去，不喚亦來。小鳥歌喉美妙，善伺人意。黎明清脆嘹亮的晨興曲是一家人的起牀號。替牠清潔換水時，啾啾唧唧發出親暱的招呼，吃早點水果若忘了牠的一份，便不住跳躍索食，家人談話時牠也要大聲插上一嘴，永晝寂寂，牠更一支支吟唱自譜新曲，供我聆賞。曼妙的歌聲還從新店播送到台北，正講著話，電話那端突然動問：「是妳家的鳥在唱吧？真好聽！」

閱讀似乎是我與生俱來的愛好，一天中若是不摸到書本，就像缺水那樣乾渴，隨時隨地翻兩頁，讀幾段，果然提神醒腦，消愁解悶。當家務告一段落，或完成一篇文章後，端一張藤椅在廊上，清茗一杯，好書一冊，更是優哉遊哉，好不安逸！書本一直是我的忘憂草，我的萬靈油膏，我的鑰匙，我的塵拂，我的另外一個世界——而我讀書沒有目的，不講效率，只為享受讀書之樂。對到手的書、雜誌一視同仁，因此不愁來源，一輩子可以享受不盡。

音樂亦是我生活中最好的調劑，能夠放鬆神經，熨貼情緒，原先我只喜歡聽些抒情的輕音樂，受女兒的感染，竟也接受了部分活潑的熱門，寂寞中扭開唱機，那些輕柔、幽美，或是愉快熱烈的旋律，從樓上洋溢傾瀉下來湧進書房。像潮水溫柔地撫拍，像溪流湍激地沖盪，一波又一波，把我一點靈犀自現實中高舉、飄揚，絲絲文思，便如漣漪般在腦海裡輕悄悄浮漾……有時，音樂也可以是一種隔音的絕緣體，每當我嫌外面市囂吵鬧，或電視騷擾時，便利用它築成一種「音牆」，以聲攻聲，把噪音擋在牆外，讓我安安靜靜專心做要做的事。

一枚針，一根線，給人類帶來了美和文化。我非常珍視天賦女性這份縫紉的本能。試穿自己縫製的新衣是雙重的享受，完成一件創作是一種滿足，製作過程更是很好的消遣。當女兒幼小時，我便一針一針為她裁製可愛的童裝，切實地感覺到她在我手指下一分一寸的長高、壯大。如今她以客串服裝設計姿態，共我研討。雖然是無師傳授，錯誤難免，縫縫改改，卻樂在其中。

我也喜歡收藏包括各種小玩意、紀念章、郵票、卡片、貝殼……等等，興趣最濃的是火柴盒，其中不少都附有歷史背景。把玩欣賞之際，常會引起一段值得回憶的往事，一份深摯的友情，一樁難忘的經驗，這又在收藏玩賞之外了。

平時，我總是深居簡出的時候多，也有興致來時，獨自提一只手袋，或揹一架相機，去舊書攤逛上三四個鐘頭，去圖書館、書店浸潤一身書香，在各種各式的展覽場合參觀半天，在五彩繽紛的樹窗面前逗留片刻，倒也自得其樂。偶然也陪母親看看街景，共外子觀賞兩場平劇，同女兒去聽聽音樂欣賞會，難得一家人去郊遊一番，該是最開心的了。

也許是靜極思動，有時竟想再去社會上闖蕩一番，增加些人生體驗，汲取些新的東西；然後，隨興之所至，過我閒雲野鶴般恬淡自在的生活。

倚風樓・《中國時報》「書香盈屋」專欄・民國六十三年八月

編註：本文原刊於《中國時報・人間副刊》，一九七四年八月十四日，第九版。

小小茉莉

——懷鄉草

在各種香花盛開的季節，我卻更偏愛那小小茉莉。

每年初夏時分，茉莉花便開了。嬌小的、純淨的白色花朵，閃耀在密密茂茂的綠葉叢中，比起同時代玫瑰的華麗，薔薇的嬌豔，百合的矜傲，它顯得那樣謙遜而淡雅，只是悄悄地開放，又悄悄地布散著芬芳。而一清早所有花兒都爭先恐後搶著在陽光下展示顏色，炫耀美姿，茉莉花開時卻總在黃昏。當暮靄輕攏，豔麗的花兒都在煙霧溟濛中黯淡隱退，白天裡像一顆顆珍珠般晶瑩圓潤的蓓蕾，卻彷彿經過花神的魔杖輕輕一觸，一瞬間全都紛紛舒展，盈盈綻開。傍晚的空氣乃瀰漫了沁人心肺的幽香，浸透了夜的深沉，夜的岑寂。黑暗裡，萬靜中，獨有金刻的星星在蒼穹閃爍，玉雕的星星在地上閃耀，遙遙地互相輝映。當黎明來臨，星辰消退，而綠叢中一簇簇白玉星星似的茉莉，依舊閃耀在晨曦中、在陽光下，一直到另一個黃昏。於是，又一批新生的蓓蕾接上輕舒花瓣，展吐芬芳；一個長長的炎夏，無數燠熱的日子，就在花氣氤氳中蒸發了。

我喜歡茉莉，不僅由於它纖巧的體態，純潔的容姿，沁甜的芳馨；在有生之涯，在長長一串逝去的歲月裡，它還牢牢地縈住我一份稚真的感情，一份童年的回憶，一份對故鄉的眷戀，以及如今已不可再得的人們那種渲染著純東方文化的生活情趣，和悠然自得的閒情逸致。

故鄉——號稱天堂的姑蘇，不只是水鄉，也是花都。蘇州人似乎從娘胎就愛上了花花草草，門庭森嚴、古老寬敞的府第，自少不了假山魚池、曲徑通幽的前花園或後花園。一般住宅，也都有二三進綠蔭匝地、四時花開的院落；就是沿街淺戶的人家，總還有個小小的天井，在牆的崎角栽幾株花木，搭個簡單木架，擱上些盆景。若經過一條條鵝卵石鋪砌的長巷，總可以看見那陰森森的風火牆上，或青苔斑駁的磚牆上，有的伸出一枝燦然的杏花，有的探出一簇嬌豔的鐵梗海棠。宅院深深，蘭閨寂寂，原來都把春天留在家裡！

茉莉花一向是女人的寵物，但在一班高雅之士眼中，卻並不算是高貴的品種，也不像對幽蘭水仙那樣仔細調理，小心呵護，養在暖房，供在案頭；多半只在花壇一角，園落一隅，隨意點綴幾叢，一任它自生自滅，只要不缺少陽光雨水，總是長得密密茂茂的。一個夏天裡，一面忙不迭孕育珍珠般晶瑩圓潤的蓓蕾，一面絡續不斷地開出冰清玉潔的花朵；有看了喜歡要討幾枝回去折插的，便在春雨浸潤的那些日子，將橫生的枝梗用石子壓住在泥土上，不幾天就有了新生的幼根，再截下來移植，自然就獨立生存了。這麼著，不要種籽，也不用費事，夏天裡，幾乎家家庭院中常有茉莉花飄香，女人們早起晨妝甫罷，摘幾朵沾露的花朵插在髻上；黃昏納涼歇暑，串一串珍珠花蕾佩在襟前。香隨人轉，淡淡約約，悠悠逸逸，朝夕縈繞左右，提神醒腦，暑氣全消。還記得那時讀流傳於蘇州的名著《浮生六記》，對那位穎慧、賢淑、懂得生活情趣的女主角芸娘，由衷地愛慕不已；只是有一點，她說茉莉沾了人氣才更香，而把它比作小人，是我最起反感的。所謂君子小人，原是屬於人的看法，作者讓這句話出自芸娘口中，不只使蕙心蘭質的佳人沾染了俗氣，也沒來由地褻瀆了超潔的花神。

一年四季中，平常客廳佛前供奉鮮花，總得去花肆選購；唯有暮春至盛夏，來自附近四鄉的賣花孃，移動玉趾，親自登門兜銷。清晨，婉轉的叫賣聲響徹了寂寂的長巷，喚醒了深閨夢裡人。伶俐的賣花孃，一身素淨的打扮，挽著籃，提著筐，沿門挨戶給送來了添妝的鮮花；掀開了遮蓋著的白布，立刻香氣四溢，淺淺的篾籃，或兩頭翹翹的元寶籃裡，蒼翠的大荷葉上，整整齊齊排列著各種香花。芳馨的花，天生是冰肌玉骨，從來不須鮮豔的顏色來炫耀，一眼望去，只見瑑玉似的，象牙似的，珍珠似的，雪花凝脂似的……好一片晶瑩皎潔！自然，其中最多最受寵的還是茉莉，在花孃美巧的纖指下，更賦予各種玲瓏精緻的新型態：有適合髻上戴的，鬢邊插的，襟上扣的，牀前掛的，妝台供的……只不過一點點代價，一點點巧思，一點點手藝，再一點點閒情雅致，給深深閨閣，寂寂芳心，帶來的又何止一點點的心的喜悅？

小時候，頂高興的是跟大人去戚友家吃喜酒，儘管有很多禮數，受很多拘束，但還是打從小心眼裡起喜歡喜慶人家那種特殊的氣氛。先不說從裡到外掛燈結綵，絃管絲竹吹吹奏奏，有多熱鬧；光在內廳看看那許許多多珠光寶氣，粉妝玉琢，一個個刻意打扮得像參加賽美大會似的女客人，就夠眼花撩亂了。為參加一個婚禮，要裁什麼新裝，配什麼鞋子，佩戴什麼首飾，早在個把月以前就煞費心思策劃安排，都只企望自己能別出心裁，與眾不同，在婚宴中壓倒群芳。可是，逢上茉莉花開的季節，彼此卻不約而同的採取了一致的步驟，減少幾件翡翠鑲寶石嵌的貴重首飾，而綴飾一串配合時令的花束；有的在墜馬髻上新月般彎彎有致地鑲二道花環，有在愛絲髻上俏伶伶地插一枝花簪，有在鬢邊戴一隻栩栩如生的飛鳳，有在雲鬟綰一簇繁星閃爍的碎花。黑白相映，益襯得一頭青絲，漆黑柔潤烏光的滑。也有在精工鑲滾的軟綢錦緞短襖上，佩一枚象牙球似的花球，綴上千日紅的花蕊；或是一支展開的雛形羽扇，懸貼在胸前；或是一隻生動的蝴蝶、蜻蜓，扣在熱羅紗衫的襟邊。顯得一顆顆圓潤的花蕾更瑩潔，襲襲華麗的衫襖更鮮豔。樂聲悠揚，燭影搖紅間，迴漾著款款的寒暄，低低的微語，柔柔的眼波，淺淺的顰笑。閑閑的舉止，盈盈的步姿。裙袖搖曳處，暗香浮動；蓮步移動時，幽馥四溢。小小的我躋身在釵光鬢影裡，沐潤著花香脂暈，癡癡迷迷，傻傻楞楞的，只覺得面前婷婷嬝嬝嬌滴滴的人兒，一個個都是才從書軸中走出來的美女，雲端裡降下來的天仙。又彷彿自己正置身在《紅樓夢》的大觀園中，看不盡粉白黛綠，紅妝翠袖，一面仰慕不已，一面自思自忖，等長大時也要這樣那樣打扮得香噴噴天仙化人——可是等我長大得可以打扮時，只一襲線條簡潔的旗袍，再也看不見那種寬袖窄腰，長裙曳地、純東方女性的優雅韻姿，畫中美人的溫柔神態。喜慶宴會中，薰人欲醉的盡是濃郁的、強烈的、誘惑的香水味，再也聞不到那般幽雅、沁甜、清新、淡淡約約、悠悠逸逸的天然茉莉花香。

儘管江南的夏來得稍遲，暑氣依然迫人。炎熱的夏天晚上，一家人在天井裡納涼該是最愜意的時候了，端一張小竹凳子緊挨著大人的靠背椅、竹榻，揮動著大蒲扇，身上散發著香肥皂和爽身粉的味道，清涼的晚風更送來一陣陣幽幽雅雅的茉莉花香，分不清來自花壇抑是母親她們的髮髻上。捉一陣螢火蟲，數一會星星，回頭來又央求大人再說一個故事，要好長好長……長得睜大的眼睛硬是敵不住濃濃的困倦，慢慢地闔了攏來——噢，茉莉花真香，真好聞！那樣微微搖晃，是伏在母親肩頭，還是乘著滿載了香花的小船去下鄉？不，都不是。自己恍惚變得很小很小，只一隻螢火蟲那麼大的小精靈，在一片白色的花海中低飛，在軟軟的花瓣中翻滾，深深地吸了口香氣，又深深地呼吸，簡直香得化不開來……忽然睜開眼睛，原來正躺在雪白雪白的珠羅紗帳裡，曙光透過帳幃，映照著帳頂內掛著的一只茉莉花籃。記得昨天母親掛上去時，全是一顆顆珍珠花蕾，層層疊疊穿綴得精緻美巧，玲瓏透剔；一夜之間已開得盈盈滿籃，比白雪堆砌的更晶瑩，比白玉雕琢的更皎潔。呼吸著芬芳的空氣，凝視著滿眼的璀璨，窗外更傳來清脆婉轉的鳥聲。隔宿的矇矓就如晨霧般消退。我靜靜地躺著，清醒得像一枚才破土竄出來的新芽。夏天可愛的早晨醒來那一刻，常使我感受到無比的寧謐、清澈，小小的心靈有似盛滿了盈盈的露水般，充滿了美，洋溢著喜悅，生命和世界是多麼可愛……縱使事隔數十年，如今當我黎明醒來，清晨的寧靜中，依稀還能體驗到那時的感受；美妙的情景，恍惚就在昨天，就在目前……

每當我們參觀了一個畫展或攝影展覽，欣賞了許許多多美麗的畫面，生動的鏡頭；出來時，總會印下幾幅印象特別深刻的腦海中，當我悠悠忽忽從童年金色的長廊中走過來，也曾留下了歲月曾磨滅的一些畫片——這兩張浸透了茉莉花的幽馨，卻是越陳越香，越久越醇。

蟄居的小園裡也栽了幾株茉莉，年來花壇如同心園一般荒蕪了，小小純淨的花朵，卻仍舊陸續不斷地在開放，萬籟俱靜的晚上，一陣陣從窗口播散著清香。我推門出去，夜是個無星也無月的夜，縱使在黑暗中，也看得見沿著籬下一簇簇白玉的星星般悄悄地閃耀著。我滿懷虔誠，小心地摘下一掬璀璨的白，滿握盈盈的香，捧進房來，撒布在枕頭四周。但願今夜夢裡，花香引領我回去；回去我那魂牽夢縈的故鄉，回去我那開滿小小茉莉的童年的長廊！

《中央月刊》

編註：本文原刊於《中央月刊》第三卷第十期，一九七一年八月一日，頁七十八～八十一。

水仙花

曚曨中，被輕微的剝啄聲驚醒，不像是鳥兒在花架上搔啄，原來是他。乘夜車回來，正彈著牀頭的玻璃窗。

打開門，我還沒把責怪他害我空等了一晚門的怨言說出口，他已先搶著報功似的說：

「給妳帶了些好東西來。」

「是什麼？」

「妳自己去看吧，在花壇上擱著哩。」

聽說在花壇上，猜想大概又是什麼花草。我喜歡栽植，他就喜歡買，有一次難為他從台北捎回兩大株盛開的杜鵑，使小院裡的春天那一年特別熱鬧。有一次是一盆素蘭，一次是兩小盆開三色花的仙人掌。這次不知又是哪一種？我揉著惺忪的眼睛，跨下石階，走進院子，清新而帶寒意的空氣迎面撲來，睡意盡去。夾竹桃在晨風裡微微搖動，玉蘭的枝梢間還張著一面蛛網，長長的花壇上，嫩黃的木槿和深淺不一的紅玫瑰正沾露半放，但不見有別的花，只發現一叢文竹底下倚立著一只尼龍袋，我低下頭去剛啟開袋口，一股清雅、幽甜的香氣便先撩撥著我的鼻子，喲！原來是一叢水仙花！

我如獲至寶般，小心翼翼地捧進屋裡——不，應該說如同迎著一位久睽的故友，把她帶到母親面前：

「噢，真是水仙花！怕不有一、二十年沒有看到了。」她老人家從深深的額紋、癟癟的嘴角流露出喜悅，卻又輕輕地喟歎著。

「我看看，水仙花是個什麼樣子？」女兒急切地擠過來攀著袋子直往裡面盯著看，大概她只從植物學上唸過這個名字。

接著一個上午，我們便忙著去找石子，正好鄰家在蓋新屋，門前堆滿了砂石，挑那比較白淨小巧的揀了一瓷盆。自然，怎麼挑揀，也比不上老家裡的那樣晶瑩，那樣光澤。我忽然想起每次去海灘，我們總喜歡拾些美麗的貝殼帶回家，把玩一陣，便收藏起來。要比石子好看多了。於是打開寶箱盡量挑那精緻玲瓏、花色不一的小螺螄、小貝殼，鋪在鎮壓水仙花根鬚的小石子面上。這一來居然增色不少。再注上清水，一大兩小三株水仙花便已定植在綠盆裡，供在起居室的茶几上。

也許是在車上受了一夜的委屈，初初種在盆裡時，枝葉都彎彎的顯得嬌弱無力，花莖沉沉軟垂，花瓣微微憔悴，很教人擔心她栽不活，不想經過清水的一番滋潤，到晚上不僅神采奕奕，玉立亭亭，更綻開了幾朵花蕾，在燈光下不住散布著幽幽的清香，大家圍著欣賞一會、讚美一會，便自去閱讀或休息。獨我憑几支頤，默默凝對，靜靜諦視。

不知是哪個蕙心人替水仙花題封的名號，以花的玉骨冰肌，清雅韻致來比美水中仙子；又以仙子的飄逸丰神，超然出塵來形容花的高潔，真是美極妙極！還記得小時候聽來關於水仙花的傳說：說她原來是自然的女兒，以冰雪為肌，以玉屑作骨，終年披一襲白色綃紗，裸著雙足，似白雲般悠然飄忽在森林中，有時與小鳥和唱，有時共幼獸嬉戲。逍遙自在，從來不解人間憂煩。一天，林中來了個打獵少年，只一瞥便癡迷地愛上了她。但她又豈能隨便鍾情於凡夫俗子？於是一個追，一個逃。眼看來到一條深邃的湖邊。她毫不考慮的縱身一跳，只見綃紗飄揚，那輕盈的身體如同一朵白雲，墜落湖心，卻又不馬上下沉，緩緩迴旋起伏。湖面散布的浮萍便都向她周圍聚來：白點漸小，綠色漸濃，最後只剩一頂綠色的華蓋，一片幽暗深邃的湖水……那一年，冰雪將融，就在湖心竄出一叢修長蔥翠的葉子，簇擁著潔白，纖柔的繁花，盈盈地玉立在水中央。一陣陣清幽的芬芳，飄浮在湖面。從此年年此時，花開不輟，幽香不絕——

也不知是這個美麗的神話，使我對水仙花特別眷愛：還是由於喜歡水仙花，而對這個故事更加著迷，在我那稚弱的心目中，她永遠是高潔而不同於凡花的，每年花開時，對著她那飄逸的神韻，小小的腦海中總不由得會浮起一道深邃的湖，一朵輕盈的白雲，一片繁密的浮萍……這些，許多年來，偶或也曾在俗念紛雜的腦中如浮光一閃，卻又倏忽消逝。如今，這幅幻想中的畫面，恍惚又隱約展開在眼前。

按照家鄉的習俗，母親讓我在每株水仙中間，束上一圈紅紙，雖然春節已過去數天，這一綴飾，卻增添了無限過年的氣氛。在故鄉，如同別的不可少的應景事物一樣，水仙花亦是過年必須的點綴，一到年節邊，父親總是早早便栽好了兩盆，雪青色極細的碎瓷盆子，底下襯著同樣的托盤。清澈的水裡，晶瑩圓潤的石子歷歷可數。多半一盆供在客廳中間的天然几上，一盆便供在父親書房案頭。長長的天然几上，平時總是陳設著古花瓶、石屏、古香爐、錫燭台，呆呆板板，缺少情調，加上一盆蔥翠的水仙花，立刻便顯得生意盎然。大年夜，兩旁紅燭高翹，香煙繚繞，銅盆裡歡喜團和柏枝燃得火光熊熊，水仙花也在這時露蕊初綻，燭光映照下，玉姿手神，又別有一番韻采。供在書房案頭的一盆，雖然沒有那樣熱鬧和風光，卻獨得主人眷顧，那張大書桌上，常年擺設了沉重的端硯，紫釉的筆洗，還有一碟碟顏料，一疊疊潔白的宣紙。父親興來時，便在筆筒裡拔一枝羊毫，任意在紙上畫畫寫寫，練一陣腕勁。若案頭供有水仙花，他坐下來後，總是先默默地欣賞一會，凝思半晌，然後欣然提起筆來，一陣揮舞，畫成一幅淡墨山水，或寫一張龍飛鳳舞的行書。小時候，還不懂得所謂靈感，但我總覺得父親是從花的神韻、花的芬芳中獲得了什麼，才寫得那麼好。逢上習字課時，我也去坐在父親桌前，對著盆花，煞有介事的豎起臨帖竹架，放上一本文徵明的千字文，一筆一劃地照著摹臨。但越寫越覺得彆扭，看那些湊在一起的一橫一直，就像遊戲時用竹子搭的屋架，風一吹就會垮。我索性把筆一擲，跪在椅子上，湊著花用力的吸鼻子。從一朵嗅到一朵，鼻尖擦著柔嫩的花瓣癢酥酥的，清甜的香味直透入丹田，沁入肺腑，有說不出的舒暢……

幽香仍在鼻端繚繞，花朵依然玉潔冰清，韻致清雅。但這照映著的不是高翹的紅蠟燭，而是立地座燈，這暖烘烘的不是燃著歡喜團，而是南台灣的天氣。那種太平盛世、興旺安樂的情景在哪裡？那份恬淡自適、安詳寧靜的氣氛又在何處？

我轉身關熄了座燈，明燦燦的燈光，使我不忍相看。幽暗中，水仙仍悄悄地向我送來陣陣芳香，但我卻已禁不住心潮起伏，心緒激動，久久不能平息。……

他在內室喚我：

「妳若捨不得離開花，便搬來牀頭櫃上，伴妳入夢，又何苦守著她坐一夜？」

我只端坐著，默不作聲。

感謝他為我帶回水仙，也帶來親切、喜悅、童年美麗的回憶。

又怨他帶回水仙，無端勾引起我千斛鄉情、萬般愁恨，這漫漫長夜，又怎生消受得了？

《自由青年》

編註：本文原刊於《自由青年》第二十七卷第六期，一九六二年三月十六日，頁二十四～二十五。

玫瑰酒

花壇上栽了十幾株玫瑰，雖然長得清癯，卻也不斷地開花，有時一兩朵，有時六七朵，一批謝了又一批綻放，在綠色太濃的小院中，格外顯得嬌豔。每當我稱讚玫瑰開得絢麗時，母親在一旁總是不以為然地齜齜嘴說：

「這哪裡算得什麼純種的玫瑰嘛，在我們家裡玫瑰只在春天開一次。而且顏色也比這個紅得更鮮、更濃，絨篤篤的，就像絲絨一樣。只有月季才是月月開的。」

在我幼時的記憶中，老家裡似乎並未栽種玫瑰，父親很喜歡園藝，但他栽植的多半是盆景，以及清雅的蘭花和傲霜的菊花。因此，我不清楚蘇州的玫瑰究竟是不是一年只開一次。不過，就我所記得的有一個關於玫瑰花的印象，那就是外婆的玫瑰酒一年只釀一次。

釀玫瑰酒，是外婆一年中數樁大事中的一樁，老家裡門牆森嚴，宅院深廣。除了溽暑揮扇，隆冬圍爐，對季節的變換是淡淡的，也唯有外婆要釀玫瑰酒時，才讓人深切地感到已是暮春時節了。

江南雖然春早，但香的花大多盛開在春末夏初，濃郁的梔子，清幽的珠蘭，馨馥的白蘭，淡雅的茉莉……每天清晨，賣花孃孃把滿籃的芬芳帶進深深的宅院，於是，太太的髮髻上，少奶奶的鬢邊，小姐的襟前，都插戴上香噴噴的花朵，隨著顧盼移步，閨房裡、客廳上，到處都飄散著淡淡的芬芳。外婆最喜歡的是茉莉，賣花孃孃揀一串用細鐵絲穿成月牙形的花環，殷勤地替她插嵌在光滑的髮髻邊，半露半藏，像鑲了半圈珍珠。

「老太太，今年玫瑰花開得早，阿要早點定？」端詳著鬢上的花環，賣花孃孃就口兜上來問。

「唔，」外婆沉吟著，釀玫瑰酒要花她一天時間，她一定在考慮哪一天的牌局可以取消。「明朝嘸不空，傺就後日送來好了。」

「定幾化（ㄏㄨㄛ，多少）？」

「兩百朵釀酒，一百朵做醬，三百朵就夠哉。」

到那天，賣花孃孃來時除了臂彎裡跟平常一樣挽了一大籃香花，另外還提了一只元寶籃，籃上密密地蓋了一層濡濕的白布。

布一掀開，耀眼的是一堆濃豔得化不開的色彩，沁人心脾的是一股濃郁得化不開的芳香，盛開的玫瑰一層一層、花蕊朝天的疊放著，裝了滿滿一籃。外婆伸出纖長的手指，輕輕地掏到最底下一層，拈出兩朵花來查查，賣花孃孃連忙說：

「統統都是今朝天勿亮採下來格，連露水還嘸不乾哩。」

老阿媽端來隔夜洗好的匾，幫著賣花孃孃一五一十的將玫瑰花數進匾裡，接著第二步工作是摘掉花蒂和花蕊，放在通風的廊上吹乾。這一天，空氣裡一直都瀰漫著甜甜的、沁人心脾的香氣，使人醉醺醺的像走進了一座百花盛開的花園。到下午花瓣顯得軟軟的有點皺縮，外婆洗了一早晨的瓶瓶罐罐也都吹乾了水分。她先把大半花瓣裝進兩只大口玻璃瓶裡，灌滿上好的高粱酒，然後用厚厚的桑皮紙封住瓶蓋，再繫上繩子，嚴嚴地封得密不通風。酒釀好，馬上又開始來做玫瑰醬，先在碾盆裡把花瓣輕輕碾爛，拌上細白糖，一匙一匙放在細瓷的花果缸裡，中間還夾著三兩粒霜梅。每次看著外婆做玫瑰醬，總會引起我滿嘴生津。再過兩個月就是端午節，那時玫瑰醬也好了。雪白的糯米粽子澆上兩匙鮮豔透明的稠汁，紅白分明，看了那色調，先就教人心裡愛煞，吃到嘴裡，甜裡帶一點酸。芳香留在口齒間，有半天好回味。

玫瑰醬和玫瑰酒密封好了，都貯藏在食物櫃裡，一定要過了預定的時期，才能食用。玫瑰醬大家都可以嚐到，而玫瑰酒，卻是專供外婆自己一個人享受的。

在那個時代，外婆應該算是最善於攝生，和最懂得享受生活的老人家。她似乎從來不為過去那不愉快的婚姻生活感傷，也不為明天的事情煩惱，而只盡量享有著今天。她有幾種嗜好，但一直都很有節制，她對衣著很考究，但穿著都恰如其身分。她四時進補，從來不脫節，生活起居習慣，數十年如一日。每天天濛濛亮，她就跟老阿媽差不多時候起牀，自己盥洗完了，東摸摸、西摸摸地收拾過房間，便開始進她第一道早點。夏天是新鮮雞頭肉（果類），或者百合羹，其他的時候多半是紅棗燉白果栗子、冰糖燉蓮子，燕窩白木耳什麼的，這些甜點心都是老阿媽每天費一兩個鐘頭剝好洗清，隔夜在炭火上燉上，吃起來不冷不熱，正好上口，第二道早餐就得在街上點心鋪買了，有時是湯包，有時是燒賣，或者蟹殼黃，生煎饅頭、松子黃鬆糕之類。偶然也有吃香粳米粥的時候，那時大概是落雪結冰，北風凜冽的日子。縱使老傭人有勇氣冒著風雪去買，買回來的點心也是冰冷冰冷的了。外婆自己似乎並不愛吃粥，但看我不大願意吃，還總是勸說：

「天冷哩，吃碗粥暖熱暖熱，活血脈格。」

等外婆用過兩道早點，「走梳頭」的娘姨（專門替人梳頭的，每天沿門挨戶的工作）也正好適時趕來。外婆對著妝台，坐在有紅呢墊子方凳上，肩上披著軟綢的梳妝衣，一面讓「走梳頭」娘姨替她梳頭，一邊自己對著鏡子調脂弄粉。還不住東家長，李家短地跟梳頭娘姨閒談著。走梳頭的專門跑公館，走牆門，接觸的全是大人家的太太奶奶，平時深居簡出，孤陋寡聞。無形中她就成了內幕消息的轉播站，潘家裡窮得開了後門在賣古董，吳家裡的老爺搭上了陪嫁丫頭，陸家裡格三房太太吃了長齋，汪家裡新少奶做了件缺襟馬甲，說是現在最時興格；轉播站停止時，髮髻也梳好了，一個圓圓的盤香髻梳得精光滴滑，一絲不亂，一臉脂粉也敷得均勻細膩，淡雅若無。於是，換上出客的短襖長裙，便出發去上牌局了。這一去，回家不早也不晚，總在下午夕陽西墜，將近黃昏時分。黃包車上下來，依然頭光面滑。手裡還多了個手巾包。等她老人家換上家常衣服，淨過手，老阿媽已經在桌上替她安置好了酒盅筷子。外婆自己從食櫥裡鄭重地拿出那瓶玫瑰酒，斟了一盅，打開帶回來的那些三角紙包——包裡全是佐酒的零食，像薰青豆、慈菇片、花生米，或者是一小巧竹籃醬鴨、凍蹄什麼的，便一個人獨斟起來。

當外婆自斟自酌時，那種悠閒安詳的神態最是令人難忘。她緩緩地端起酒盅，嘴唇輕輕地啜一口酒，又挾兩粒薰青豆在嘴裡慢慢地咀嚼著，眉宇間顯得那樣舒坦，神情顯得那樣寧靜而又滿足。彷彿整個世界就在她的杯底，又彷彿她超越了整個充滿塵慮煩囂的世界，浸沉在溢自內心的喜悅中。連稍帶威稜的雙眼、抿得緊緊的嘴唇，都變得格外地和藹可親了。我覺得她平時雖然進食各種精美可口的食物，但主要的是為的進補。只有喝那麼兩盅酒，才是真正地在品嘗其中的情趣。

在吃酒時，外婆總不會忘記喚我過去，抓一把薰青豆什麼的給我，或者挾一塊鴨骨頭放在我嘴裡。我喜歡吃這些東西，也喜歡看她喝酒的神氣，站在八仙桌旁邊，剛好比桌面高過一個頭，我把雙手放在桌上，下巴便擱在手背上，望著她津津有味地嚥下一口酒，我也不由得嚥下一口唾液。

外婆用一隻象牙筷子掉轉頭來，在酒盅裡蘸了蘸，叫我伸出舌頭來舐。

「啥格味道？」

「吃勿出來，」我搖搖頭，趁機得寸進尺，「我要吃瓣玫瑰花。」

「玫瑰花上浸滿勒酒，小囡吃勿得格。」雖然這麼說，外婆還是挾起一瓣玫瑰花來，在酒盅邊上左擠右壓的擠去酒汁，送到我嘴裡。

我只感到舌頭上一陣麻辣，沒有辣椒那樣辣，但熱呼呼的。舌頭動兩下，不但滿嘴的口水都充滿了那股麻辣味，還直衝到鼻子裡，很不好受。我連忙把那皺縮成團的一點點東西吞下去，一直含笑諦視著我的外婆忙塞給我兩片慈姑片。

「阿是辣煞哉！」

我困惑地望著她又從容地端起酒盅來抿了一抿，心裡覺得大人真是奇怪，他們似乎專門愛好那些辛辣難吃的東西，像水煙、香煙、酒……

外婆這一頓酒，總要從黃昏吃到掌燈時分，等擦得雪亮的「美孚燈」照著飯廳，熱氣騰騰的餚菜端上了桌子，她面前的空酒盅才換上碗白米飯。這一餐晚飯，她一直保持著愉快的心情。不住把自己的添菜，挾布到女兒、女婿和外孫女的碗裡。

外婆素來便愛整潔，她的房間裡總是收拾得一塵不染，吃過的碗筷一定要自己來洗。頭髮永遠用鉋花水抹得一絲不亂，儘管那時還不作興用熨斗，她的衣服總是穿得挺挺括括、稜稜角角。腳上鞋是鞋、襪是襪，半點不肯馬虎。平時去親戚家走動，別人總喜歡恭維她幾句。有一次我在牆門間裡玩，左鄰右舍的也在那裡找看門的裁縫做衣裳。外婆穿一件藕合色的圓角短衫，黑色通紗長裙，提一只黑絲線編結的錢袋，穿戴得整整齊齊地出來，跟大家招呼一番，便坐上黃包車走了。牆門間裡還留下一陣清幽的茉莉花香。

「蔣老太太真清健！每次看見她總是穿得整整齊齊，角角稜稜，走兩步路還是豁豁燥燥格，連白頭髮都嘸不幾根。」

「伲格皮膚才教好哩，白白淨淨，水露露格，一點都勿出老。」

「有人說要皮膚嫩，可以吃珠粉……」

望著外婆走遠了，大家還你一句我一句的在那裡評頭評腳，研究駐顏術。我聽了有點好笑、心想妳們曉得什麼？外婆一年到頭都吃玫瑰花哩！

那時我在矇昧的小腦筋裡，總以為玫瑰花那麼美麗，那麼鮮豔，終年吃它的人，當然會韶華永駐，長生不老……

一朵盛開的玫瑰花將要凋謝了，頂在枝梢搖搖欲墜，我把它摘下來托在手心裡。想問坐在台階上縫紉的母親，這樣的玫瑰是不是可以釀酒？但話到喉嚨口又猛然咽住了，誰又會來釀酒？早年擅於釀酒的那雙纖細的手，如今怕不早已……一陣風吹散了我掌心裡的花瓣，飄墜在鳳凰木的陰蔭裡——又是一個島上寂寞的黃昏來臨。

《薰風》雜誌

童年瑣憶

儘管雲山阻隔，離開故鄉幾千萬里，最使人念念不忘的，總是生長的地方。儘管世事滄桑，經歷了人間數不盡的悲歡離合，最甜蜜可愛的，還是童年的回憶。

我的童年享有太多的寵愛。

我的童年也有著太多的寂寞。

從小，我就身體嬌弱，因此，受學校教育一直是斷斷續續。在學校時，居然都名列前茅，但健康稍微差一點，父親就唯恐功課更把我壓壞了，非要我休學在家裡。

說起家，那古老深邃的房子，那高高的圍牆，森嚴的大門，和合抱的庭柱，對一個幼小的心靈來說，實在太龐大了！從大門口到最後一間我同外婆睡的寢室，光是高高低低的門檻，至少要跨過十來道，每當我一個人穿過一座冷清清的大廳，又是一個靜悄悄的客廳，經過一座生滿青苔的院落，又是一個鋪著鵝卵石的天井，總覺得在那些陰暗潮濕的角落裡，有什麼東西偷偷地跟隨著我，包圍住我——那陰影不是別的，便是寂寞。

寂寞像一片輕霧，在充滿春暉的山谷中，飄忽來去，時聚時散。彷彿自我誕生以來，便在谷中盤旋迴繞，那麼輕忽、那麼無聲無息，但是，總沒有人能把它從我身邊驅走。當我走到母親房裡，在長長的穿衣鏡中看到的是一個圓圓臉、黑髮覆額的小女孩。當我跑到井邊，俯下頭去，在明淨的井水中看到的也是一個圓圓臉、黑髮覆額的小女孩。鏡子裡的女孩不會開口，井裡的女孩也不會說話，而大人們的世界是另外一個天地，各人永遠有各人的事忙。於是，我只有悄然打開了玩具箱，搬出大大小小的洋娃娃、泥菩薩，在想像中，我給了他們生命，也給了他們聲音和容貌。有時我把他們當作小朋友，大家在一起拍皮球、踢毽子、跳繩、捉迷藏，玩得好不高興！有時我們是一群森林中的小精靈，戴著星星綴成的冠冕，掛著露珠穿起的項圈，在月光下、草地上，歡樂地跳舞。有時我把大大小小的椅子拼起來當船，我們是童男童女，乘船到很遠很遠的海上去，尋找一座仙島，在那座島上的人不吃人間煙火，也永遠不會老……我常把聽來的故事和自己的幻想揉合在一起，想得不知多遠，也不知多荒誕，想得忘記了現實，忘記了真真假假，也就忘記了寂寞的陰影。

逢到我浸沉在自己的幻想王國中時，有親戚朋友來了，總要誇獎我一句：

「好文靜的孩子！」

外面的世界既然對我那麼遙遠、那麼陌生，我就只有做個文靜的孩子，在我想像中創造自己的小天地。我喜歡畫畫，常常用蠟筆或父親的舊顏料東塗西抹，但父親畫的山水對我是太艱深了，我只能畫叉手叉腳的人形，放射線的太陽，和筆架那樣的山。慢慢地，我可以照著香煙畫片畫胖娃娃、米老鼠，父親看了還著實讚我有天才。有時我把他們畫在一長條白紙上，兩端黏上兩根香棒，用一只大香煙盒子，在蓋上和兩端開上洞，糊上彩色玻璃紙，畫幅便通過盒子，讓香棒豎在紙盒兩旁，把眼睛貼在小洞上，轉動香棒，只見裡面的胖囡囡和米老鼠飛快地轉著跑著，這個自製的活動西洋鏡，我覺得比大人買給我的什麼玩具都有意思，有好一陣子，我只熱中於繪製畫片，忙個不停。可惜觀眾只有自己一個人。我也喜歡收集做衣服剩下的零星碎布，替洋娃娃設計各種服裝，儘管拿枚針笨手笨腳的樣子，也不知在手指上戳痛了多少次，但興趣總不減。父親喜歡園藝，這也使我分享了他那份興趣。只是我自己種的花似乎從來就長不大，埋下土裡的種籽三天不見消息，我總等不及地挖出來看看活了沒有？倒是有一次，我在一座很少人經過的偏院裡栽了一株南瓜，意外地長得神速，今天才兩片嫩芽，明天就長了葉子，後天一根藤臨風搖曳。我剛在牆腳跟豎了根竹杆，讓它攀緣，一下子便又拐上了屋頂，以後，我只在根上澆水，卻再也瞻望不到它的行蹤。有一天，屋子漏雨，家裡讓泥水匠上去檢查，這才發現屋頂上不僅爬滿了籐，原來還有兩隻十幾斤重的大南瓜壓在瓦上！

這是次意外的收穫，也是使我難忘的收穫，母親把一只送到姑媽家，說是我一手栽的，人人都讚我能幹。還有一只留給自家，我卻一直捨不得讓母親切開，因為我覺得那瓜裡彷彿有我。

收集香煙畫片，也是我最感興趣的愛好，那時香煙的名牌不知多少，香煙畫片就成了競爭的廣告。有成套的連環故事，有人物的畫像，有七彩的花鳥和美麗的風景、百美圖、三百十六行，還有迎合兒童心理的滑稽娃娃、老鼠世界、雙面人……不下數十百種。有的畫得精細，印得也考究，有的一套中間故意有兩三張印得極少，湊齊了就可以換大獎。但我卻情願要完整的一套留起來。有時為了配成一套，便要父親帶我去玄妙觀專門買香煙畫片的攤子上收購。滿滿一大木箱分門別類的香煙畫片，是我引以自傲的大注財富。過些日子就搬出來仔細把玩欣賞，樂在其中。

也許由於房子實在太大太空曠了，總喜歡拖幾張方凳子在角隅裡攔成一個部落，把自己關在裡面覺得像蝸牛躲在殼裡般安全。雖然不能跟蝸牛般背著屋子到處走動，卻常常伸出好奇的觸角，怯怯地四處試探，這廣大的世界寶藏還不少哩，多的是好玩的東西。可是當我一接觸到「小說書」那樣的寶貝，真像發掘到一座無盡的、金光燦燦的金礦，別的充其量不過是銅、鐵、錫。一下子，我就喜歡得浸入其中，忘記了自己的時辰八字。儘管那時西瓜大的字還認不得幾擔，就那樣囫圇吞棗、一知半解地啃完了家中收藏的《西遊記》、《鏡花緣》、《水滸》、《紅樓夢》、《聊齋誌異》、《三國演義》什麼的，又去姑媽家搬《天雨花》、《官場現形記》、《二度梅》、《今古奇觀》、《包公案》、《濟公傳》……常常因為看得入了迷，聽不見差喚，被外婆罵：「看書看得耳朵都聾了。」又因為日光接火光（煤油燈），被母親說：「眼睛要看瞎了。」只有知我者父親，不但不說不罵，還時常去書坊、舊書店買兒童讀物，去圖書館借新小說供給我消遣，涉獵越廣，我的興趣也越來越濃厚，書本擴大了我的視野，也開拓了我心的領域，原來世界是那麼美麗，人間是那麼多采多姿，幼小的心靈乃萌發了願望的嫩芽；願自己快快長大，長大可以看許許多多更美更深的好書，長大就可以領略美妙的世界，體會多采多姿的人生。

那些寂寞中沐浴著慈暉的日子，偶然也有與外界接觸的時候，我喜歡跟了外婆或母親去親戚家走動，總有好些表姊妹、表弟兄在一起玩耍，不過我大概是最羞怯的一個。我也喜歡當父親興致來時，帶我出去走走。父親有點名士派，愛好藝術，善於優遊歲月。父女倆乘一輛黃包車，一路叭波叮噹，去到蘇州那些美麗的林園，走過彎彎曲曲的九曲橋，穿越高高低低的假山石，坐在亭子裡看風景，看荷花。去到吳苑茶館店，泡一壺碧螺春、雨前。早晨可以嚐各種點心——小籠包、蟹殼黃、雞蛋麵衣、生煎包。下午一面吃甘草梅子五香豆，一面聽說書，好不優哉遊哉！一年三次花展；菊花展、蘭花展、梅花展，爭妍鬥豔，花氣氤氳中，常有父女倆逗留的蹤跡。也有時去長長的護龍街逛舊書鋪、古董店。小手握在溫暖的大手掌裡，寬闊的步伐配合短小的腳步，就這麼攜帶著邁出人生的第一步……

濃濃的親情，甜美的往事，一滴一點，滲入童年的回憶中。鐫刻在稚真的心靈上，永難忘懷，永難忘懷！

《民主憲政》雜誌

編註：本文原刊於《民主憲政》第二十六卷第三期，一九六四年六月五日，頁六～七，原題〈憶童年〉。

無師傳授

——從女紅到服裝設計

我覺得常使人生顯得比較可愛，使世界顯得比較美麗，使生活顯得比較豐富和更有生氣的，不是那些大的成功，大的收穫，而是日常生活中一些小小的興趣，小小的愛好，以及小小的喜悅。——（錄自拙作〈不沉的小舟〉）能在興國治家的重任下，繁瑣枯燥的俗務中，保留那麼一份悠閒自在、從容不迫的情緒，偶爾做些自己喜歡的事情，容納一些惠而不費的愛好，何嘗不是一種生活壓力的解脫，神經緊張的放鬆，而又畢生享受不盡的情趣！

從生活中發掘礦藏，從平凡的事物中覓得新的趣味。縫紉，也是我無數的小小樂趣之一。

其實，拈針弄線，原屬於女人的天性和本能，當做小女孩時玩洋娃娃開始，總是向大人討布討針線的，便儼然以小服裝師自居。想起從前女性與外界隔絕的生活中，女紅更是必修課題之一，「年年壓針線，織綺繡難成」，深閨悠悠的歲月，就那麼一針針仔細斟酌，慢慢消磨。但若不是把縫縫繡繡當作消遣，寄託精神，覓得一份創作的樂趣和滿足，那無邊寂寞，自將更難排遣。如今時代早已進入機械文明的工業社會，女性有更多機會發展才能，有人沒有時間，有人不屑一顧。這一份細緻的創造力，實用的小小技能，幾乎自女人天地中被剔除埋沒。幸好近年來不少人對服裝設計感興趣，也有學校家政系在提倡培植。自然，像我這樣無師傳授，閒來喜歡自己縫縫剪剪的也還大有人在。俗語說：「自有自方便。」第一、是省時省錢，想什麼時候要就什麼時候有，更不必專門去跑裁縫店，省下昂貴的工資，一件可穿二三件。第二、隨心所欲，大小由之，修改自如。第三、樂在其中，從選擇料子、配色、設計、裁剪到縫製成一件衣服，就像藝術家完成一件作品，也是一種創作欲的滿足。同時還是日常生活中的小小調劑。有時當我感到煩惱、寂寞，或在寫作過程中，遭遇到困擾挫折時，便擱下一邊，先去縫紉機前坐下猛踩一陣，往往在機聲「軋軋」中，緊張的神經得以舒放，不愉快的事情也沖淡忘記了。

「衣服有時可以令人振奮，勝於理性的安慰」。長年累月千遍一律的生活，常常令人產生一種「倦怠」感。心情沮喪，情緒低落，自我鞭策失效，紙上鼓勵無用。意外的，一件新衣服，卻能使人神采飛揚，重新恢復自信。平時如果服裝不整，看起來就是一副懶散樣子，自己也會覺得邋邋遢遢，窩窩囊囊，活得生氣都沒有。若是服裝得體，把自己收拾得整整潔潔，挺括俐落，精神就來了，做什麼都充滿信心。我說的穿戴得恰當，並不是指怎樣講究，怎樣趕時髦，而是適合自己。除了家人送的衣料，多半是無意中看到有花色比較喜歡，又不受流行影響的便宜料子隨手買下。興致來時，隨時挑一塊剪剪縫縫，動動腦筋動動手，自然樂在其中。記得我最初的成品，是物質缺乏的抗戰時候，用一幅藍白棉織品的墊箱布，替正在念小學的潤妹做的童裝，鑲上白翻領、翻袖及包扣，穿了上舞台表演時，居然非常出色。不久又在一個女同事那裡見習了一次旗袍裁剪，公餘之暇，也自己做做旗袍。之後有了女兒恬恬，更讓我盡量發揮創作才能和想像力。從兩條白毛巾做件襯衫，和一副陰丹士林套袖改條小工裝褲開始，一直挖空心思，鑲拼各式各樣的小衣裳（那時又幾曾見過現在這般可愛的童裝！），由童裝慢慢發展到少女裝，一分一分放寬，一寸一寸放長，切切實實地感覺到孩子就在指尖下漸漸地長大、茁壯。可是，等她上大學以後，卻用不著我再來張羅，原是她自己已比我更懂得服裝設計。

我是因實際效用而學會縫紉，女兒卻是由於愛慕藝術，從紙上談兵而設計、製作。那年考大學取了外文，沒考上藝術，正好報紙開始刊載服裝設計，漫長的暑假，便把課本上畫人像的本事改畫服裝模特兒。不想一投稿便大受主編歡迎，紛紛採用。更有不少年輕讀者，喜歡她筆下生動美麗的模特兒及新穎實際的服式，予以專集剪貼。繪製服裝設計，便成為她的兼職。也由於她經常研究，我也跟著涉獵了不少有關服裝的書刊，注意起服裝的潮流和趨向。洋裝變化繁複，穿起來也輕鬆舒適，尤其是類似我國婦女流傳下來的便裝，而加以美化的褲裝，真是揮灑自如，行動輕捷又方便。服裝的流行似乎是循環性的，從新潮趨向復古，我很讚賞那種烘托出女性典雅氣質，柔美韻姿的風格。但對蘊蓄之美倒回原始的暴露，卻實在不敢領教。「衣服是文化中很燦爛的一部分」，如果沒有了文化，只剩下野蠻，讓人想起混沌初開，披掛樹葉的時代，還談得上什麼美不美？

服裝給人以最初的印象，常常顯示一個人的品、尊嚴、教養、氣質……「穿著盡善可賦予一種為宗教所不能賦予的和平」。人人穿得得體，穿得光鮮，不僅自己覺得神采煥發，充滿自信，也反映出社會經濟的繁榮。近年來我國生產的衣料、質地和花色都越來越進步，紡織界、服裝界、報紙、電視，一直在陸續舉辦服裝比賽、時裝展示，似乎一片蓬勃氣象。可是，屬於我們自己的，代表這一民族的風格又在哪裡？綜觀所有的服裝雜誌和報刊原封不動轉載的，不是來自美國、歐洲，就是日本。大作家法朗士曾說：「我死後仍能在無數出版書籍當中有所選擇，我不想選小說、不想選歷史……我只要一本時裝雜誌，看我死後一世紀婦女如何裝束。婦女裝束之能告訴我未來的人文，勝過一切哲學家、小說家、預言家及學者。」我想假如法朗士真的要如此來知道中國的人文，恐怕將使他大失所望，因為純中國的服裝雜誌只是一頁空白。

就在我撰文的此刻，秋天亮麗的陽光照得滿室生輝，紗窗外藤蘿搖曳生姿，綠映紙筆。女兒正利用週末閒暇，在小樓上踩她設計贏得的獎品之一——勝家七巧縫紉機，做一件秋裝。機車軋軋地伴奏著熱門音樂活潑愉快的旋律，湧進書房，飄上案頭。惹得我只想結束小文去動動剪刀輕鬆輕鬆，儘管她批評我裁剪方法不科學、不合規矩，只要合我身裁和心意，誰還耐煩去記那些公式？製成新裝，總是先向家人展示，一件簡潔的洋裝換來一聲：「很漂亮！」一身瀟灑的褲裝會博得一聲：「越來越年輕。」但當我穿了好一陣年輕瀟灑，有一天出去時換上一套淡淡雅雅的天藍色旗袍，或一件素淨中顯得雅致鑲花邊黑旗袍，母親、女兒，連平時我穿什麼都視若無睹的他，都會用真正讚賞的眼光打量一眼：

「妳還是穿旗袍好看！」

本來嘛，萬變不離其宗，我原是道道地地純中國氣質的中國人！

《婦友天地》

編註：本文原刊於《婦友天地》第四期，一九七四年一月一日，頁三十六～三十七。

好一個暑假

——作兒伴的滋味

任何暑假寒假，對我來說，彷彿都是另一個朝代的事，歷史悠久，非常隔閡而又陌生。然而，當女兒上了大學，我卻沾她的光，又分享了她的假期生活。

四個月，一百二十多天，好悠長的日子！自從她四歲上幼稚園，十幾年來，似乎從來就不曾有這許多日子在一起朝夕廝守盤桓。不要趕早起，不要搶三餐，不要愁功課，不要擔心颳風下雨。而居住在這僻靜的小鄉鎮裡，沒有任何可以學點什麼的補習班，沒有暑期工作，也沒有遊樂場所、海濱沙灘。門外除了牛鈴叮噹，聽不見市聲囂鬧，屋內只有滿架滿几的書刊，沒有現代化的設備。遺憾的是我更沒有替她多添一個哥哥姊姊，或是弟弟妹妹。自然而然，無形中我便兼任她的顧問、她的同學，她唯一的伴兒！

首先得接受的是她那些熱門音樂，唱片一放，瘋狂奔放的旋律就像洶湧的浪濤，沖激到牆上又迸射回來，震撼著屋頂，人在音浪中就像是條小船，被衝盪得東晃西搖、昏頭轉向。我直嚷吵死了、開小點，她偏說聲音太小了就失去了那種味道。我建議她不妨換一點輕音樂，她認為那必須在空閒時候，坐下來閉著眼睛靜靜欣賞。不像熱門，隨便什麼時候只要一播送，就使人血液循環迅速，精神振奮，做事也就更帶勁兒，有增加工作效率的作用。看她嘴裡哼著，手揮筆舞，或是伴奏著機聲（打字機與縫紉機）答答，那副悠然自得的神態，不忍強使母權，長日裡如雷貫耳，久而久之，聽覺神經似乎也習慣了。到最後，我還不得不自我警惕，因為有時隨口哼哼，竟不自覺哼出一句半句……Take me Take me, Take my heart……之類，要讓別人聽到不笑掉大牙才怪哩。不過也有時是我主動的去播放，那是當女兒早晨睡懶覺時，聞歌起牀，非常靈驗。

女兒自小愛畫畫，只是學畫無門，我一直為住在這窮鄉僻壤，未曾好好培植她這方面的才能而感到歉疚。當她被註定要研究莎士比亞，乾脆把油彩畫具全收拾起來。我擔心她心情沮喪，正好各報家庭版開始刊登服裝製作，便鼓勵她不妨暫在這方面試試，曾幾何時，她那些塗抹在課本上、筆記本上的美女頭像，果然一躍而印上報紙成為服裝設計了，從此，一向不注重穿著的她，也關心起服裝的趨勢來，而繪製時更是全神貫注，一筆不苟，不僅服裝的款式，連髮型、臉龐、姿勢、背景上都各有千秋。——我不是光為服裝而畫服裝，出發點是為美——這是她堅持的原則。暑假中，既是她的消遣，也算是她的假期工作。每畫好一幀，一定要先給我看，題名配字，又常來徵求我的意見。耳濡目染，於是我這個重視國粹一輩子只穿旗袍的人，居然也對阿哥哥、迷你裙、袒胸露臂的晚裝之類「洋裝」發生了興趣。陪她研究起什麼高腰線、公主線，什麼墨西哥情調、對比色、同源色……而平時關心注意報紙的刊出，比刊出自己的文章還更熱心。

在「化理論為行動」的原則下，我們家又成了小型縫紉工廠。從飯廳到寢室，從桌上到牀上，到處都只見布條、紙樣、剪刀、針尺，大頭針撒得滿地都是。娘兒倆全未正式學過洋裁，開始時還得由我這個半吊子權充初級教師，幫著比劃、量裁，頂精神的翻豎領，好活潑的低腰圓裙，瀟灑古雅的高腰喇叭袖，可愛的抽摺迷你裝，一件件從紙上而具體。儘管是些便宜衣料，由於花色鮮明和諧，式樣新穎而富青春氣息，連我看了都恨不得自己再退回去二十年，也領略一下美的享受，年輕時候那包紮在陰丹士林旗袍中的青春，比起來又多麼黯淡無光！

試穿自製的新裝，我還得充任一番攝影師，好在貼相簿上留下虹彩般美麗的一頁。

對於逛書店，娘兒倆有著同樣濃厚的興趣。進去了就不知道什麼時候出來。尤其是舊書攤，更迷得厲害。我一面留意有沒有什麼絕版的名著，一面得幫她翻閱中外雜誌畫報，有時她用抑制住的興奮低低喚我：原來在《生活》中發現了整整兩頁精印的「雷諾爾」名畫。有時我輕輕地用手肘推她，《勝利之光》中竟也印著好幾幅「梵谷」的作品。於是我們裝作要買不買的神情，跟書販討價還價。往往接連好幾個鐘頭搜索下來，只累得兩眼痠痛，雙腿僵硬，但回家後我把舊書整新，她仔細的剪下畫幅放進畫夾裡，再一張一張慢慢欣賞。那份樂趣，早便幾十倍的補償了那點辛勞。

我們還一起收集郵票，收集聖誕卡，收集紀念章，暑假裡更增添了一項收集火柴盒。每當她爸爸下班或出差回來，四隻眼睛盯著他，等他掏口袋，啟箱蓋，引起一聲聲小小的驚歎。有庸俗的色彩，有美麗的圖案，花色繁多，型式不一，小盒裝在大盒子裡，搬出來，總得把玩上半天。感到這世界上美麗的、可愛的、好玩的東西實在很多很多。

女兒念的那學校是南部數一數二的最高學府，教學嚴格，學風樸實，唯一缺點是太忽略學生最切身的生活和營養。伙食辦理之差，可以比美抗戰時期的流亡學校。據我所知便有二個學生因此得胃病或營養不良併發症而轉學的。女兒生來不是胖型，上了大學反比中學還瘦，假期回家常常臉帶菜色，看見什麼都饞。但吃不了多少就說肚子裡沒有油腥伴兒，難以容納，看著好不教人疼惜，只想趁暑假裡多補充點營養。但慚愧的是幾十年來一直依賴母親，到最近二年我才自己拿鏟刀，對廚房裡的事不勝厭煩，而被油煙一薰，更是胃口缺缺。女兒原在一旁遞遞東西，看出我勉為其難的樣子，便自動討過這份差使去，不要多久，就由她正式掌鍋了，我更樂得偷懶。只是一天天過去，她的臉龐果然顯得紅潤豐盈，卻也看不出究竟胖了多少，倒是我腰圍漸粗舊時衣服拆拆放放，大半還是上不了身。

「每天這樣跳一刻鐘阿哥哥，包妳減瘦。」女兒一面勸我，一面示範。可是差勁得很，不到五分鐘馬上胃痛腳抽筋。

「天天打羽毛球也一定有效。」她硬把球拍塞在我手裡，球兒在空中閃著瑩潔的白光疾馳而來，但只十幾分鐘的奔馳，我便只剩下喘氣的份兒了。

於是女兒逢人便誇耀：「妳看姆媽一心想把我養胖，不想倒是我把她養胖了。」

女兒長得跟我一般高，兩人上街進店鋪，店員小姐常常故作驚訝狀：「妳有這麼大的女兒了？」再不問女兒：「那是妳媽媽不是？」女兒瞪著眼傲然回答：「她不是我媽媽還是誰的媽媽？」

可不是，還是誰的媽媽！我不在乎頭上有無白髮，只高興多少還保持一點年輕的心情；歲月並未埋葬我對一切事物的好奇，生活尚未摧毀我在任何小事情上獲得那種單純的喜悅，小小的樂趣，與我女兒作伴，似乎還不算老得有很大的距離。

小小的樂趣、小小的喜悅、小小的滿足、小小的收穫，填充了暑假的一百二十多個日子。那天送走了女兒，忽然間我覺得自己成了一粒小小的花生仁，放在空空的核桃殼中。走到哪間屋子都伶伶仃仃的搖得響。沒有笑語，沒有音樂，熱門唱片成了冷門，吉他瘖瘂了，打字機和縫紉機默默無語，新到的雜誌擱置在几上沒有人搶著拆看，書夾裡未完成的模特兒凍僵在紙上。儘管是一點即燃燒的火柴，也冷冰冰的排列在鐵盒中。我悃然回到自己房裡，打開書桌上冷落了許久的拆字攤，理一理思緒，便在格子上填下了一個題目：好一個暑假！

編註：本文原刊於《中華日報・副刊》，一九六七年十一月二十四日，第十版。

《中華日報》「家」版

知識的窄門

——陪考記

《聖經》上好像說過，要進天國的門是窄門。但是當年寫《聖經》的人也許不會想到，今天在地球上還有一道窄門，那便是知識的窄門。想進天國的人並不太多，而每年、每日、每小時，卻不知道有多少孩子、多少青年，那樣嚮往著、渴慕著、祈求著，能夠讓自己擠進那道窄門。不，不止一道，而是三道。似乎比天堂還更森嚴、更深邃、更高不可攀。

每個做父母的，當早已熟悉孩子們為準備進窄門所下的那種苦功。陪考過的，更能理解孩子瀕臨窄門邊緣那份緊張的心情，誰能忘掉那些蒼白的小臉，失色的嘴唇，惶懼的眼神，微微顫抖而緊捏著准考證的雙手！

做陪考員這是第三次了，這一次，是陪著女兒去敲那扇最高學府的窄門。別看參加考試的全是十七、八歲的青年人，但是在父母心目中卻依然是不懂得照顧自己的孩子。一眼望去，整個考區，家屬的人數超過了考生。做父親的請了假，做母親的擱下一切家務，有兄姊已念大學的，更儼然以識途老馬帶領前來，也有小弟妹們跟來觀摩助陣的。提著手袋，揹著背包，攜帶著食物、水果、水壺、救急藥品、書報雜誌，以及墊子、小椅子等。如果不是那種籠罩著整個考區的緊張氣氛，如果不是年輕人臉上那份凝重的表情，倒像是一次龐大的團體旅行。

平時一般人總是拿千金一刻來形容時間的寶貴，但是如果拿來形容臨考前的幾十分鐘還是不夠的，看那些年輕人緊抓住書本，一副全神貫注的神情，眼皮急速地眨，嘴唇喃喃翕動，恨不得在幾分鐘內吞下三年來所學的課程，又恨不得自己化為那許多難記的公式、地名、朝代、辭類變化。待鈴聲響時，有的幾乎捧著書本，卻忘記了准考證和筆盒，便闖進考場去。有的坐錯了座位，更有跑錯了教室的，慘白著臉，慌亂得像隻被獵槍嚇壞了的小鹿。終於，紛擾歸於肅靜，一個個埋頭浸入考卷中。考場外的家長和親屬們也喘了口氣，隨便在走廊上、樹蔭下、牆角邊找一個歇腳處。有的打開了帶來的書報，有的閉目養神，而更多的陪考員，不用介紹，便自然而然交談起來，題材不外是有關考試的種種。

「今年是考生最多的一年了，超過了四萬大關！」有人感歎著，立刻有人附和上去：

「可是錄取人數並沒有比去年增加，只有一萬多名額，等於百分之三十左右。」

「也就是說三十多個學生才取一個。」一個胖胖的中年人下了個結論，但馬上被另一個穿軍裝瘦長個兒推翻了：

「不是這樣算的，應該說每一個考生都要把別人當作敵人，一定要擊敗二萬多人，才能獲得勝利。」

這一種新的譬喻，立刻又引起了不少感歎。一位可能是護送孫兒來考的老先生托托眼鏡，搖著頭說：

「這簡直比早年考狀元還難嘛！」

一陣慨歎，接上一陣沉默，那邊又傳來一群太太們的絮語：

「這年頭，孩子念書受罪，大人也跟著受罪，幾個月來，起早熬夜的，就沒有睡過一天好覺！」

「可不是，看孩子念書念得廢寢忘食，又怕傷了身體，想法子給弄點營養的東西吧，還得按時勸著逼著才吃。常常晚上讀呀讀的就趴在桌上睡著了。心裡想實在太疲倦了，就由他休息一下吧。那曉得醒來還發脾氣，怪人家不喚醒他，真是的！」

「孩子都是這樣，我家老大去年來考是跟同學一起住學校宿舍。考完回家人像脫了一層皮，我在她書包裡搜到五張飯票，五餐飯都沒有去吃！」

「這些孩子，雖說是已經考大學了，可還一點都不會照顧自己。我們的親戚去年不是也有個孩子考大學嗎？孩子平常功課還很好，晚上瞞著父母一瓶接一瓶的喝那些什麼提神的口服液，也不知道多少個晚上沒有睡覺。等到臨考前精神整個崩潰了，勉強攙扶著去考，結果反而沒考上。」

又是一陣感歎，一陣唏噓，八十分鐘已悄悄地過去了七十幾分。家長們又開始走動著，遠遠地向教室門口引頸盼望。下課鈴一響，那許多關心的視線便迫切地搜索著自己的孩子，注意著臉上的神情，那神情很少幾個是得意而安詳的，有的一臉懊惱，有的掛著怨恨，有的紅著眼眶，有的跟同學討論著答案，有的鐵青著臉，一聲不響。大人忙不迭送上飲料，揮著扇子，輕輕的慰問著。這一陣騷動過去，一個個又都眨著眼皮，動著嘴唇，鑽入書本中去，直到再一次鈴響。

最難受的怕是下午一堂考試，夏日的驕陽把什麼東西都曬得熱烘烘的，午後西曬的走廊，更熱得像長炕。家長到處找蔭涼，不停地揮扇。可是那些考生，關在門窗封得密密的教室裡，不僅考頭腦，也烤身體。看他們走出烤場時，一臉的油汗，濕透了的背部、手肘上沾滿了溶化的藍色原子油，一個個彷彿都烤軟了、烤癱了。第二天早晨，家長們再見面時，不是說孩子昨晚回去直嚷要嘔吐，就是說回去不能吃晚飯，也睡不好覺。

兩天，好長的兩天！看看那些年輕的臉，失去了朝氣，失去了青春氣息。多少個白日的苦讀，多少個夜晚的苦熬，多少焦灼，多少惶懼，就只為了這兩天，為了通過這兩天的考驗，進入那座高高在上的窄門。

窄門，多少青年人渴慕著、仰望著，企求著進入的知識的窄門，但窄門究竟是窄門，總只有少數人進得去。能夠進去的，果然是平時的勤勞換來的收穫；進不去的，自問也盡了最大的努力，切莫因此沮喪，而失去再接再厲的勇氣。門的存在，永遠等待著人去叩開。

《國語日報》

我們去阿里山

清新的空氣，洗滌你的塵慮俗念，空曠的原野、巍峨的山嶺、清澈的河流，使你胸襟豁達、心境開朗。蓬勃的花草樹木，使你感到生命的欣欣向榮、滋生不息。而所有這些能使你清心淨慮、怡情悅性的、美好的一切，隨時等候你去享受、領略、體驗。正如徐志摩說的：「有健康是永遠接近自然的人們。」大自然是人們性靈上、精神上、身體上最佳的大補劑。但是，人間偏偏多的是傻瓜，寧可一個個蒼白著臉，眼睛瞪著腳下的三尺地面，整天為庸碌的生活忙得神經衰弱，為繁瑣的俗務弄得頭昏腦脹，而大把地吞著維他命、福祿命……，卻白擱著萬靈的大補劑不知道去享用。

自然，我不能例外，組成我們這個家庭的人都不能例外，都是如此這般的傻子之一。例外的倒是民國五十五年開始，我們竟鄭重地揭示了兩大旅行目標：橫貫公路，或是阿里山！

促成訂下這偉大計畫的動機，是為了紀念我們的一個重要紀念日——結婚二十周年。時間正好是秋高氣爽的十月。

計畫、討論、修正，直到最後一個星期，才決定選擇了阿里山。同時增加了一名隨行人員，讓女兒在暑假結束前，也有個愉快的旅行。

行程預定為三天，一天去嘉義，第二天上山。做為公僕的他，不但事假、病假從來沒請過，常常連星期例假也免費奉贈給公家。我擔心他到時候又身不由主，他卻一口保證說休三天假絕無問題。

大事一經決定，立刻我的一身細胞都活躍起來，我的全身神經也緊張起來。準備工作的第一步是「了解情況」。於是我和女兒找出家裡所有的旅行指南、台灣遊記、旅行雜誌等等，翻到有關阿里山的都仔細閱讀研究。

「怎麼？上阿里山要坐七八個鐘頭燒生煤的火車，而且還是隔天上下。」

「你看的哪一年的歷史？人家這裡說每天有遊覽車上去，彈簧椅墊，舒服得很呢！」

「上山還要先申請入山證，真麻煩！」

「嚇，一路要穿過六十幾個山洞，多有趣！」

「你知道阿里山有多高？最高峰是海拔二千八百六十九公尺。」

「山上的神木有三千多年的樹齡，真了不起！」

「山上的原始森林一定又深又靜，使人發思古之幽情。」

「這裡描寫雲海千變萬化，偉大壯觀，好美喲！」

「去祝山觀日出才是壯觀呢！」

「可是冷得很，說是裹了毯子上去，還冷得發抖。」

……

那幾天裡，我們研究的是阿里山，說的是阿里山，想的是阿里山，把它威嚴宏偉的雄姿，壯麗神奇的風光和幽邃雋永的景色，已勾勒出一個具體的輪廓。充滿了渴慕、嚮往之情，甚至彷彿已聽到了山頂的松濤，感觸到瀰漫在四周的雲霧，輕柔而又濡濕……

女兒踩著無比輕快的腳步，前門走到後院，興奮地向她的朋友和同學炫耀：

「我們去阿里山！」

她不再尖聲怪氣的喊她的熱門音樂，也不再迴腸盪氣地哼她的流行歌曲。興來時，便拉開嗓門大唱：

阿里山的姑娘美如水呀，
阿里山的少年壯如山！

有篇遊記中提到山上的氣候是十一度，這樣的溫度，在南部是最冷的冷天了。於是在穿著單衣還出汗的天氣，我揮著汗翻到最下層的箱子，找出大家的冬衣來，三個人的衣服疊在一起就是一大堆，各種備用的藥品必須都要帶，伺候我這個只能少吃多餐的胃，怕山上缺少食物，補給也一定要充分。還有照相機、望遠鏡、筆記簿、電筒……。到出發的前一天，牀上、桌上擺滿了需帶之物，就等他回來裝箱。但是，當我做最後一次檢查時，卻發現還少了一樣非常重要的工具——我沒有一雙可以爬山跑路的便鞋！

去年參觀重慶演習，就因為皮鞋磨破腳跟，以致在驚心動魄的場面中，獨我一人蹣跚而行，真是難為情。如果這次再重蹈覆轍，豈不大掃其興？心念一動，我立刻採取從未有過的迅速行動，搭車直達高雄，跑遍所有皮鞋店，買到一雙比較滿意的原子鞋，順便做了頭髮，馬不停蹄地又搭車回到岡山。也不管自己累得氣咻咻地，一進門就高興的告訴母親：

「看我辦事多利速！這雙便鞋爬山一定非常輕快！」

母親欣賞著我買的便鞋，隨口稱讚著。我忽然覺得屋裡氣氛有點沉悶，女兒懶洋洋地捧本小說，該下班的時候了，院子裡也不見摩托車。

「剛才來了電話……」母親吞吞吐吐地說，聲音裡含有歉意。

「又是不回家吃晚飯？」

「來了視察，說是要看好幾天，還有……後天有個重要的檢討會，恐怕——」

不用說下去，我也知道。要視察，要開會，取消請假，取消計畫，取消阿里山之行，取消結婚紀念日，取消預期中的愉快和收穫。

我癱坐在椅子裡，忽然覺得一身精力都散失了。就像那深邃的原始森林，那雄偉的曠古神木，那神奇的雲海，那壯麗的日出，都離我遠去。阿里山，我們本來是陌生的嘛！認識你，只是在虛無縹緲的夢裡！

《國語日報》

綠水三千

那一泓盈盈綠水，那一抹蔥蘢的翠堤，堤外又是綠水盈盈，水盡又是峰巒疊翠。一葉扁舟悠悠忽忽地空橫在水面，一片藍天，晴朗明淨地伸展在山巔。天光水影裡，山嵐翠微中，那無盡的綠，那幽邃的美，不由得使人性靈沉醉，溶入詩情畫意中——這一幅彩色所攝的圖畫，就懸在我案前的壁上，與我朝夕相對，這也是一幅綽約生動的圖畫，當我閉上雙眼，它鮮明的印象兀自顯現在我心底，我記得那醉人的綠水，那重疊的峰巒，它便是令人魂縈夢牽的日月潭。

當我第一次見到日月潭，我便被那一泓湛綠的潭水和潭上出塵忘俗的幽靜，深深地迷醉了。

潭是平靜而深幽的，但卻姿態萬千，水的顏色更是一日數變，我第一次看見它，正是微雨過後，只見四周重疊參差的峰巒，蒼鬱茂密的山林，經過一番潤澤，更顯得青蔥欲滴，那一片濃綠深翠便簇擁拱環著一碧高萬頃的潭水。波光灩瀲，綠影幽邃，三兩艘小船悠然盪漾在水影波光裡，像幾片輕盈的竹葉，白鷺成雙，在水面翩翔盤旋，我倚欄凝立，默然相對，就在這一刻的默契中，潭上的那一份纖塵不染的潔淨，那一份美妙蘊聚的和諧，那一份寧靜的幽邃，不期然滲入我性靈，融入我心胸，使我渾然忘卻俗世，不留半點人間渣滓。只覺得自己像一片白鷺的羽毛，像一朵出岫的白雲，想飛，想在山巔飄遊，想在水面迴旋。

第二次看到潭時，卻是有霧的清晨，只見煙雲縹緲，樹靄溟濛，晨霧籠罩著潭水，彷彿披了一層縠紗，景物盡在綽約不露中。霧中傳來婉轉的鳥聲，卻不知在何處啼唱，如果說白天的潭是一幅寫意的畫，那霧裡的潭該是一個空濛的夢，一個撲朔迷離，不可捉摸的夢。才從一個夢中醒來又落入一個夢中，連憑欄人也不知身在何處。看不清真面目，潭更顯得神祕空靈，陣陣涼沁的晨風從潭上吹來，霧開始遲緩地移動著，就似迷濛的山峰間果真有「神女」伸出了纖纖的玉手，一縷縷地挽起萬千層輕絹。初升的太陽在霧雰裡突圍著，射出一支支金箭，穿破了逐漸輕薄的霧層——突然間一個黃澄澄、光燦燦的太陽脫穎而出，瞬時間雲消霧散，只見遠山凝黛，叢樹縈翠，一片金光照得潭水閃閃發亮，綠得似萬頃皎潔明淨不沾半點塵瑕的綠玻璃，竟然是一個透徹晶瑩的世界！

放一艘汽艇，便把人全帶進了晶瑩透徹的世界，汽艇輕捷地滑行在平靜如鏡的潭上，一時間玉碎翠裂，船尾在碧綠的水面剪出兩條雪白的白浪，一路展漾開去，陽光輝耀下，恰似一長串乍明乍滅的曇花環，船一停、一起都又幻滅了，不留半點痕跡。恢復了平靜的潭水依舊像光滑的綠玻璃，藍天、白雲、青峰、翠巒，便悄然安嵌在綠玻璃中，鑲框的是無限的綠色崖岸，參差重疊，曲折綿亙。枝柯掩映中，有露出一角飛簷峻宇，紅磚綠瓦，那是玄光寺，有古木參天，石級連雲，那是文武廟。捨船攀登，在那峻嶺崖頂上縱目遠眺，只見萬壑爭流，千巖競秀，日月潭在腳下浩浩淼淼一片雲水蒼茫。迎風凝立，聽鐘聲撼動在風裡，不由得使人悠然意遠，滿心是超然出塵的感覺，竟然想起古人的羽化而仙……

小小的光華島浮漾在水中央，小得纖巧玲瓏，彷彿風能把它吹走，浪能把它撼動。但它屹立在碧潭深處，像潭上的鎮守使，蒼松列隊拱衛，矮欄低低護環，四周微波縈迴，萬籟俱寂中，只松嘯低低，水吟悄悄，凝止中有著盎然的生意，靜寂中有著不可言傳的和諧「……溯洄從之，宛在水中央。」僅僅是「水中央」這三個字，便喚起了多少奇妙的遐思，多少飄忽的情趣！

潭水是幽邃的，青山是靜默的，便在這幽邃靜默中，另有一處人間桃源，那是化番社。這是個水鄉，也是個山村，青山在枕，碧水曲抱，疏朗的茅屋點綴在綠油油的稻田中，一片歌聲杵音，遠遠地便隨風飄蕩在潭上，小舟傍岸，年輕的山地姑娘笑面相迎，一個個頭上珠飾搖綴，裙下赤腿光腳，別有一番樸質嫵媚的風姿。一曲娛客，杵聲起處，有如眾星拱月，載歌載舞，宛似蛺蝶穿花，一時石聲叮叮咚咚，歌聲咿咿呀呀，餘音嫋嫋，伴著遊客的歸舟，猶自迴繞在水上，她們唱的古謠有一首是：

好極了，好極了
在前人未到的湖裡
乘著獨木舟
開懷喝酒
稱心滿意
大波小波任去流
來，來，來
我們且喝酒

也許沒有人會帶著酒去湖上泛舟，但是泛舟的人卻很少不被那綺麗的湖光山色所迷戀、沉醉。

潭上有不少經過品題的名勝，也有不少未經人發掘的幽境，領略潭上無比的風光，乘御風破浪的汽艇去訪勝，卻不如駕一葉輕舟去探幽。小舟在平靜的水上真像一片樹葉，那樣的輕盈，又那樣的迅捷，人坐在小舟裡，跟潭水也就更接近了，在近處看來，潭水是那樣平滑、柔軟，微微起伏著，就似藍色的綢緞，甚至可以想像得到手指摸上去光滑柔膩的感覺，而向遠處展去，卻又是微波萬疊，閃爍在陽光下，璀璨奪目。當停槳不划時，柔波輕叩著兩舷，小舟便悠閒自在地慢慢盪漾。船上的人仰望白雲悠悠飄過晴空，俯瞰綠意伸入水中，潭上無限的夢意春光，盡融入性靈中，那時的思想，有如湛碧的潭水，一澄到底的清澈，而那時的心性，有如止水停雲，唯願似這般順流逐波，永不停留！

但是，任何世間的清流，不會像時間之流永無涯岸。不羈的小舟靠近了一處綠色的涯岸。

綠草芊綿的岸邊是一座浮在水上的活動碼頭，一隻小舟便悠然繫在一旁。斜坡上綻開著潔白的水薑花，幽香迎風，花影裡一道白石階梯，引伸向坡上一圈低矮的紅欄杆，裡面圈圍著一幢暗綠色的木屋，門窗深閉，窗簾低垂，只屋前屋後數株開著小黃花的樹，不時悄悄地落下幾瓣花瓣，一隻白羊安詳地在坪上吃草——

似這般清靜幽美的所在，彷彿似曾相識，不知是在夢中見過，抑是心靈所皈依，不敢昧然探訪，又不忍遽然離去，只是輕撥著水，由著小舟低徊。這景這情，卻教人想起一首與這情景相似的小詞：

水軟艣聲柔，草綠芳洲，碧桃幾樹隱紅樓；者是春山魂一片，招入孤舟。鄉夢不曾休，惹什閒愁……

真是「鄉夢不曾休，惹什閒愁」，連忙撥槳掉舟，小舟卻已比來時沉重，不知載著鄉夢、抑是閒愁？

倦遊返棹，已是夕陽西墜，暮靄悄然為群山籠上輕紗，幽邃的潭水更是欲睡如醉。小舟撥著漫漫漪漣，向落日僅留的餘暉划去，一瞬間，恍惚天光水影，輕舟和人，全融入絢麗的彩霞中。

日月潭是一幅幽深美麗的畫，我曾進入這畫中，日月潭是一個美妙神奇的夢，我曾做過這個夢，眼前依稀還閃現著那綠波輕漾，水光瀲灩，那朝嵐夕暉，姿態萬千，未認識日月潭之前，曾使我心嚮神往，認識日月潭之後，更使我魂縈夢牽。

《中國一周》

寧謐的風沙島

——澎湖行

依稀大陸風光

多少年來，那些充滿著傳奇故事的島嶼，那些在大海中星羅棋布的神祕小島，常使我日夜憧憬，神馳夢縈，而現在，就在今朝，就在此刻，我將出發叩訪，去探視，去殷勤問訊——那不是別處，正是我們海上的堡壘，澎湖列島。

我們是一支小小的文藝隊伍，分別來自北部、中部和南部，卻懷著同樣的熱誠，而在未來的五天中，更是行動一致，目標一致。一肩輕便的行囊，十分愉快的心情，出發的第一站是松山機場。看滿天彤雲密布，擔心著會有一趟不平凡的航程，敏感的朋友已準備用全副心力來對付顛簸，但是，也許是駕駛員技術高超，起飛後一直那麼平穩，平穩得讓人以為雙翼是長在自己脅下，輕翩疾翔，青空萬里任遨遊，俯瞰翼下良田似圖案，群山齊低眉，驀地裡雲浪翻騰，滾滾湧來，層層疊疊，白茫茫一片，真有淩雲駕霧的感覺，待雲開霧散時，已經是在海上了，海看來很平靜，一碧萬頃，莊穆地籠罩在金色的霧雰中，當大家正指指點點尋覓那些撲朔迷離的小島，飛機已輕輕地降落在寬敞的大武機場。迎著我們的是璀璨的陽光，是來歡迎的朋友懇摯的笑容，是滿眼的青綠。

滿眼的青綠！接我們的巴士沿著平坦的公路馳去，躍入視覺的盡是青綠：綠的樹、綠的田、綠的山坡。誰能這是早年號稱不毛之地的風沙島！甫從擁塞嘈雜的都市中來，只覺得視野寬闊，胸襟開朗，綠叢掩映中一簇村舍迎面近來，忽然間我感到心跳神迷，依稀眼熟，依稀相識，那黃瓦飛簷，那田舍情景，豈不是大陸風光，故鄉的村莊！驀地裡兜起千斛鄉愁，重甸甸地堵在胸臆，幾乎鎮壓得動彈不得，幸得那位接待人員一路上盡熱心地大聲介紹本地景物；可曾看見那些林立的煙囪？那不是磚窯也不是工廠，而是烤鹹魚的加工廠，可曾看到田裡那些防風的矮牆？砌牆的珊瑚石是從海底撈起的，蓋幢二樓房子可以不用鋼筋支架，光是珊瑚石便堅固耐用，足以抵禦澎湖有名的季節風。遍地綠油油的便是那又脆又香的澎湖花生……請注意，對面來的不是蒙面大盜，而是非常健美的澎湖小姐——待我們急切地探出窗口，載蒙面女郎的車子已絕塵而去，只見迎面過來一批掮鍬荷鋤的戰士，舉起古銅色的手臂，向我們熱烈揮舞。

屬於海的夢

好一座歷史悠久的城門！正讓人興起思古幽情，驀地車子那麼一拐彎，只覺得眼前一亮，原來那是令人渴慕，令人嚮往的海便展延在面前，展延在綠蔭拱覆的斜坡下，我們正筆直向海中央馳去——但車頭捩轉，卻又沿著海岸緩緩行駛，讓波光水色盡躍入窗際，夕陽撇下閃爍的金色鱗片在暗藍的海上，金光激射，無比璀璨，輕輕拍岸的微波宛如一串忽明忽滅的疊花環，海在這島灣中竟如此沉靜而端莊！坡岸盡端，一座古式古香的六角亭悠舒地探伸在海灘上，斜側裡一抹青山縈繞，山上萬綠叢中又掩映著半截朱紅亭榭，山麓下展開一片寬敞而具有庭院之勝的坪地，兩旁是一條寂靜的長廊，一帶雅致的花牆，花木扶疏，一塵不染。我正在暗暗讚羨是什麼樣的雅人，將別墅深藏在如此幽靜的山陬海濱，享盡人間清福！車子停住，接待人員宣稱這便是招待我們憩息的金龍頭賓館，欣忭的下得車來，只見台階上將星閃耀，這別墅的主人郭司令官，已在門口笑盈盈地相迎。

晚上，滌除一身塵土，在亭子裡領略海濱夜色。山脈似巨幅剪影，貼在深暗的天壁，海顯得益加深邃，益加莊嚴，一望無際地溶入濃濃的夜霧中，又另添一份神祕的朦朧，遠遠的，一些疏落的燈光，彷彿即將被海風吹墜的星子般不住閃爍，那微弱的是漁火，那一串串鑽石鍊子般想是來自港口的軍艦。與天空的星星相互輝映，分不清海上的更亮，還是天上的更美，寂靜中，忽然「潑喇」一聲，原來是一尾一尺多長的魚，躍出水面在空中輕靈地畫了個弧形，又倏忽潛沉，只隱約剩下一圈銀色的漪漣，海風駘蕩，微波撼岸，情景清絕靜絕，這一刻我只覺得已被澄清，被淨化，心中唯有一片空靈，待一身沁涼透徹，才踏著滿院疏影回到房裡。我與繁露同室，儘管旅途疲困，兩人全興奮得不能入睡，前朝後代有說不完的話，當語聲頓落，萬靜之中遠遠傳來海濤拍岸和馬達的韻律，也不知夜究竟多深，也許正是漲潮的時候，漁船兒出海去了。我把燈關了，不想另有一線燈光，水銀般從窗際瀉落在我們牀上，悄悄地、柔和地，一亮復一黑，彷彿在低言蜜語——原來是信號燈正在召喚歸航的船兒進港停息。幾曾「看」過那麼清晰，那麼優美，又那麼可愛的語言？是該安息了。在此寧靜安謐的島的懷抱裡，且讓我們做個夢，做個屬於海的夢！

島上之晨

晨安，青山！

晨安，大海！

晨安，你守望了一夜的燈塔！

迎接島上第一個黎明，我以嬰兒般純真潔淨的胸襟，以信徒般莊肅虔敬的心情，攀上了山頂，頭上是遼闊的蒼穹，腳下是浩淼的大海，一輪紅日正在前面海天之際冉冉上升，而我獨自凝立山峰，但願凌風歸去，但願旭日熾熠的光和熱，將我融化，將我蒸發，將我升騰——我卻接受了山底下的召喚，坪上，夥伴們已束裝待發。島上之晨，充滿了朝氣，洋溢著生意。當第一道陽光照射在地面，勤懇的人們便已開始了一天的活動，沒有人貪戀席夢思的溫暖，沒有荒唐之夜、失眠之夜在臉上留下的困瘁，一個個全精神煥發，走向自己的工作崗位。

公路伸展在我們前面，沐著晨曦，覆著綠蔭，平坦、整潔，而又安詳寧謐地展向無垠、展向不可知的島的邊緣，兩旁蒼鬱的鳳尾木是它忠實的侍衛，一株株生氣蓬勃，昂揚挺秀，而每天每刻仍在不停地成長、茁壯——你也曾聽說這兒土地瘠薄，水有鹽分，植物難以生長，不錯，正是那樣，但這不是神蹟，而是人，雙手萬能的人創造的奇蹟，就在我們一路經過處，三五成群健兒，擔水揮鋤，忙著在一株株樹下除草、鬆土、澆水。而在他們身旁，常有二三個大大小小的孩童，不時熟練地把枯枝野草拾進小手提的籃筐中，他們合作得那麼融洽、那麼愉快，感情自然的交流，多美一幅樸實動人的畫面！島上每一株樹的成長，也不知費了多少辛勤的培植，愛心的照料。

筆直的路，空曠的原野，清新的空氣，我們迎著朝陽疾馳，眼睛領受著可愛的一切，心裡充溢著讚美、忭奮，以及最最崇高的敬意。

最崇高的敬意，謹致於那屹立在田野隱蔽的壕塹前，守望在山丘高坡的碉堡上的哨兵們！看那挺拔而凝重的身影，披拂著金色的晨曦，背負著蒼茫的藍天，莊重、堅毅而又英偉勇邁，是他們，櫛風沐雨、披星戴月，從白晝到黃昏，從黑夜到清晨，守護著島上這份寧謐、這份和諧、這份豐盈、這份安樂！

做一個島主

一帶青山寂寂地環繞，一片松林蒼鬱地庇蔭，面對著浩瀚無際的大海，多少英雄烈士的忠魂，安息在這塊寂靜的墓園裡，供奉在這座莊嚴的祠堂中，巍然屹立的巨碑，象徵著堅貞不屈的精神，鮮明璀璨的國旗，代表那浩然正氣，而松濤海嘯，合奏著一支悲壯的交響曲，朝也吟嘯，晚也吟嘯。獻上鮮花和馨香，獻上哀默的敬意，懷著肅穆的心情，從寂寂的花徑邁向海邊，似乎有什麼在騷擾著大海，顯得那樣深暗、冷凜而激盪不安，遠遠地掀起一排洶湧的浪濤，奔騰近來，怒撼著堤岸。正震懾於海的神威，猛不防獷厲的海風挾著一陣驟雨襲來，閃避不及，一個個全淋到了雨。

滴著水的頭髮，濕透了的皮鞋，肅穆的氣氛，凝重的心情，裝著一車廂沉默，車子繼續行駛在風雨中，四周灰濛濛一片，再也沒有景物可欣賞，單調的引擎聲卻令人困倦……

「看海上的小島！」誰的一聲歡呼，沖散了從林投公墓出來一直堵塞著的沉悶空氣，驟雨過去，雲消霧散，海原來就挨著路邊展引開去，大小不一的島嶼，像泥牛、像河馬、像帆船、像笠帽般，一座座或近或遠，若隱若現地浮在海面。彼此遙遙對峙，又相互呼應。浪潮不住在中間沖激撲擊，岩石只是不理不睬。

「這周圍一共有大大小小六十四個島，倒有四十三座是沒有人住的。」我們的義務導遊介紹。

但願我能有那麼一座，做一個與世無爭的島主——就是那一座，正是我夢中的小島！它靜悄悄地出現在那邊，與群島間有一些距離。那樣地小巧玲瓏，又那樣地狷傲凝重，我願在島上結椽三間，嘗試一種單純的、靈性的新生活，時間在那兒沒有紀錄，只是當早晨陽光將它染成璀璨的金色，在月光下它是朵深濃的大睡蓮。海燕來屋脊棲息，海浪朝夕吟唱，有訴不完的故事，來往的漁船為我帶來補給，朦朧巨艦是確保安全的海上長城。我將摒除一切俗務雜念，在島上完成不朽之作……

我的一縷遐思縈繞於小小孤島上，恍惚此身已在海中央。四邊全是閃爍的波濤——不是在島上，原來是行駛在橋上，沒有欄杆的橋低低的緊挨著水面，彎彎地伸出去，在兩座島中間畫了個大括弧，就像是陸地伸出去的長長的手臂，緊緊地握住，過完一條長一千餘公尺的中正橋，越過一座島，接著又是一條五百餘公尺的永安橋。車子這才駛上了一截斜坡。猛抬頭卻不由得又是一怔，彷彿在一些畫片中曾見過的那條著名的大橋，怎麼會出現在這兒呢？看那高聳的鋼架，那堅固的橋墩，宏偉地雄峙在海上，壯麗動人！問清楚才知道那便是跨海大橋，從白沙到西吉，全長五千四百餘公尺，現已完成一半工程。待橋一落成，澎湖四大主島便連繫在一起了。名叫「跨海」，實在很夠氣魄。

跨海大橋過來不遠，便是那傳奇性的大榕樹，經過三百多年季節風的猛吹，枝葉茂盛，蔭蔽半畝多地，十幾二十根蟠虬的氣根支撐著密密層層的枝葉，形成一座幽邃的綠色大棚廠，從驕陽下走進去，只覺得遍體陰涼，舒爽無比。三五個老人便閒坐在裡面散置的石凳上，享受著駘蕩的海風。那種悠然自得，與世無爭的神態，好不教人羨煞，一座歷史悠久的神廟掩藏在濃蔭深處，香煙繚繞，木魚聲悠緩，彷彿離開塵囂已很遠很遠。

蒔裡，從貧陋落後闢建一新的示範社區，擁有一座幽靜的馬公浴場，傍山環海，設備完善，一片潔淨的沙灘迤邐而下，萬疊微波，載浮著三三兩兩戲水的人，好不優哉遊哉！比起台北那一鍋煮餃子的浴場，愛游泳的人在這兒是有福的了。

歸途中又看到我心所屬的那座小島，暮色溟濛，輕攏著薄霧，益顯得縹緲神祕，我永遠不會忘記，你，幽靜寧謐的小島；從此，你可愛的影子將不時出現在我心頭，出現在我夢中。

寧謐中的潛力

愉快地欣賞過海島的風光，領略了淳厚的人情味，享受了沁甜多汁的嘉寶瓜，香脆的花生米，和美味的海鮮，更使人難忘的是體會到軍營生活那種令人耳目一新，心神振奮的特殊氣氛。嚴肅中有生動，簡樸中有變化。緊張忙碌中充沛著活力，沉著穩重中蘊蓄著定力。在短短的訪問時間中，我見到了八二三炮戰的英雄，意氣豪邁，一身是膽，一如猛虎。見到了在大海中來去自如的蛙人，身手敏捷，堅毅果敢，一如蛟龍。還有志願留營的小弟兄，年輕熱情，充滿希望和信心，一如初生之犢，像金屬發出的光芒，從他們身上煥發出一種無畏的精神、力量，益使人堅信一切勝利必然是屬於正義的。

巍偉的巨炮雄峙在炮壘中，龐大的軍艦巡弋在海上，戰鬥機閃電般掠過天際。那是我們威力猛烈的實體武器，而在同時，我更認識了另外一種精銳犀利的精神武器——軍中文藝。沒想到在耍槍桿的陣營中，竟會有這麼些文藝工作者及愛好者。

他們的態度嚴肅，思想正確，生活經驗豐富，兼有作戰時的熱誠和執著的信念，這是一股所向無敵的精神戰鬥力量。相信戰鬥的力量與文藝的力量，將結合成一股巨大洶湧的洪流，足以摧毀一切反人性、反民族文化的強權暴力。

這次行程，我有著太多的慚愧和感謝，因為名為參加輔導，實際上自己沒有什麼可給予別人的，卻學習了不少，也收穫了不少，是精神上和靈性上的雙重豐收。接受鼓舞的是我！

歸途中，飛機的載負量彷彿重了不少，是增加了各人帶回去的香脆的花生、鮮美的海味、玲瓏透剔的海樹花、精緻可愛的珊瑚文石貝殼雕琢的飾物……但更多的是軍中友人款待的熱誠，和我們戀戀不捨的離情。

別了，澎湖！那依稀大陸風光的村舍，舊城的石板街道，彷彿黃埔江畔的馬公景色，那幽靜的金龍別墅，那煙霧飄緲的夢中小島，但願不久的將來，又再見你！

《中華副刊》

大道之行

超越時空

太陽照臨的地方，便有生命。人類生存的地方，便有路。

人為了爭取各種不同的生活，創造更有意義的生存方式，必須僕僕奔走於人生道上；而隨著工商業發展，社會進步，人民的生產和物質，又必須在城市和鄉鎮間交流，在甲地和乙地間運輸。於是，路從窮鄉僻壤，從草莽荒山中開闢出來，橋從山與山、岸與岸之間架立起來。由狹隘的羊腸山徑，簡窳的黃土鄉道，石砌的馬路，平坦的瀝青路……到今天最現代化的高速立體交流公路。

這劃時代的路，超越時空，刷新了交通。

這革命性的路，濃縮距離，節約了時間。

時間，是生命的原料。

時間，就是金錢，就是財富。

人們將省下更多寶貴的原料，來豐富生命，創造人生，從事最有意義的活動。國家因獲取更多充裕的能源，增加如許有形和無形的效益，促進加速經濟發展，社會繁榮。

新的路，代表人類生活的福祉。

新的路，象徵時代巨輪的躍進。

新的路，更通向明日的成功和勝利！

多謝優秀的工程師，以智慧和不懼危難的毅力策劃了如此神妙的路；多謝勤奮的築路的功臣，以汗血和勞力拓建了如此完善的路。造橋修路，功德無量。而每個為爭取各種生存方式創造各種理想生活，跋涉於路上的人是有福了。

路的造訪

我們這一群有福的幸運者，被邀去訪問，訪問的對象便是正在闢建中的台灣南北高速公路。

全程長三百七十三公里。從基隆到鳳山，像動脈貫通了大地的胸膛。從葉尖到葉梗，像筋絡鑲織在葉脊。但路不是山，不是河，自開天闢地便與宇宙同在，路應該有路創始的動力，成長的歷史，發展的趨向……

路卻矜持不語。只是以它的莊嚴，以它的恢宏，以它的壯麗，坦率地展示自己。路卻默默無言。只是以各種直線、弧線、曲線、放射線，優美而高雅地向無垠伸展。

於是，路的策劃者——也是引領我們參觀的胡美璜局長，暫充路的代言人，隨著他充滿熱誠的聲音，生動、清晰，而又輕鬆的說明，路有了活力、有了生命，彷彿就在眼前一撮泥土、一挑沙石、一堆瀝青的開拓，奠基、輾壓、成長、茁壯、伸展……

汽車行駛在平坦光潔的路上，只覺得四平八穩，若不是窗外景物在移動，猶如閒坐在明窗敞亮的廂廊，車輪不是在滾動，而是輕疾的滑行。一百，到一百二十公里的時速，實際上已經是風馳電掣，卻並沒有給人那種透不過氣來的壓迫感。從地基，而路堤，而配石料基層，而瀝青底層，而密級混凝土面層，又開放級瀝青混凝土面層，一層層鋪築、滾壓，層層疊疊，那路怕不至少有六七八九層！最高處，就有四層樓房那麼高，路面從二十八公尺的四車道，三十五公尺的六車道，到四十三公尺的八車道，那樣寬闊舒敞，那樣坦坦蕩蕩，簡直是廣場公路！

頂上是浩浩天宇，地下是灝灝大道，且駛過綠色平原，駛過赭色山崖，駛向明日美麗的遠景——

淡水河湍急的奔流著，橫貫在路的一端。

連繫起兩岸，需要架設一座橋——一如高速公路那樣平坦堅固的長橋。記得從前造橋，老遠就聽到一片打夯吆喝聲。而堤畔，有工作人員默默地在忙碌，有龐大的機器在發動，好幾座已完成的橋樁中流砥柱般屹立水中，已可預期來日長橋如虹，全橋光那樣的巨墩共有八百六十多座。這填築起來再等一座座乾燥豈不費時？

——簡單，用的是最新蒸氣乾燥法，一天半一個。

赭紅色新鮮的泥土在陽光下閃爍著，從挖土機巨大的牙齒中鬆鬆的傾吐出來，笨重的輾土機又緩緩地重複滾壓。自一百二十尺高的路基到一公尺的低漥地，彷彿赭紅色的瀑布從天而瀉。為了換掉洪氾區鬆軟窳劣的土壤，和填高其他的路基，就這一段路，便搬取了五百八十萬平方的新土，又哪來這許多化驗合格的土壤？

——方便，只不過挪移了幾座山丘。

綠波輕漾，水光瀲灩，好一片明淨清澈的湖水！誰料到這山壑中還蘊藏著碧水三千。湖上縹緲著金色的霧雰，嵐影濛濛裡，一葉小舟，一介漁夫，正悠悠閒閒地撒網捕魚蝦。連接著湖是一片芊綿的稻田，水稻比旱稻長得更蔥翠。這一幅鮮活的漁耕圖，顯得寧靜而安詳。當高速公路溫子圳未曾修築前，這兒卻是洪氾區低窪地，每當洪水氾濫時，便淹漬在水深泥濘中。

溫子圳下來，眼前還晃漾著綠波稻浪，車子已穿過一座穴道，傍著一排羅馬式柱子巡行。那四四方方的灰色大柱子高高挺挺地矗立在地面，卻不是什麼博物館，建築物門前的廊柱，而是些密密排列的橋樁。穿越的也不是穴道，是橋下的涵洞，聽起來也許覺得很荒謬，天下哪有乘著汽車穿越橋洞傍著橋樁行駛的？但的的確確那是橋，沒有錯。八根一橫行，密密層層的橋樁足足排了一公里，一眼望去，有似深邃無比的森林。那麼長，那麼軒高的橋，橋下並沒有一點水，原來是洪水平原的洩洪橋。以二百年來洪水氾濫最高紀錄做為標準所設計，一旦當憤怒的洪水自千山萬壑洶湧而來，已為它安排了洩瀉的出路。

行在旱橋畔，似乎已聽到洪水長驅直瀉的呼嘯。

路又繞著山舒緩地迤邐而上。那座山，模樣特別，根基很雄偉，繞著它兜半天不見盡頭。卻沒有山巒或峰頂，四周全是嶄齊的削壁而一層層層次分明，像是碩大無比的蛋糕，也像賽車賽馬的外弧形大看台，崖壁上沒有一根雜樹野荊，耀眼的金紅色岩土上，披覆著青青綠綠的「青絲」——那才是真正青絲，好細好長的青草，不向上長不朝橫竄，一順柔柔地向下垂拂，風過處，輕輕飄曳，真是柔情萬千！原是從韓國移民來的嬌客，學名「客易苗」（譯音），說是根莖在六寸深處自會密結成堅韌的網，不容其他莠草生長，更可以用來做水土保持。美觀又兼實用。自然界有那許多神妙的事物，而人類的智慧更知道怎樣善於運用其神妙，真是妙上加妙！

凌駕一切

也曾嚮往過，當影片上放映別的國家那神速的高架公路時，也曾羡慕過，當從圖畫上看到那些新穎奇妙的設計時。而那一刻，當我親自踏上南崁交流道，站在第一座完成的立體高架交流道那高高凌空的路基上時，只覺得血管中有什麼在升沸，胸膈中有什麼在躍騰，但又瞠目結舌，噤默無言，完全被那美麗的動畫所感動，被那宏偉的氣派所震懾。

那銀灰色的大路，從東而西，從南而北，一橫一縱坦坦蕩蕩，直奔前來。將到交會處，直的一條矯捷地離地上升，凌駕空中，又上上下下各自從兩側分出一條條支路來，一個弧度優美的迴旋，緩緩趨向底下，一個線條柔和的彎轉，巧妙地升向上方，也有向左向右徐徐舒放，又款款合攏，看似錯綜複雜，迷離撲朔，車輛上下參差穿梭其間，卻各奔各的前程，各有各的方向，一往直前，暢行無阻。

豪邁的奔放，輕盈地迴旋，圓熟的組合，像一組組無聲的旋律，迴盪在莽莽草原，飄揚在寂寂鄉野。

柔和的線條，均勻的幾何圖，美妙的造型，像一幅幅立體的歐普圖案，鑲嵌在沃沃大地，裝飾在豐饒平疇。

立體高架交流道是結合了工程師嘔心瀝血的構想，藝術家卓越不凡的美感，和工作人員不折不撓的毅力，所創造的綜合藝術、劃時代的偉大工程。

而這樣的藝術，這樣的工程，全省自基隆到鳳山共有三十七處，每一處的設計都因地勢和需要，效用一致，風格卻迥異。交流道之間星羅棋布的大片大片空地，計畫中全將遍植花木。光南崁這一段，便預定了二萬八千株杜鵑。待全線通車，花木成長，這一條路就是一座縱貫全省的國家花園。從北方杜鵑城到南方鳳凰鎮，輕疾而平穩的馳行在康莊大道上，車輪彷彿添上雙翼，倏忽凌駕空中，轉瞬又美妙迴旋，穿越過山崖，滑行過綠原，一路上更有綠蔭拂窗，繁花招展，四小時舒泰愉快的旅程，就是一趟心曠神怡的飛車遊覽。

扶著堅實的欄杆，佇立在凌駕一切的高空路上，眺望遼闊無際的四周，俯瞰壯麗起伏的道路，不禁滿懷希望和信心，充滿對九項建設輝煌遠景的憧憬。

路旁留下我們這群仰慕者首次造訪的合影，待不久的將來再來時，也是飛車遊覽的豪華旅客。

訪問高速公路補記，民國六十三年五月二十一日．《中華副刊》

編註：本文原刊於《中華日報・副刊》，一九七四年五月二十四日，第九版。

海上長城

微雨後的驕陽格外明燦，港灣裡無風也無浪，蔚藍的天空有飄浮的白雲，白雲又飄溶入海水湛深的藍。白與藍，也閃耀在招展的旗幟上，閃耀在一個個矯捷的健兒身上，象徵著純潔、光明、磊落，象徵著正義、尊嚴、高貴——那正是自由中國海軍的標幟。

就在那靜靜的港灣，那飄溶著白雲的海上，它翹首停泊在岸旁，遠遠地，那三個映照著陽光的白字，便似閃電般突然躍入我眼中，我感到一陣激動，一陣心跳，就是那三個字，它震撼了宇宙，響徹了自由世界，這一串被它光耀的日子裡，人們傳誦著、討論著、讚美著、歌頌著，都是它——神勇的一一九，海上長城！

懷著無比的崇敬，我一步一步踏上了跳板，艦那麼莊重而又安詳，我看到一張張被海風日炙染得黧黑的臉，是那麼樸質、誠懇而又年輕。但一旦面對敵人竟能發揮出那樣驚人的潛力，那樣奮不顧身的勇氣，和那種沉著應戰的機智！看艦上創痕纍纍，顯示著那一場戰爭的慘烈。撫摸著蹲在艦首的那尊巨炮，戰士們爭著誇述它的勇猛！它在黑夜中發出了驚天動地的怒吼，在黝黑的海上掀起了萬丈怒潮，發射出去的不僅是猛烈的炮火，還有全艦同志激憤的怒火，予敵人以迎頭痛擊！從一抵八的優劣情況下，這勝利得來不是奇蹟，不是神蹟。而是英勇的海軍戰士們浴血奮戰用犧牲的精神，以及凜然的忠義之氣建立的功蹟！

五月，炎夏的開始，榴花盛開的季節，而比灼紅的榴花開得更鮮豔的，是那朵勝利的花，比炎日熾熱強烈的，是「一一九」號光榮事蹟所迸射的光芒。

留下無比的崇敬，無限的祝福，卻帶著更多的感奮，我一步一步走下跳板，重又回頭瞻望，那雄偉凝重的戰艦，那整齊肅穆的行列，那昂揚艦首的巨炮，背負著廣袤的藍天，浸潤著燦爛的陽光，恍惚已融鑄成鋼鐵般的一體。已溶合成一個志願，一個期待，一個準備；再出發，再勝利！

民國五十四年「五一」海戰輝煌勝利訪「一一九」軍艦．《幼獅文藝》

編註：本文原刊於《幼獅文藝》第二十三卷第一期，一九六五年七月，頁十三，原題〈五月．勝利的花朵開在海上〉。

池凝寒鏡貯秋光

百川溝納，河泊錯綜。這地球上不知有多少溪流湖沼，當鴻溟甬闢，混沌初開，便已與宇宙同在，無人知曉它的來源，無人清楚它的歷史，更未經探勘丈量，原是屬於自然界的神祕。然而，不是奇蹟，不是傳說。就在那崇山峻領的峽谷中，幽邃岑寂的深壑裡，一個嶄新的湖誕生了，一個有史可證，在人們眼前盈盈成長的、幽美深邃的湖，漭漭灝灝，周圍四十一公里，蓄水面積八・一五平方公量。悠悠蕩蕩，水深二四八公尺，蓄水量二億五千一百萬立方公尺。煙波浩淼，一碧千頃，是絕佳的風景名勝，防洪、發電、灌溉良田五萬四千三百餘公頃，也是人們依賴的保障——那便是石門水庫人造湖。

慕名多年，嚮往已久，在這秋光明麗的季節，一個碧空晴朗的日子，正是一償夙願的好時光。從台北出發，全程五十二公里，走了二個多小時，公路車一路迂迴穿繞，經過三十幾個小站，先就等於作了一次走馬看花式的遊覽，各個站展示著各個鄉鎮的風貌；有新穎別致的小小流線型車站，熱鬧的市街便由此延伸。有只在路邊豎立一塊圓牌，傍著水果攤和賣甘蔗汁的篷車；有新社區的一角，盒式排列的樓台上，懸垂著鮮妍的花花草草；有濃蔭披覆的幽巷，古老的住宅門牆攀滿密密的爬牆虎；有工廠林立的區域，一支支煙囪倔傲地直指著天空；有古樸的大石橋，拱形的楮石欄杆下，鄉婦在溪流中洗掠衣裳。車進入桃園縣境，站漸漸稀少了，綠色平疇上，疏落的村莊安詳地沐浴在陽光下，地勢從平陸迤邐而上。路畔翠竹雜樹蔚成一片蔭涼，野花蘆草搖曳拂窗，探手可摘，靜悄悄深山凝寂，只道是人跡罕至，卻有人從山坡茅亭匆匆趨前搭車。山澗涔涔自流，枳棘蔓草叢生，以為是無何有之鄉，卻有人正悠然佇候澗畔松樹下。也有旅客下車逕自走向迂迴的曲徑，寂靜的山道，不知通向山崖何處。人幾乎無處不能生存，而路更把文明帶向荒山僻壤。一道陡坡，又一個彎轉，視野也隨著越來越寬曠；頂上湛藍的蒼空一望無際，兩旁盛滿陽光的山谷深邃無底，周圍綿亙的峰巒展開青綠的翠屏，拱衛著路的終點，也是橋的起端。

噢，那不是橋，橋焉有如此結實堅固而不見橋樁？也不是道路，路哪有這般雄偉壯麗的路基？那麼平坦，又那麼寬舒，汽車不像在行駛，而像在輕疾滑行。隨而又四平八穩。順著弧形的彎度，正徐徐兜轉；眼前驀地光影閃耀，好濃好濃一片青翠湧進車窗來——凝重的是山，半透明的是湖水，我這邊正心馳神授，他那廂也在驚歎：「快看，好清的湖水！」忙不迭左眺右盼，目不暇給，車停了，原來已通過了那座遐邇聞名的大壩。

下了車，我連忙踅回去，親自再一腳、腳踏上那偉大的建築。是它把遊蕩不羈的大嵙崁溪改造成兩座明媚動人的姊妹湖，把狂放暴戾的山洪驟雨馴服為平靜的湖水，汪汪瀸瀸，蓄藏在寶庫。它連繫起山與山，削崖與絕壁，舒舒坦坦地伸展著，彎一彎，兜起六條斜斜的溢洪道。孩子們看了一定會大嚷：「好大好光滑的溜溜板喲！」可不是！只是讓溜的不是人，是水。每座大滑梯頂端有個約莫五尺直陡的大齒輪，控制著高一〇・五公尺，寬一四公尺的弧形鋼板閘門，只要開動閘門，水庫內在堰頂以上的水便會從傾斜的洩槽裡瀉落一百多公尺，經過槽底的戽斗然後沖躍到後池中心。想像那種白浪洶洶、萬馬奔騰的氣勢，洶湧澎湃、浩浩蕩蕩的壯觀，一定驚心動魄，震天撼地。平時卻只有陽光在那兒靜靜地流瀉，瀉到水面上泛著潑金透綠的波光，映著溢洪道底下一幢幢小巧的房子，一層層整齊的台階，平坦的路從兩邊圍繞過去，縈迴著一泓清澈的湖水，微波盪漾，水光灩瀲，但比起壩那一邊的泱泱大湖來，這妹妹湖只可以說是屬於小巧玲瓏的袖珍美人。

踝蹬在高一三三公尺，長三六〇公尺，寬十公尺，而基礎厚達五二〇公尺，穩如磐石，樸質莊嚴的巨壩上，我不禁深深地感到人力的偉大。

碧水輕波盪綠舟

長堤從大壩兩側徐徐舒展，斜斜延伸。一邊從寬敞的廣場繞向後池；另一邊，首先吸引視線的是那一簇淡藍、淺綠、鵝黃、潔白的小小六角亭，鮮明地閃耀在萬綠叢中，亭下一架果汁販賣機，此時此地，竟也成了點綴，那不停流轉地黃澄澄的橙汁，喚起了二個多小時來自灰沙中的乾渴，一杯涼沁的液汁，勝過甘露。正如紀德所說：「感官中最大的愉快，曾是渴時得飲。」亭畔一座噴水池中，數十條一、二尺長的錦鯉正自在悠游。沿著堤岸，一排秀拔挺立，疏朗有致的大樹，陪襯著矮矮的杜鵑，山茶扶桑，輕蔭掩映，綠意幽邃，好可愛的一道翠堤！坐在散置蔭下的石凳上，一抬眼只見青山在對面脈脈凝注，一垂臉，便見湖水在足畔瀅瀅盪漾，我悄然傾聽著大地在創造萬物之初第一個美妙的聲音：那微風和流水。忽然在對岸山灣間飄曳出兩座小小的浮島。比青山更青，比綠水更碧。悠悠蕩蕩，無風自浮泛，待將臨近，才看清原是兩艘滿載著修篁翠竹的渡船，正是碧水輕波盪綠舟。

攢攬著那麼些淺淡深濃的綠，聳立在堤上，樓就叫攬翠樓，好一個美麗生動的「攬翠」，儘管只是人的五穀糧食補給加油處，光唸名字，讓人覺得那是飽啖山水秀色、不嚐絲毫人間煙火味的場所，與「攬翠」遙遙呼應的是「雲霄」花園，花園不在平陸，卻順著山勢作立體挺拔，璀璨的白石台階迴旋而上，重疊的菱形浮雕上承受一層硃紅欄杆迴廊，再一層四面嵌玻璃明窗的圓盤建築。紅白相映，襯著澄藍的天空，蒼翠的山林，巍巍然直上雲霄，廊上小憩，天風自然送涼。憑欄俯眺，大壩、明潭、翠堤；全自山麓舒展遠引——不由想起歐陽修的「平山欄檻倚晴空，樓閣有無中」的詩句。

一層更上一層，迴廊盡處，又有石階向上盤旋攀升，密林翠微中，隱隱約約露出一抹欄杆，一角琉璃瓦，簷楹翹揚處，彷彿大鵬振翅。牆垣連續間，有似玉屏拱環。亭台樓閣，不是神仙府第，只是雲霄別墅。兩幢雙併，三間架疊，依著山勢疏落散置林間，杏黃色脊瓦，青灰色短牆，赭紅花格窗外護著雕花純白欄杆，古典的造型，現代的色彩感，別有一種華美的風格，且不提室內電化裝備，我獨愛那有平台的房間。推出門去，乍見青峰聳翠，萬樹凝碧，翠黛嵐煙，天光水色，一齊迎面凌虛而來。煙波浩渺，雲靄溟濛，綠水三千，盡在腳底瀠洄盪漾，遼闊的蒼穹一脈莊嚴，凌厲的天風來自山巔，來自湖上，涼透衣襟。真箇似「瓊樓玉宇高處不勝寒」。萬靜中，但聞鳥聲細細，風聲簌簌，只覺心曠神怡，塵慮盡消，胸中更無半點雜念，樓頭小駐，人已淨化澄澈了。

一痕搖漾青如剪

攀上山之頂，又降落水之濱，乘一艘輕舟，悠悠蕩蕩從塵寰進入瑩澈明淨、不沾半點塵垢的琉璃世界。

琉璃世界，蘊藏著千萬頃濃濃郁郁，幽幽邃邃的綠；樹的蔥蘢、山的蒼鬱、水的澄碧，凝聚又擴揚，直綠得化不開，船兒輕疾地滑駛，碾玉轢翠般在平靜的水面激起一連串浪花，「一痕搖漾青如剪」，兀自向那波影深處剪去，群山若接若離，一座連一座緊挨著默默地迎面而來，又莊嚴的後移，遠望總是青青綠綠，綿亙起伏，近看才清楚各山各山的氣魄和韻姿，有的窈窕綽約，有的雄偉高峻，有的嵯峨突兀，有的怪石嶙峋，也有童山濯濯。樹是山的美服，綠茸茸一片水松，白茫茫滿山陂蘆葦，蒼蒼莽莽的原始森林，整整齊齊的矮矮茶樹，山與山參差交錯，重重疊疊，眼看懸崖絕壁，陡陂橫斷，已是山窮水盡疑無路，待臨近時卻又豁然開朗，渺渺茫茫，一片寒光籠碧水，遠山仍在翠嵐煙靄中。正是「煙鑽翠嵐追舊野，池凝寒鏡貯秋光」。斜倚船舷，俯仰水天一碧，綠意幽邃，那份光影交織的和諧，那份纖塵不染的潔淨，那份出世遺俗的幽靜，以及蘊聚湖上的無限秋光詩意，盡滲入心胸，融入性靈之中，唯願，唯願這般駕輕舟泛漾湖上，時光永不流走。

繞湖一周，返航時正逢夕陽將墜未墜，金色的霧雰瀰漫湖上，浮光閃爍，撲朔迷離，人和船恍惚全化入霞彩波影中，煙霧輕攏的隈隩裡，隱隱約約浮泛一隻竹筏，有人獨自悄悄地在撒網又收網，竟是國畫中的情景！駛經那座有山地姑娘歌舞的「仙境」青山，一陣陣悠揚曼妙的歌聲從峰巒飄灑飛揚，迴盪空中，繚繞於嵐黛柔波間，彷彿仙樂飄飄，花雨繽紛……就在餘音嫋嫋之中，船兒緩緩停泊船塢。

這一小時的環湖，曾經是詩，曾經入畫；曾經化作雲靄嵐煙，曾經融入秋光綠意。歸程中，身心恍惚仍在綠水柔波中輕輕盪漾……

《中央月刊》

艾雯全集 3

散文卷三

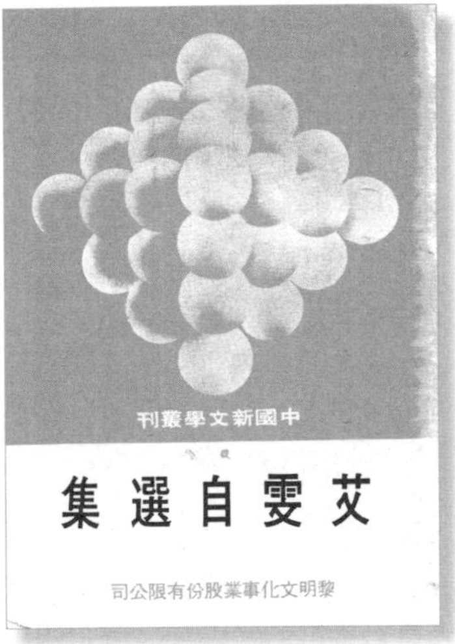

艾雯自選集

艾雯自選集：台北市，黎明文化事業股份有限公司，一九八○年十一月初版。三十二開，三○九頁。

◎**黎明文化版原目：**

素描、生活照片、手跡、小傳

第一輯　散文

門裡門外、青春篇、失落的心、遲暮、迎向黎明、無盡的愛、虹的一般憶念、年輕的日子、漁港書簡、日曆、竹馬、不散的筵席、幽蘭與素石、一枕綠窗小睡、生活的陽光、新年禮物、家庭食客、綠色書簡、心靈之井、曇花開的晚上、鐵樹與我、乍晴、綠巷、綠光、人家、心中自有丘壑在、牆和橋、敬禮，明天！、不沉的小舟、月台、兩個世界、寂靜的時光、遊牧吟、自由——生命的生命、思想——人類的尊嚴、書香溢於路畔、火樹銀花不夜天、夢入江南烟水路、人在山谷中、歲寒一品紅、浩然正氣・瀰漫人寰

第二輯　小說

銀色的悲哀、一家春、父子島、安排、花魂、虎子

作品書目

◎**說明：**

本集據黎明文化初版編入。此處僅收錄八篇文章：自由——生命的生命、思想——人類的

尊嚴、書香溢於路畔、火樹銀花不夜天、夢入江南煙水路、人在山谷中、歲寒一品紅、浩然正氣．瀰漫人寰。

素描、生活照片、手跡、小傳、作品書目未收入。

第一輯選自散文集《青春篇》、《漁港書簡》、《生活小品》、《曇花開的晚上》、《浮生散記》、《不沉的小舟》。

第二輯選自小說集《生死盟》、《一家春》、《與君同在》、《弟弟的婚禮》、《池蓮》。

自由——生命的生命

——你我的書

可敬的朋友，你若已經準備，便請打開那冊巨著——你我的書。噢，這一章要談的是自由。

自由，給它個詮釋：是每個人最基本的特權。

在那寂靜的時刻，你可曾由著你的思想如插上雙翼的鷹隼，海闊天空，任意飛翔？

在那忭悅的時刻，你可曾覺得你的心靈如充滿了氫氣，禁不住歡舞騰躍？

在那凝肅的片刻，你可曾感到你的精神似江水泛升，浩然之氣，滂沛激揚？

那飛翔，那騰躍，那激揚，便正是你享有的自由。

在你一生中，也曾到過許多地方，做過各種的事情。來去自如，行動自在。

在你生命中，你一定愛過、恨過、快樂過、悲傷過，讓你的情感，盡情奔放。

在你生命中，你總也曾安排你的生活，隨心所欲。

那份來去自如，那份盡情奔放，那份隨心所欲，便正是你享有的自由。

自由是生命的內涵，生命的目的，生命的生命。

有自由才有豐富的生命。

然而，如同呼吸著空氣，根本不在意空氣的有無，人們享有著自由，似乎從來不關心自由的存在。

沒有了空氣卻令人窒息。

沒有了自由生命更失去了存在的意義。

這世上有那被剝奪了自由的：

思想的鷹隼暫除了雙翼，再不能飛翔凌霄。

心靈套上桎梏，再不能歡舞騰躍。

精神受著壓抑，再不能振奮昂揚。

這人間有那喪失了自由的：

人性被扼煞，愛不許愛，恨不敢恨。

行動受限制，像牽著鼻子走的牲畜。

生活麼？更由不得自己安排。

在失去自由的土地上，人們渴望自由望得心尖爆出火花。

在失去自由的人心裡，人們呼喚自由呼喚得肝腸滴血。

失去了自由的，才知道自由的可貴！

你我都熟知那幾句名言：

生命誠可貴。
愛情價更高。
若為自由故。
兩者皆可拋。

古往今來，又有多少人不惜用頭顱、用鮮血、用犧牲來換取自由？有多少人為自由而放棄了一切？

為自由而犧牲生命，那不是滅亡，是永生的歸宿。

可敬的朋友，你我都珍惜生命，也更要珍惜這生命中的生命。

享有自由是人的權利。

保持自由是人的本分。

爭取失去了的自由，是人應盡的責任。

但是，別忘了這裡也有個小小的界限：

維護個人的尊嚴。

不妨礙別人的生存。

民國五十五年三月

編註：本文原刊於《皇冠》第二十五卷第二期，一九六六年四月，頁九十～九十一。

思想——人類的尊嚴

——你我的書

同樣的，用雙眼觀察，用兩耳聆聽，用鼻子呼吸，用嘴嚥食，用四肢行動或做事。而人所以為萬物之靈，只因為有思想。

思想，代表著人類的尊嚴。

思想，是人類靈魂的統治者。

哲人說：我思，故我存在。

創造者說：人類以一步一步的思想，建立起未來。

朋友，是那無形的存在，支配著實質的存在；是偉大或平凡的思想，決定了你我的命運。

思想決定命運，是的，當你時常怎樣想，你便會成為怎樣一個人，因為心靈是受思想薰染的。當你有了什麼樣的思想，你的行為，你的行動；便根據什麼樣的思想出發。偉大的思想產生高貴的行動，有力的思想產生果斷的行動；卑微的思想，產生懦弱的行動。凡有堅定、樂觀、向上的思想的人，總能達到他所企望、所追求的幸福和目標，而有悲觀、卑怯思想的人，將很難獲致快樂和成功。

朋友，思想不僅影響一個人內在的氣質，而當它如同電波般向外發射時，造成一種專屬於人的氛圍，更影響到整個生活，以及四周一切的人和事物。

當你懷有慷慨、仁慈、博愛、快樂的思想，你宛如那和煦的陽光，到處散布熱力、光亮和溫暖。當你懷有高尚、莊嚴、正直、積極的思想，你便像那四月的春風，隨時吹播著清新、涼沁的空氣。當你懷有純潔、美麗、至真、至善的思想，你就似那芬芳的花朵，不時向四周吐放幽香。但也有那憂鬱、消沉的思想，在各處投下陰影，遮奪了所有的喜悅和希望。那妒嫉仇恨的思想，像嚴寒中挾著冰雪的北風。那卑鄙齷齪的思想，像死沼裡的濁氣。那殘酷的思想像可怕的瘴癘，那邪惡的思想像有毒的細菌……還有那什麼思想也沒有，從來不用思想生活的，是可憐喪失了人類尊嚴的人。

噢，朋友，從這繁雜混淆的思想中去辨識、去抉擇、去接受優秀的、摒棄低劣的，和建立自己正確的思想，是需要怎樣高度的謹慎、小心。怎樣嚴密的考察和審核哪！

而世上最難以壓抑、難以挫折，最不能阻撓、不能摧毀的，是一個已形成的、堅定的思想。

已定型的思想，賦有免疫性，永不被傳染；已形成的思想，如泰山磐石，絕不會動搖。

造就一個人的，不是命運，是思想。
促進人類發展的，不是機械，是思想。
統治世界，改變世界的，不是權力，是思想。
朋友，為維護我們人類的尊嚴，我們必須擁有更多那些清白的、健全的、正直的、生命的最高思想！

民國五十二年三月

編註：本文原刊於《皇冠》第二十三卷第一期，一九六五年三月，頁六十一。

書香溢於路畔

瀟瀟灑灑換上一身輕鬆的褲裝，
舒舒服服穿上一雙軟底的便鞋，
隨隨便便攜帶一隻摺疊的提袋，
還有，還有閒情似浮雲出岫，暇致如山澗溢流。
哼一支無腔無聲的進行曲，我獨自悠然出發。
是去旅行麼？
可以說是一次心旅。
是去遊逛麼？
也可以說是一次神遊。
只是一個人？
一個人才自由自在，無牽無羈。

緣因我去的地方，常令我迷失自己，忘記自我，忽視時間，流連忘返……

哪有這樣一個好去處？

那去處，屬於市區，卻不繁華，地處陋街，卻不寒傖。雖有車馬喧，心遠地自偏。

那是塵囂中的花園，一座座隱藏的花園，一眼望去，不見繁花如錦，綠草如茵。但小巧玲瓏，曲折幽邃。當思想在磑白的土壤上、黑亮的行列間散步，一路上自有星星閃閃、隱隱約約的花朵開放；有的幽幽雅雅，有的清清朗朗，有的朦朦朧朧，更有一枝獨秀，文采照人。縱使歲月悠久，終不會凋謝，儘管塵埃封積，也未曾減損光彩。那是些永不枯萎的花朵——智慧之花、思想之花，一任人們隨意擷取，慢慢欣賞。

那是陸地上的河流，一道平靜無波的小溪，沒有壯闊的波濤，洶湧的狂瀾，滾滾的浪潮，只潺湲自流，漣漪微漾，兩岸停泊著無數不縈的小舟——載滿了思想的不沉之舟，任意揀一艘乘上，便將載你浮泛於歷史的浩瀚，遨遊於知識的廣闊，泅泳於時代的湍流，盪漾於智慧的瀠洄。載浮載沉，順流而去；去探勘未知的涯岸，去開拓嶄新的港灣。

那是浮華世界另一方領域，一角供精神漫步的綠蔭，一座供性靈稍息的涼棚。你行動自由，或站、或蹲、或逗留不去，不受半點拘束；你予取予求，任意玩賞，不看任何臉色；你挑挑揀揀，東翻西摸，不必感到歉疚，沒有暗暗監視的眼睛，沒有迫切敦促的目光，更不會受到精神威脅。

告訴你，那不是名勝，不是觀光區，更不是百貨公司，只不過是馬路旁一些不加裝潢、不用宣傳的書攤，每次北上，總是我預定造訪的行程之一。

到處是高樓大廈林立，那幾株碩果僅存的蒼勁老榕樹，綠蔭扶疏，卻也涵蘊著一份淡淡的思古幽情。所有的櫥窗店面都鬥奇爭巧，講究布置，那簡陋的篷遮，一箱箱、一架架層層疊疊砌成的書牆，一排排、一攤攤，就地展示的書氈，還有掛在樹梢、懸在崎角的碑帖字畫，反給人一種真實的親切感。沒有人張羅，主顧就是自己的服務員，沒有人在一旁巡邏，做老闆的也許好整以暇在凳子上裝幀脫落的書頁，也許就躺在樹下的帆布椅上，手執一卷，正自得其樂哩。

彷彿潮水隨著月亮上升，逛書攤也有其時間性，有時大貓三隻兩隻，寥寥無幾，有時一個個盲目橫行（眼看著書腳向旁邊移動），摩肩擦踵。那叼著煙斗，佩戴眼鏡的準「教」字號人物，常常捧著厚厚的原著，讓自己罰站半天。那一臉書卷氣、瀟灑不羈的作家之流，一來總是走馬看花式地瀏覽群籍。兩鬢斑白、寬袖長袍的學究，卻一頭鑽進了碑帖字畫、斷篇殘頁堆裡。揹著巨大書包的中學生，莽莽撞撞地從參考書看到文藝書，大有兼顧不暇之勢。有時趕來一個年輕人，像搶救著火物似的，胡亂挑了一大疊有關家庭建築之類的外文雜誌，大概是學室內裝飾的學生急於找補充教材。職婦兼主婦型的仕女也忙裡偷閒抽一本烹飪術或美容雜誌精讀幾頁。女孩子們圍著服裝本《十七歲》悄悄議論。也有順步經過，為書香吸引，隨便翻一翻畫刊，念一段珍聞，看得出神，念得忘情。撞到人時只消歉疚地一笑，但被撞的也許並未感覺；踢到腳時輕輕說聲對不起，但被踢的可能根本沒聽見。

有些書分門別類，整整齊齊排列在肥皂箱裡、白木架上，讓人一目瞭然，盡可以順序在自己喜歡的那一類中去逐一檢閱；有的雖然排列卻不分類，得讓眼睛做三級跳遠，而頭腦也得配合著迅速地分析反應，該摒除抑是該吸取。更有些來個新舊大拼盤，中西大雜燴，不管什麼書籍雜誌，堆在一起像一座蘊藏豐富的礦山，就等你耐心地去發掘。各人喜愛不一，也許別人視為砂礫廢鐵，你卻偏當作翡翠玉石。也許你看成斷篇殘頁，我卻認為是無價珍蹟。發掘本身是一種樂趣，有所收穫更是一大樂趣，翻翻尋尋是樁開心事，能尋出點眉目來更是莫大的愉快。

逛只是為逛，原不必抱什麼目的。這裡看看，那裡翻翻，也許一無所得，也許有意外的收穫，也許突然出現了奇蹟，也許無端地牽惹起無限思古幽情，如夢往事。

看那部古書，我似曾相識，古色古香的線裝之幀，細白柔軟的宣紙上印著濃濃的仿宋體，那不正是父親的藏書之一？檀木書櫥的門上鐫刻著松香色大篆字，拉開門，書香四溢，我只能仰著頭羨慕地觀望，心想等長大一定要看完這許許多多藏書。但等我長大，便再也沒有機會看到那些藏書，和那一座座古雅的檀木書櫥。

看這本發黃的書，多熟悉，多親切！很久很久以前，我就擁有過那麼一冊，與書同時，我也擁有青春年華，擁有歡樂歲月，更擁有美麗家園。曾幾何時，這一切都驟然失去。如今彷彿故友重逢，我又找到這本書，同時，也卜得了收復家園的預兆。

有一次，身旁來了父女倆。那小女孩對著兒童讀物向做父親的絮絮不休……我的眼睛忽然一陣潮潤，記得小時候就喜歡跟父親去逛以古董、舊書、繡貨馳名的護龍街，古董好玩卻貴得唬人，不敢亂碰，只有舊書不怕翻弄。一天我發現了好高一捆完整的《小朋友》，心裡渴望著想要，只是從小就不輕易提出要求，就那麼楞楞地站在書前，父親牽我手時腳猶自釘在地上。他這才注意到我熱切的神色，立刻慷慨地買了下來，替我把那捆重甸甸的書搬上了黃包車，到家又吃力地拎過一道又一道門檻……是父親縝密的愛心，自幼啟迪了我對文藝的愛好，可是，當我能執筆撰稿時，他老人家卻已棄我而去，再也看不到了。

有時是絕版的書，遍尋無著，卻在故紙堆中得來全不費工夫；有時嫌新書太貴，無意中卻以最便宜的代價覓得了二手貨。最妙的，次是我一篇文章隨著夭折的刊物早已銷聲匿跡，竟意外地發現它乖乖地躺在書攤上。掀開封面，自己的作品及署名笑靨相迎，就像迷失的孩子等著我去親自領回。

尋尋覓覓，翻翻揀揀，發掘又發掘，書默默無語，心悄悄移動，時間之流便在書頁翻動間悄然過去。來時常在午後驕陽下，待興有未盡離去時，已萬家燈火。我覺得眼睛脹疼，似乎要奪眶而出，我的兩腿麻木而僵硬，我的十指沾滿了塵灰，我的衣服已全呈縐褶，提袋重重地壓著手腕，臂彎裡又狼狽地挾上一卷，還得在燈下對我顯得如此陌生的路旁，佇候載我上歸途的街車。給擠扁了回去——但是，我已在心中盤算，下一次，下次該是什麼時候再來造訪！

什麼時候，你也有興趣一起去「罰站」麼？

牯嶺街舊書攤・一九七二年五月十二日

編註：本文原刊於《中國時報・人間副刊》，一九七二年五月十二日，第九版。

火樹銀花不夜天

鎢金似的天宇，莊嚴神聖。
墨晶似的蒼穹，遼闊深邃。
大理石似的天壁，潔淨瑩澈。
藍絲絨似的長空，溫潤光澤。
黑暗中，多少發亮的眼睛殷殷盼待。
莊穆中，多少雀躍的心屏息期待。
寧靜中，多少歡欣的人翹首以待。
市囂杳遠，萬籟無聲，水流悄悄潛行，時光悄悄運轉，生命悄悄進展……突然間，彷彿
春雷乍響，轟然一聲，驚天動地，震撼山河。耳朵還來不及辨認巨響來自何方；眼前卻驀地
一亮，瞿然出現了奇景。就在那深不可測的虛空，蒼茫縹緲中似乎有一個隱形的天神，擎起
如椽魔筆，蘸滿熾熠火花，飽吮鮮豔顏彩。龍飛蛇舞，筆尖一路迅疾遊行。亮晶晶勾勒出星

星寶座，光燦燦砌疊成鑽石蟠桃，一瞬時光芒四射，歡呼沸騰。好一座壯碩豪華的「蟠桃獻壽」！熠熠星火更點燃起「萬眾一心」，獻出崇敬，獻出歌頌，獻出祝福，獻出赤子之忱：祝願中華「國運興隆」，「萬壽無疆」。

慶典的序幕堂皇揭開。巨炮隆隆，響徹雲霄，炮竹脆亮，串貫不絕，人們的歡呼掌聲，迴盪在城垣，四鄉，山嶺，水湄。火花彩焰，燎亮了十月的夜，炮聲人聲，震撼了十月的夜。宇宙之神驚醒了，撥開雲幃，挽起霧幕，俯瞰人類又怎能巧奪天工，把黑夜渲染成彩畫，掠美日月星辰！

雷隨電起，聲光砉然，隱藏的神筆猛然劃向高高的蒼空，倏忽間墨晶體上迸發一束束亮麗花束，旋又婉轉展放。五瓣一朵，五朵一束，正是我們高貴的國花。紅裡帶綠，黃中滲紫，藍中間橙的花瓣盈盈擴漾、拓散，又一朵朵迭連綻開。疊影雙雙，交相輝映。恰好是「五福並臻」。

銀光閃閃，綠影耀眼，一粒粒光球彩珠躍升空中，轉瞬變作翠竹挺秀，修篁招展。一支支當空玉立，一叢叢疏朗有致，才「梅開五福」，又「竹報平安」。

清朗寰宇，遽然又是大股大股濃豔的色束，從四面八方噴射爆開；一株株蘭蕙，一簇簇繡球，一叢叢朝陽花，一串串紫羅蘭……冉冉飄放，輕盈吐蕊，萬紫千紅，爭妍鬥豔，真箇是「花團錦簇」。

聚攏又飄散，落英甬歸溟濛，幽暗中旋即迸發更多更鮮豔的繁花，一波疊一波，如浪潮般從半空湧升，向四周氾濫，億萬朵花的浪，億萬朵光的泡沫，翻滾展揚，閃耀著綠的翠，紅的豔，黃的燦，紫的奼，金和銀的炫……「百卉含英」，「百花吐蕊」，「百花朝陽」，「百花獻瑞」。好一片花海浩瀚！而花浪泛漾，花潮四溢，密密鋪展，漫漫延伸。光之泡沫化為夜明珠，化為金剛鑽，化為霓虹，化為七彩寶石，珠光寶氣、堆錦疊彩地綴飾成一個「錦繡大地」。

正目眩於花海之繽紛，神迷於花潮之絢爛，浸潤於花雨之飄灑，突然一聲長哨劃破空間，一支銀箭直射九霄，鎢金似的天壁亮起一顆灼灼巨星，銀光璀璨，柔暉撲面，長哨聲聲相接，銀箭連連噴射，一霎間滿天閃燦著一顆顆巨星，高懸起一盞盞明燈，照耀如白晝。正是「吉星高照」，「光照寰宇」。

行星循環隱退，活潑潑的彗星乃又四出流竄，閃著華美的光彩，超越音波，超越光速，電光石火般掠過天際，貫穿雲霄，你來我去，此起彼落。一道道光經彩緯縱橫交織，織繡得絲絨似的夜空「五彩繽紛」，「光輝燦爛」。

彗星陽剛有力的金屬蝕刻畫剛收下，馬上又展出了巨幅生機蓬勃的動畫，一團又一團曳著鳶尾的火焰直衝蒼穹，這一支昂首噴火，騰躍衝刺，一如蛟龍蜿蜒遊騁；那一支盤旋迴繞，長尾展曳，宛似鳳鳥輕盈飛舞，只見銀鱗璨璨，彩羽翩翩，只耀得人眼花撩亂。好一幅美妙生動的「龍飛鳳舞」。

縹緲太虛，幾時又變成春日翠堤；一眨眼竟栽植如許閃閃發光的垂柳！綽綽約約，婀娜多姿。一綹綹銀綠柔絲嫋嫋飄拂，一縷縷亮翠纖枝嫋嫋款擺。千絲萬縷，繚繞縈迴，柔情依依，綰住點點星斗，又悠悠逸逸自天垂落。「翠堤垂柳」，好長好長的柳條兒！

仰首矚目於天空千變萬化的彩焰，猝不防腳畔靜悄悄的河水也沸騰湧升，瀑布突起，湍急奔流，銀泉濆注，激越沖瀉。一時珠璣四濺，浪花迸射，濛濛白霧中，紅珠綠珠跳盪騰躍；是「銀泉吐珠」。金星銀星飛掠流竄，乃「銀河瑞星」。

河水奔瀉中，又逢高潮迭起。水流轉急轉猛，洶湧澎湃，氣勢磅礡。瀑布兩端猛又噴出擎天七彩巨柱，上下竄躍升騰，虹彩飛揚，半天裡白霧銀火。霞蔚雲蒸，飛瀑怒潮滾滾滔滔，有如萬馬奔騰馳騁，浩浩蕩蕩，又似貝多芬雄壯豪邁的英雄交響曲，挾著強大的撼動力，震顫心弦。「銀河飛瀑」，竟如此令人神為之懾，氣為之奪。

一幕幕神奇，一次次驚訝，一齣齣壯觀，一次次激賞，一陣陣高潮，一次次震撼。亢奮已達頂點，激情已達巔峰，炫惑奇妙的感受如夢如醉，白熱化的氣氛如熾如灼，當最熱烈高昂的一次爆發，巨炮以雷霆萬鈞之勢隆隆猛轟，鞭炮齊鳴，光焰交閃，一簇簇火樹銀花「直上青雲」。一疊疊光彈彩球奮躍霄漢。一剎那光色迸射，雲彩奔騰，滿天鳶飛魚躍，龍遊鳳舞。天上地下百花爭放，花雨繽紛，花海起伏，流星若飛揚的音符，譜上電閃，虹霓似彩色的旋律，組成撲朔迷離——光華燦爛，瑰麗生動，氣魄雄偉，聲勢奪人，正讚不盡神奇壯觀，彷彿天撼地動，四周又猛升起萬丈光芒，沖向萬里長空，照徹宇宙，照亮人心，照耀雲彩花海，更普照世界大同。喜氣洋洋，歡欣鼓舞，群心歸依，歌聲雷動：

「普天同慶」！

「薄海騰歡」！

宇宙之神也不禁歎為觀止，悄悄放下雲幃霧幕，天宇一脈莊嚴。

燦爛的十月之夜，豪華的十月之夜，瑰麗的十月之夜：且留下祥雲瑞氣，留下硫磺和硝煙的芬芳。

帶走滿眼光彩，滿腔激盪情緒，滿懷祝賀衷誠：

哦，十月，光輝十月；國慶人瑞，日月光華，山河並壽！

國慶煙火・一九七四年十月三十一日

編註：本文原刊於《中國時報・人間副刊》，一九七四年十月三十一日，第十二版。

夢入江南煙水路

春水綠，離愁正恁牽絲亂；
歸夢迢迢，能不憶江南。

早就迎春接福了，門上的春字斗方天天紅著臉打照面，白皚皚的雪已化作濕漉漉的春泥，但春似乎還沒有半點消息。

房間裡面仍舊生起了火盆，緊挨著火，身子彎彎的像隻蝦米，穿著兩爿棉鞋的雙腳烘得凍瘡癢癢的，小臉蛋烤得發紅，熱灰裡嗶嗶剝剝煨著白果栗子，火鉗上烤的是黏黏甜甜的糖年糕。老貓蜷縮在懷裡咕嚕咕嚕唸不完的佛。好安逸的日子！只是，打從小心眼裡感到有點厭氣，抬頭瞅一眼紅呢門簾沉沉掩垂，花格明瓦窗緊緊關攏，不知外面可還是由那凜冽的西北風在逞威？卻聽得父親在那廂一面作畫，一面呵筆：「真是箇春寒料峭！」老阿媽買菜回來直嚷著「春寒凍煞老黃牛！」

好長的盼望！人人都在等待些什麼呢？靜下來聽一聽，推開窗子望一望，沒有聲音，沒有動靜，也沒有蹤跡。一整天被火烤得懶洋洋地連脊骨都軟了，嬌慵地偎依在母親身畔，緞面灰鼠旗袍的毛軟軟的，好喜歡用臉頰去輕輕摩挲……忽然，寂靜中彷彿有人推著大空桶從遠遠的天邊滾過來，轟隆轟隆地越來越近，越來越響，猛地劈烈拍啦就在頭頂上一連串地爆炸，接著又隆隆地滾了過去。我嚇得一頭納入母親懷中，外婆連忙放下銀手爐，拍著牀沿說：「今朝是驚蟄。春雷一動，蛇蟲百腳統統要活轉來哉。」

春雷動了，大地解凍。撤除了扎人的芒刺，風慢慢變得柔和起來，春雨也開始飄呀飄呀的，一直飄到清明時節。

老天爺特別為春天的雨預備了最細的篩子，不像平常的雨下得淅瀝嘩啦，更不像夏天的陣雨嘩啦嘩啦，倒像是做元宵的糯米粉，又細又均勻，靜悄悄，輕飄飄地灑在屋脊，灑在石板地上，沒有一點聲音。一眼望過去，迷迷濛濛，像是輕煙，又像是薄霧，朝朝暮暮便籠罩庭院，繚繞窗前。滿天布滿了厚厚的雲層，讓人想起夏天吃的涼粉凍。眼看著有一忽兒天漸漸亮起來，湅湅變淡變透明，似乎就要溶化……但歇一歇馬上又凝結成粉凍，毛毛雨又一絲絲一縷縷地編織起重重疊疊的簾帷，大人管這時的雨叫澆花雨，說是正在催百花開放。小園裡卻冷冷清清的，蠟梅花瓣早已隨雪化作春泥，楊柳枝條光禿禿的，一花架的盆景全在雨中沉沉寂寂，獨有幾枝細細長長的枝梗上，閃耀著一點點一星星似的黃花，原來是迎春花！小小可愛的花兒正獨自冒著冷雨，勇敢地恭候著春神哩。

我把鼻子頂著玻璃，沒奈何地跪在窗前看雨。父親背著雙手悠閒地在廊上賞雨，一面喃喃吟誦：「春晴也好，春陰也好，著些兒春雨更好。」賞一會吟一會，又逕自去書桌上吮墨揮毫。看雨看得膩透了，且挨到書桌去看畫畫。要畫一個大晴天多好！畫一個熱烘烘的太陽，畫一個牧童騎在牛背上吹笛，畫滿了遍野開得好熱鬧的花——雪白的宣紙上沒有色彩只有濃濃淡淡的墨跡。一抹深深淺淺的遠山，幾筆疏疏落落的樹林，一條潺湲的溪流迴繞在山林間。山上有人打柴，河裡有小船捕魚，只是，樵夫和船夫都頭戴笠帽，身披簑衣，右上角墨汁淋漓地題了二行草書：春水無風無浪，春天半雨半晴。喲！不想連綿的雨竟也浸潤到畫中去了！

春雨就那樣輕輕地飄，春風就那樣軟軟地吹，敢情這一季的春就那樣忽陰忽晴，悠悠忽忽？誰知道寧靜中還潛伏著風暴，「二月神鬼天」，那樣突變的日子總在孟春二月，蘇州人流傳下來的迷信說法因為二月有兩個凶日，一個是「二月初八張大帝誕辰」。所謂張大帝也不知道是神明還是菩薩，只知道愛吃狗肉，不管多好的天氣，到他生日那天總會變得狂風暴雨，冰天凍地。過生日嘛，總是快快樂樂的，就不明白這個張大帝為什麼生日要大發脾氣！可能是蘇州人心腸軟從來不殺狗，沒有人烹狗肉替他上壽罷。另外一天是「二月二十八，老和尚過江。」那一天一定翻江倒海，無風三尺浪。平常看到的和尚都是慈眉善眼，阿彌陀佛，也不知道這個兇和尚又為什麼作威作福嚇唬人。不過在這變化莫測的「神鬼天」裡，也有最美的一天——二月十二花朝，也就是百花生日。小腦筋裡簡直不能想像上百種鮮豔的花在同一天過生日有多美！一定用盡我顏料盒裡所有的色彩也描不出來。那天人們為她們祝壽慶賀，樹梢上，花盆裡，都披上了紅，敬香燃鞭炮，喜氣沖散了滿天陰霾，最好的賀禮是雨後的春陽，一剎間天霽雲開，枝枝葉葉上猶自沾著一滴滴雨珠，在陽光裡閃閃爍爍，煞是好看！再仔細辨認，竟是些嫩芽幼蕊。日日歎春遲，春意原來早已在細雨中來臨。

「細雨窗紗，深巷清晨喚賣花。」不過比花還早上市的是春蔬。早春天氣，綿綿杏花雨裡，一聲聲嬌滴滴喊賣：「阿要薺菜，馬蘭頭，金花菜，枸杞頭！」悠悠忽忽地透過幽靜的長巷，透過深深的庭院，傳進耳朵裡比什麼都動聽。這些時鮮菜都是野生的，只有交春後極短的一段日子裡可以摘來吃。一些鄉下姑娘清早抽一點空暇，便去小溪畔，田塍上，一小株一小株地摘下來，裝滿一籃就趕著進城去賣，總是被一搶而光。蘇州人喜歡清淡的口味，又最考究現吃現炒的「樹頭鮮」。這幾樣野蔬炒的炒，拌的拌，帶著一股清新的香味，特別鮮美爽口。小時候嘴刁，母親手炒的一碟薺菜冬筍肉絲，總使我胃口大開多吃半碗飯。

接著太湖的蓴菜上市了，鄉下人又挑著元寶形的小木桶進城來。母親總是用火腿冬筍做蓴羹，青花細瓷碗盛著清澈的鮮湯，浮漾著一串串，一枚枚，小小圓圓，碧綠碧綠，像浮萍又像未開放的荷錢，配上深紅的火腿，嫩白的筍片，光看著都覺得可愛，吃起來更是滑溜溜進嘴就化，在齒頰邊留下淡淡的清香。

別煩春天的雨，春雨就能給嘴饞的人帶來時鮮美味。「輕風細雨篤春盤」，除了那些平常季節嚐不到的春蔬，更有剛出土的春筍。冬筍雖然好吃，但由於太貴總吃不過癮，一待鮮嫩甜美的春筍上市，那就盡可以放量吃個痛快了。烤筍，油燜筍，春筍醃燉鮮，春筍東坡肉，筍絲肉絲捲春餅，春筍炒這樣那樣，沒有一樣不是我喜歡的；儘管老阿媽不住嘮叨吃筍容易老，但管他哩，離長大還有一大截，誰還想到老！只不過筍吃多了，心裡總覺得潮潮的，好像沒有吃飽。說是春筍出了土還是一股勁的日長夜大，從四鄉運筍來的船都只裝七八成，還要用雙櫓划得飛快飛快，稍微慢一點的話，船就被筍漲破了。

背蘇東坡的：「無肉令人瘦，無竹令人俗。寧肯三日無肉，不可一日無竹。」竹不就是長大的筍麼？至少愛吃筍的人都不俗。鄰家就栽了一簇茂密的翠竹，竹梢越過了牆，早晚在窗前淅淅颯颯。有時我望著瀟瀟灑灑的竹枝傻想：如果那許多春筍不裝在我胃中，不知該長成多大多大一座竹林了！

霏霏春雨，滲不透沉沉簾帷，軟軟春風，吹不進深深庭院，唯有黎明的鳥聲，喚醒這沉靜，敲碎這岑寂。父親說「鳥以鳴春」，我偏說春天是鳥們開始練唱的時候。當北風凜冽，天寒地凍的日子過去，誰也沒有留意從幾時起，老槭樹上忽然湧到了那麼多各種各樣的鳥客人。每天清晨，先是試探性的東一聲，西一聲，慢慢地可就熱鬧起來了。有好稚嫩的啾啾唧唧，有細碎的吱吱喳喳，有怪怪地嚶嚶聲，有尖銳的啁啁聲，有帶金屬聲的短促發音，有顫抖著拉長腔調卻忽然中斷了，也有的溜滾圓一連串，大珠小珠落玉盤。一般蘇州男士都喜歡養鳥，關在方的竹籠，圓的鐵籠裡。掛在窗前，懸在廊下，早上還拎了去上茶館。只是啼唱時總覺得有點寂寞，有點哀怨。走過鳥店時一大群鳥又聒噪得亂糟糟的，彷彿一隻隻都直著喉嚨在喊叫。只有一大清早，躺在熱被窩裡聽新聲最安逸，最悅耳，聽牠們唱得那樣高興，那樣熱烈，又那樣認真，好像小學生合唱團在用心練一支歌，準備迎新會演唱，牠們亦歡迎著春天的來臨，全心全意唱出牠們的歌頌，唱出牠們的美，唱出牠們的歡樂與熱情。

所有的鳥客人都棲息在樹上，唯有燕子，雙雙對對登堂入戶來拜訪。看中了安全地點，便啣泥結草在高高的樑上築起新巢來。恁憑掠水穿柳，雨裡來去，一身光亮的大禮服總是挺挺括括，黑白分明。俊俏的尾剪，比母親針線筐的繡花剪刀還靈巧。剪一角藍天剪一朵白雲，又剪一抹新綠，裁出一幅好春景！黃昏時歇在樑上，呢呢喃喃說不完的慰勉和感恩。我喜歡看那矯捷的身影飛進飛出，為森嚴的廳堂帶來活潑潑的生命；我喜歡聽那可愛的呢呢喃，給岑寂的宅院帶來親切的聲音。常常，我獨自坐在高門檻上，佇候雙燕來去，寂寞的小心靈享受著單純的喜悅。而大人們關心的卻只是鷓鴣的啼聲，當牠停在屋脊哀怨地啼叫：「水潑窩！水潑窩」便皺皺眉毛，搖搖頭：「唉！明天還要落雨。」等牠攀上高枝，嘹亮而清晰地叫喊：「晒晒窩！晒晒窩」立刻就舒眉展眼地預告：「明朝天晴哉！」

雨一停，接待著人們的又是怎樣一個嶄新的世界！一個從長長的冬眠中甦醒過來，充沛著活力，洋溢著生意，伸出億萬隻柔和溫暖的手指，來擁抱一切的世界。縱使庭院深深如許，幾番春雨滋潤，幾度春風拂拭，也春意盎然。梅椿上萌發了深綠的嫩芽，柳條兒搖曳著青翠的新葉，海棠翹揚著一簇簇蓓蕾，春蘭結著一串串花蕊。木蘭的花苞就像一枚枚毛茸茸的橄欖。就連台階旁邊、石罅縫裡，都竄出一叢叢青青綠綠的小草。清晨隱蔽在高枝練唱的小鳥，全趕著在陽光裡亮相，展一展美麗的雙翼，抖一抖光滑的羽毛，又敞開嗓子高歌一曲；黃鶯兒婉轉弄舌，畫眉鳥唱出各種變調；雲雀從半空中一直翻唱上雲霄，只為傳播著春的消息。

大街上的青石板沖洗得一塵不染，幽巷中的鵝卵石也洗刷得光滑瑩潔，經過時，只管低頭辨認黑石頭上白色的花紋，黃石子上赭色的螺旋，恍惚眼角一亮，一抬眼卻見空花磚的縫隙伸出一枝紅杏，風火牆的上端粉白掩映。已是春色滿園關不住了。

梨花開時盈盈的白，杏花開時粉粉的紅。總忘不掉姑母家牆門院裡那株大梨樹，老得根莖都支支扎扎爬出地面，盤據在院子中間。平時我們總愛在上面跳來跳去，等到春暖花開時，一片璀璨皎潔，彷彿大朵大朵的白雲駐留在樹巔，又似晶瑩明澈的白雪堆積在枝梢，透過雲隙，閃爍著點點明亮的藍，燦爛的金，還有穿梭不息的蜜蜂，微風輕輕，花瓣三片兩片無聲地飄落。我仰著脖子坐在樹根上癡癡地望著，看得入了迷。盈耳是嗡嗡不絕的蜜蜂採花曲，鼻子裡飄進陣陣芬芳，軟軟的薰風，暖洋洋的陽光，花瓣悄悄地灑在身上，落在髮際……若不是小孃孃聲聲喚我，只怕我已化作蝴蝶，沉醉在花叢裡了。

天一晴，被春雨久困在屋子裡的孩子就像一群從籠子裡放出來的痲雀；忙不迭地撲撲小翅膀，越過一道又一道的門檻，穿過一重又一重的門闈，投進暖暖的春陽，凍僵的四肢忽然又靈活了；吱吱喳喳，跳跳蹦蹦好不開心！女小囡三三兩兩就在牆門間空坪上，踢毽子、跳繩，挑三根公雞尾巴上最漂亮的羽毛，配一截毛管，兩小片絨布，一枚光緒通寶，便是一隻玲瓏的毽子。一踢便像箭一般射向半空。落下來時，腳尖那麼一挑，腳踝那麼一拐，腳趾那麼一蹴，又疾地飛竄上去。要不，輕輕落在腳背，停在額角，歇在肩頭，彷彿有根看不見的橡皮筋繫在腳上，縛在身上。一個個踢得脫下厚笨的老棉袍，穿著伶伶俐俐的小襖褲，翻身躍跳，凌空騰躍，身手敏捷，動作靈活。短髮飛揚，辮子甩來甩去，臉蛋兒漲得紅紅的。我的毽子踢得不高明，卻總是滿懷著羨慕和欽佩，看同伴優美的表現，輸得心甘情願。跳繩我可不落人後，前跳，後跳，絞花跳，連環跳……屏一口氣，跳得眼花撩亂，一團光影，真箇要離地起飛。

男小囡玩得總比女小囡撒野。三五成群，滾著個鐵環可以轉百十個來回。扯一隻紙鳶一窩蜂跑到高墩墩上去。差不多隔二三條巷子，就有一座高過屋脊的大土山，春天披覆著綠茸茸的青草。牽著風箏的一個勁兒往上衝，紙鳶自然迎風飄揚，到坡頂慢慢放線，立刻飛騰上升。有翩翩的蝴蝶，輕疾的蝙蝠，伸展雙翼的老鷹，節節活動的蜈蚣。最多的是一片瓦似的鷂子，一隻隻曳著長長的綵帶，高飛在萬里無雲的晴空。襯著澄藍的天光，迎著駘蕩的春風，悠悠翺翔，又左右旋轉，一忽兒升高，升高，直沖雲霄；一忽兒又突然降落——風吹響竹笛，嚶嚶嚦嚦的鳴聲，像仙樂從雲際飄落下來。這光景實在美極了，放的人果然神采飛揚，悠然自得，看的人也心曠神怡。還有人在紙鳶上點著紅燈或小蠟燭。晚上放時，就在天井裡也看得到滿天疏朗的星星間，忽然顯現了幾顆特別大而亮的，在夜空裡閃閃爍爍，好像一連串明豔的紅寶石，與星星互相輝映。

「三月三，薺菜花上灶山。」到了三月，那些鮮嫩的野蔬菜已老得開了花。初三那天，外婆花二個銅板從鄉下人手裡買來一紮一紮小小白白的薺菜花，灶上撣撣，灶下掃掃，說是除蟲蟻，祛不祥。

薺菜開花，桃李杏櫻更是一片絢爛。乍暖還寒，欲晴又雨，已是清明時節了。

清明上墳祭祖是一樁大事，祖墳在幾十里外的鄉間，要乘船走水路，早二天忙著辦供品，蒸青糰子，煮麥飯，租船。清明那天一早，一家子帶著傭人，提的提、挑的挑，浩浩蕩蕩全上了船——不是平常在河裡來來去去運貨的舢板船，腳划船，撐篙船，而是雅緻的小小畫舫。中間有裝嵌玻璃窗的房艙，安排著桌椅，可以坐可以靠，裡裡外外洗刷得乾乾淨淨，真箇是一塵不染。搖櫓的船孃一身短衫褲收拾得俐俐落落，船艄還有撐竹篙的，解了纜索，竹篙向碼頭上一撐，船身輕輕搖晃著。櫓聲咿咿呀呀的，穿過一座一座大大小小的石橋，經過兩岸一排一排隔河相對的騎樓，緩緩地駛出城河。

姑蘇，這幽靜的水鄉，一條一條河流像蛛網似地環繞縱貫在全城，大街小巷更不知有多少座石橋。橋上車馬行駛，橋下船隻往來，交織成一幅活動的圖畫。也有那只走人不過船的小小旱橋，白樂天詩「紅欄三百九十橋」，但相信蘇州人誰也沒有統統走過那麼些橋。只記得最長的是葑門城外的寶帶橋，像長虹似地橫跨在運河上，有五十三個拱環形的橋洞，船從橋洞裡穿過別有情趣。中間最高的三個可以行駛帆船。黃昏時夕陽照著橋身，河裡也有條清晰的倒影，映著波光粼粼，彩霞紛紛，河裡河上分不清假假真真。最出名的是楓橋，古樸的石橋散布著一種寧靜安詳的氣氛。「月落烏啼霜滿天，江楓漁火對愁眠，姑蘇城外寒山寺，夜半鐘聲到客船。」父親說楓橋就是因為張繼這首夜泊詩出了名。還有一座皋橋，據說歷史上有名的舉案齊眉、相敬如賓的梁鴻、孟光夫婦便曾寄居在橋畔。

自然，上墳不全經過那麼些橋。出了城，又是另外一番風光。橋少了，河身也寬闊了，溶溶的水面飄浮著浮萍和淡紫色的小花。船過處，輕輕漾開。波紋平了，又漸漸合攏來。千萬縷柔絲般的楊柳，垂拂著水面，間夾著一二株豔豔的桃花，三五簇蒼翠的桑樹。碧油油的草坡一路延伸開去，映得水也綠了，人也綠了。田疇就像是個大調色盤，那一格一格蔥綠色的是新插的秧苗，一團團雪雪白的是蘿蔔花，一片片黃燦燦的是油菜花，還有那一堆堆鮮妍的紫……唉，對了，是紫雲英。田中央有人唱著山歌在踏水車，拉得長長的尾音迴盪在靜靜的四野，一叢修竹掩映著幾家茅舍，船搖進枝葉低挨著水面的一處綠蔭，劈劈拍拍驚起二隻白鷺，飛得遠遠地……忽然間飄過來一朵濃濃的烏雲，灑下密密細細的雨絲，四周的景物彷彿籠上了一層輕煙，白茫茫的河上宛如瀰漫著一片薄霧。迷迷濛濛，船就浮泛在縹緲的煙霧中，不一會雨過天晴，又凸現出白的更白，藍的更藍，綠的更綠了。

一年一次掃墳，其實墓地由看墳人照管得好好的。做子孫的仍舊鄭重地填幾鏟新土，添幾株松柏。供上祭品，燃起香燭。恭恭敬敬磕下頭去，焚化的錫箔灰在墓上低飛迴旋，彷彿冥冥之中祖先默領了子孫這份虔誠。

祭奠完畢，散了祭品，大人全跟著看墳人說著話，我獨自望著那邊的山發楞，綠綠碧碧的山坡上，東一叢、西一簇，火焰般燃燒著盛開的映山紅，好想摘幾株！忽然有什麼碰我的手，一回頭，看墳家那個和我差不多的小姑娘羞怯地向我笑笑，從背後伸出手來，把一束紅紅的花塞在我手裡，轉身飛快得跑開去……她摘來的映山紅全給了我，只留下一朵，插在她辮梢上。像一隻紅蝴蝶，活潑地飛舞著，一路上追逐她。

回程時，籮筐提籃都空了，載回一束柳枝、一束桃花和一握映山紅。

欸乃聲中，船在河上緩緩行駛，周圍景色又慢慢地模糊起來，朦朦朧朧卻不是下雨，是黃昏的暮靄。人都倦了，靜悄悄不作一聲。只見父親站在艙前低低吟誦：

……行遍江南煙水路，一程山色一程詩……

一九七二年三月

編註：本文原刊於《中央月刊》第五卷第四期，一九七三年二月一日，頁七十九～八十五。

人在山谷中

別，別先告訴我別離的時間；摯友，我不曾聽見它的跫音，也不曾瞥見它的身影；那不過是錶面的陰影，鐘聲的震盪。不管滄海桑田日月消長，一剎那是一世紀，一世紀亦即是一瞬間，只在彼此間靈犀一點。猶記得上次去信，告訴你，我由南而北，換了一處人生的驛站，正值春暖花開時。如今春已闌珊，什麼名勝風景的花季也都凋零。繫不住的絢爛，綰不住的繁華，眼睜睜聽說滿山遍野的春景過去了，沒有欣賞的眼福，卻也留下了那麼一小撮春意在剛拓墾的小園裡。

說是春意，不如說是生意。人們再怎麼把住屋沐飾成天的藍、雲的白、樹的綠、花的豔，總不及大自然隨隨便便抹一下、塗一筆。三五簇扦插的幼苗，頗有欣欣向榮的韻味；就連自舊居移植來的珊瑚藤嫩秧，看似枯萎，經過數次春雨灌溉，也從老葉中伸出一根根柔嫩的藤莖，彷彿龍蝦敏銳的觸鬚，小心地探索著有無可以攀緣的地方。我已為來日「瓔珞串串垂牆垣」的美景所嚮往；而在南方，這時怕不淺粉嫣紫、串串朵朵蔓延得滿籬笆！想起來實在很美很美。摯友，我忽然覺得不管是時間也好，空間也好，對某些事物必須要保有一個距離，才顯出它的可貴可愛。一種是過去的，已經過去了，在回憶中隔著一層朦朧，所有原來的缺點都隱退消除，只有優點反顯得格外特出。一種是尚未深入其境，沒有主觀的意識存在，只覺得新鮮，只覺得一切未被探勘的好奇。尤其新奇，就給人一份心理上的激亢，一點精神上的振奮。慢慢去熟悉一樣新的事物、認識一個新的環境，又何嘗不是給長年囚蟄於繁瑣生活中的心靈，來一次喚醒！

來一次喚醒，喚醒人們別因為老走習慣踏出來的一定的軌跡，只知道注視自己腳底下的泥土；也偶爾環顧一下廣闊的四周，仰望一下空曠的蒼穹……嗳！摯友，現在我要和你談的，正是我以新鮮的眼光看到的點點滴滴。

舒敞的直達車駛出城市，駛向郊區，把塵囂和污染的空氣拋得遠遠的。兩旁青翠碧綠的田野襯得道路更寬闊，盡頭處卻隱隱約約屏障似地環繞著山脈！彷彿已再無人們居住的形跡。橋那一端，綠白相映的房屋像是從地底忽然湧升上來，一行行排列得那麼整齊，那麼均勻，就像一列一列好長好長的車廂，規規矩矩停息在路軌上，閒閒靜靜散置在山麓下——車子不再前進，緣因那是終站；車子從這裡出發，因而也是起站。

起站和終站，都只在一個圓，一個綠疇中的圓周；是山之涯，是地之角。而我們就似逐水草而居的遊牧民族，暫擇一處棲宿。

每天清晨，我在金絲雀歡欣的歌聲中醒來，第一樁事便是開門走上陽台。清新的空氣從四面八方湧過來，洗滌我、潤澤我、高舉我……鳥兒唱得更起勁，快樂的音波，沁涼的氣流與新鮮的生命齊流。放眼縱觀，好寬闊的視野！遠遠的，左側是綿延起伏的山脈，右側是山脈起伏綿延，至於前前後後，從房子間隔的中間，也透露出斷斷續續，若接若離的山的陰影——若問何處為家？人在山谷中！黎明時，隨著旭日初升，東邊的山巒被渲染得光華燦爛，絢麗奪目，像是濃濃郁郁的油畫；午晝時，在白熱的陽光照耀下，峰巒層次分明，林木深淺有致，彷彿透明的水彩。黃昏日落，山嵐縹緲，暮靄掩攏，宛如滲透太空紙的潑墨山水。下雨的日子，朦朦朧朧一片，天地糾纏在烏雲中，分不清那是雲，那是天，又像最現代的抽象派……噯！摯友，別笑我胡謅一頓，原是堆砌上一大堆形容字，也比不上彩筆寥寥幾筆，什麼時候有情致，攜著你的畫筆來罷。

你我都生長在那幽靜美麗的水域，天性近水。我一生就盼望有一天再結廬在臨水的地方，不管是海邊聽海濤拍岸，看波浪滔滔；還是河畔看流水潺潺，聽水流淙淙；或是門前一道小溪，夾兩岸垂柳……可是，不知是命中與水再無緣分，抑是山特別顧憐我，一次又一次，總是寄居在山陬。猶記得二十多年前戰火迫我避入叢山深壑中，在〈山村小簡〉內曾寫下我的怨懟，不想如今無意中又選擇了山谷居，只是山遠樓高，沒有被圍困的壓力，卻有凌駕在上的超然物外之感。而用新的眼光、新的角度重新端詳，山似乎亦不盡然是冷漠、森嚴；它莊穆、沉默、堅定，亙古以來，莊敬自強，以不變應萬變。

山嶽站著，憑它廣大深厚的基礎。

人站著，靠他自己的脊骨和力量。

如今與山朝夕相對，但願它教給我堅強。

摯友，且託付白雲帶上我的祝福，飄過那層層山巒。

編註：本文原刊於《文壇》第一五六期，一九七三年六月，頁一四四～一四六。

歲寒一品紅

小時候得到一種稀罕而又非常好吃的東西，一上來總是大口大口吞嚼。等越吃越少時，才珍惜那一點剩餘，舔一舔，咬小小一口慢慢磨牙，仔細辨味，但儘管捨不得吃，最後也還是一無所剩。

住久了一個地方一旦要離開時，儘管平時感到如何厭倦，如何煩膩；又嫌它如何落後，如何不便；忽然間卻似使了魔法似的，竟又變得那麼親切，那麼可愛，那麼樣令人留戀。恨不得在離開前僅有的幾天裡，盡量親近親近，多看看那些近在咫尺卻終未到過的地方，重溫一番那些熟悉得視而不睹的事事物物。然而，再怎麼戀戀不捨，還不是揮一揮手，什麼也帶不走地遽然離去，徒增滿懷惆悵。

就當案頭豐厚的日曆日益單薄，越來越顯得伶伶仃仃、弱不禁風時，我就不由得一天比一天強烈地產生了類似以上兩種心情。想想曾經擁有那麼些完整美好的日子；而每一個可塑的日子，原可以任憑自己塑造得有聲有色，或稍有成就，卻全都那麼漫不經心地揮霍掉了！

焉能不感到惋惜懊喪？摯友，歲暮年殘，不知妳可曾也有過這種心情？

如果沒有春夏秋冬循環的季節，如果沒有一天一天計算的日曆，甚至沒有一分一秒刻劃時間的鐘錶，任憑時光渾渾噩噩過去，是不是就會沒有兩手空空的憾恨，沒有年華老去的威脅呢？

最是黯然神傷時，綠衣人送來數張賀卡和妳的包裹——滿滿一盒友誼的溫馨盈然四溢，頓時一室生春。妳那寫下殷殷關切和祝福的短箋，驅走了心頭的陰鬱。那精緻的黑水晶胸針和耳環，將綴飾我生命中的歡慶。那來自各處的七彩火柴盒，提醒我幾乎淡忘的興趣。而那張美麗的卡片、鮮花、彩燭、銀鈴、豔麗的聖誕紅，告訴我一個充滿了愛、善、仁慈、和平的節日。雖然，我不是教徒，但我喜歡那種氣氛；各式各樣精巧可愛的小玩意，璀璨的燈光、燭光、星光，輕柔悠揚的音樂和歌聲，加上孩子們單純的喜悅，人們虔誠的祈禱祝福……只一張卡片，便為我勾勒出一幅鮮明生動的圖景。在歲暮，在寒冬，不啻是一片陽光、一注暖流。噢！摯友，謝謝妳！我喜歡陽光和暖流，更喜歡美和至善。

不啻是一片陽光、一注暖流，在歲暮，在寒冬。當聖誕紅在花木凋零、朔風冷雨中，也彷彿在人們傷感年華易逝、歲月不再時，點燃起一種新的鼓舞，從年尾紅過元旦直到春節，那麼歡歡喜喜、熱熱鬧鬧地迎接新年。自南到北，我住的地方從不缺少聖誕紅。搬來時，這裡園中原也扦插了幾株尺餘長的枝梗，等它們長得差不多齊牆高度，我又剪枝削梗，再一次插遍前前後後牆腳。這真是種生存力極強的植物；摘葉去芽，砍成那麼一截截斷梗殘枝，只要一埋入泥土，吸吮大地的乳汁，汲取陽光和雨露的養分，不僅無根而能生存，而且成長得迅速、茂盛、茁壯。秋冬之間總是霪雨綿綿，有那麼一天久雨初霽，才發現株端早已紅了三五片花瓣，亮麗地閃耀在陽光下；萬綠叢中數點紅，更顯得鮮豔照眼。這以後，一株又一株，彼此呼應著，你染十瓣八瓣，我亮一朵兩朵。有的密密叢叢，聚攏在頂端濃得化不開；有的疏疏朗朗，一簇簇自成韻致；有的高高挺挺，一枝枝迎風搖曳；有陽光的日子果然鮮明耀眼，陰雨霏霏，益顯得楚楚動人。打開窗子，好一框流彩閃耀！階前小立，笑盈盈紅嫣迎人。登上樓台，只見密密匝繞，小樓便簇擁在紅霞中。花朵原是向上開在枝梢頂端，自上面望下去，更見開得豐碩灼麗，二、三十瓣疊在一起，平平展開有似一隻隻滿盛著陽光的彩盤。忽然一陣風起，金色的液體滲和著顏彩便傾注流瀉，氾濫得滿園。連空氣都染上了彩暈，直到黃昏一起融入暮靄中。

聖誕紅所以通稱聖誕紅，我想也許因為它最先發源繁殖在熱帶美洲，而又盛放在耶誕節前後的緣故。在我們中國，它的本名應該是「一品紅」。我比較喜歡後者，很貼切也很富東方古典的趣味。妳說呢？當歲寒冬至，百花凋零，與一品紅差不多時候開放的有高雅雋美的菊花，只是大多栽種在庭園花圃中；有高潔不凡的梅花，不過都傲岸地開放在山陬深院；唯有一品紅，最是灑脫不羈，隨遇而安，始終帶著無限歡欣，興高采烈地翩舞於冬日的陽光下，招展在凜冽的冷風裡。哪裡有它的蹤跡，哪裡就生意盎然，它能使殘垣破籬變成華美的圍牆，能使陋巷生輝，廢墟不再荒涼。就是栽種在庭園裡，也會興孜孜地探伸到牆外，把歡欣散布給路人，在寒冷中燃起些許鼓舞之情。很少，很少像它那樣隨和、熱絡，而看起來脆弱、纖荏卻又柔韌不屈到處生存的植物。記得有一次攀登大崗山，上到山腰，一抬頭只見陡削的山崖挺立一株高高瘦瘦的一品紅，綠葉已被獷厲的山風颳得疏疏朗朗，頂端幾朵紅花卻特別醒目地貼在空曠、深邃、澄淨、亮麗的天壁。風過時直吹得亂顫亂晃看似即將摧折，風一停它又兀然挺立，神采飛揚，說不上那種俊逸英挺的雋味。還有關子嶺，相信妳一定也去過多次，哪裡除了溫泉和水火同源出名，一帶山丘土崗，實在說不上什麼幽邃蒼翠；可是，到秋暮冬初，當一品紅渲染得山前山後一片鮮豔絢爛時，又完全是另一番景致了。自然，比起我們在蘇州天平山看楓葉，境界又不相同。後者蘊藉綿遠，悠悠逸逸，猶如中國的國畫；前者濃濃郁郁，熱熱鬧鬧，像是現代的油畫。若是妳認為我這樣的不恰當，那就以妳的彩筆去畫一幀，連同南台灣絢爛的陽光一併送我吧！印證一下我這個非畫家的看法和感受是否錯謬。

在我來說，除了欣賞一品紅的灑脫不羈、歡樂氣氛，另外有一點特別的意義；大前年我自南來北住榮總治療，進院時園中一排一品紅猶是一片翠綠，當我出院時剛在頂端燃起了三兩朵灼灼紅花，彷彿帶給我一種鼓舞，贈予我一份生意盎然的饋禮。儘管健康未復的路上還不知有風或有雨，然自病中獲得性靈的復甦，重又擁抱這世界，不知有多美！

不知妳可曾在新居多栽幾株一品紅，也讓它歡歡喜喜，熱熱鬧鬧共妳度過一個耶誕、一個新年，又一個春節，再點燃起春天的希望。

也許是大陸四季分明、冬天更冷的原因吧！不是嗎？記得我們小時候在家鄉似乎就很少見到一品紅。摯友，且讓我們先共同相約提醒：當河山光復，買棹返鄉時，別忘了一定要多攜帶幾紮一品紅，待回去扦插在從廢墟重建的家園中。

編註：本文原刊於《中華日報・副刊》，一九七六年二月二十九日，第九版。

浩然正氣・瀰漫人寰

當十六日那天，恭載我們偉大領袖靈柩的白菊素車，輾轉過億萬子民泣血的心，自灑滿熱淚的路上緩緩遠去。這些日子來，人們只尊崇地默唸著那個名字；虔敬地景仰著那個地方。那個名字，由於一片赤子之忱的品題，是如此溫馨、雅致，而涵蘊著無盡孺慕之情；那個地方，由於曾親謦欬，曾蒙榮寵，如今又有幸得侍英靈，在每個子民的心目中，早已是神聖莊嚴的光輝聖地。

今天，我去了，恭謹地、肅穆地，懷著朝聖的心情，高擎一瓣誠敬的心香，攜滿腔深哀的追思，自淒風哀雨中出發，去朝謁聖哲的靈寢。

霪雨淋濕了六十二公里的路面，如同奉厝那天萬民夾道悲泣的淚水。流在臉上的淚水可以擦乾，溢在心頭的傷痛卻永難抑止，真怕那車輛載不動我們如許逾恆的哀愁。一路行去，經過坦坦蕩蕩的高速公路，古樸靜謐的大溪市街，地勢從平坦迤邐上坡，雲霧縹緲中已隱約露出層巒疊嶂，群山綿亙起伏。山徑濃蔭覆遮，綠油油的梯田一級級步下深壑。迂迴復迂迴，盤旋又盤旋，恍惚即將沒入迷濛的煙霧裡，卻又浮漾在滿山滿谷淒美的綠意中，密密叢叢的修篁掩映著竹籬人家，山麓下，阡陌間，疏疏落落點綴著三兩間農舍。一片綠野平疇悠然舒展無垠，一彎溪水映著綠意盈盈蜿蜒流轉！安詳的村莊，滿眼的鮮綠，小橋流水，這情這景，依稀眼熟，彷彿舊識，不恰似江南風光、水鄉景色！正怵然心動血湧，峰迴路轉，一拐彎，「總統　蔣公靈寢」的莊嚴牌坊，已巍巍然聳立面前。

慈湖，一泓瑩澈平靜，沿岸遍植佳木的湖水，一座婉轉引伸，崖壁滿栽杜鵑的翠岩，寂寂地拱環著深靜幽徑。而山和樹，在路的盡端分開又合抱成一處圓形空曠，專為庇容那一幢磚牆紅瓦，樸質無華，純中國傳統文化的典雅建築。屋前，一帶丘陵如揖似拱，中間岡巒渾圓隆突，兩側群峰蜿蜒矯捷，彷彿雙龍抱珠。屋後，蓊蓊蒼蒼一座巍峨大山，彎彎地圍兜攏來；護衛著那一幢小小雅靜的四合院，攢攬著一院子的安謐寧靜。青松翠屏，波光雲影，晨昏奉侍，朝夕映照。間聽山泉潺潺，鳥鳴林叢，仰觀嵐翠煙靄，白雲出岫。「身處此境，有如居於世外。」正是「存心養性、寓理帥氣」的好地方。

「這是我的第二故鄉。」民國三十八年間，蔣公駐蹕大溪時他老人家親口宣稱。「此乃最幽美之所，……否則我父子在？搭一茅舍，何其樂也」。某年輕過桃園境時也這樣告訴經國先生（見〈守父靈一月記〉）。就是這一處彷彿江南風光、水鄉景色的靈秀之地，與奉化縣溪口鎮相似的山川文物，為他老人家深深鍾愛垂青，常常蒞臨眷顧。徜徉逗留。就是這一幢仿照大陸故宅傳統風格建造的樸質庭院，不知涵蘊了多少深垂的故國之心，多少綿長的故鄉之情，拳拳殷切的孝思更永存相隨。這一生為拯救民族，奉獻革命；半世紀鞠躬盡瘁，為國效勞的偉大領袖，殫精竭智，日理萬機之餘，純屬於個人的僅僅是這樣單純簡樸的願望。領導民主，叱吒風雲，一肩承擋國際風暴，內憂外患的曠代巨人，又擁有多麼溫柔深致的感情，仁慈謙恭的情懷！而風雨其淒，哲人其萎。湖山黯然含悲，庭院默默銜哀；當年常蒙恩澤眷愛，如今侍奉英靈安息。

肅穆、悲戚的小小致敬行列，哀默地踏上台階，繞過迴廊，停駐在正廳門前。我屏氣靜息，躡足跨進門檻肅立、行禮，然後以無比莊虔恭繞靈台一周瞻仰致敬，潔淨、堅冷、一塵不染的白色大理石地面，正中沉沉甸甸地升起黑色花崗石靈台；四周小小雛菊花叢有似白色的星星圍繞。上面黑澄澄金屬雕塑的黨徽，與岩石冷雋的光澤，閃耀著金石相映的寒光。一層千錘百鍊的紫銅，一層億萬年結晶的岩石，嚴密地保護著偉人仙化的遺蛻。雖是人天永隔，卻是那麼近，近得幾乎舉手可觸，呵氣可及。我惶恐而又怵惕，唯恐呼吸跫聲有所褻瀆。做為現代中國人的這一生，自幼便蒙受煦光潤沐，精神哺育，人格薰陶。仰賴依靠，一直是心靈的主宰，思想的導師，茫茫人海的燈塔，風暴駭浪中的舵手。但從來總是崇尚而近於神聖。在子民心目中的地位已超越具象和形質，至尊無上。儘管，儘管他老人家原是最愛民親民、仁慈和藹的大家長。

沒有香煙繚繞，沒有素燭泣淚，沒有素果奉祀；供桌上，兩束皎潔如雪的劍蘭，一缽純淨璀白的玫瑰。蔣公慈藹可親的遺容，一如往日春暉煦日般，正微笑俯視……突然有什麼灼熱的堵塞胸口，溢上喉頭——我說過要化悲痛為力量，忍住眼淚，不再哭泣。但我已不能自己。

蒼天也止不住悲泣，淚雨涔涔，如注如浥。

雨落在瓦甍屋頂，灑在方磚天井，四株鬱密的月桂淡淡飄香，四盆潔白的雛菊楚楚盛開。清芬花影裡，曾有多少治國大計獲得高度靈感，曾有多少人生哲理由靜思默想中悟徹，縷花欄杆環繞著迴廊曲折，宮燈下杏黃色流蘇臨風輕曳。燈影下，月光中，曾有多少晨昏為國運默禱、為民族求福。東側廂鋪陳著一牀、一桌、一架書、一幅畫。僅如此簡樸而素淨，書桌前、臥榻畔，卻不知有多少次運籌策劃，為復國建國大業，為經濟民生發展。

雨沖洗著幽深翠堤，飄灑在平靜的湖上。堤畔密密一排樟樹、翠竹、烏柏和手植的梅樹。有的秀挺肅立，有的亭亭如蓋，有的橫壓水面；所有濃濃淡淡的綠，全匯聚在澄澈的水裡，浮翠凝碧，漣漪瀠洄。晨風霽月，曾有多少次乘小舟徜徉於湖光山色中，以涵養睿智；雲淡風輕，曾有多少時漫步於湖濱幽徑，以怡情理性。

那高懸在小築門楣中央，深紅泥金，親筆所寫「慈湖」題匾，一筆一劃，皆以故鄉慈庵為念，不知蘊藉了多少深恩親情，愛心孝思。那一株親手栽植在花圃的青松，一樹崢嶸，生意盎然，將永遠矗立在天清地明的浩氣裡，矗立在未來億萬年歲月中，長青不凋。

巨靈縱使歸位天宿，人間依然到處有遺愛；巨星縱使遽然殞落，塵世又何處不蒙德澤！

撐著傘，獨自戚戚默然沿湖濱作一番巡禮。湖水被阻擋在路端一座石橋下，經過涵洞，與另一股山泉匯合奔瀉在壑谷岩石間。我倚著濡濕的石欄，凝視澗水沖激奔流。除了水聲淙淙，四周是那麼靜肅，那麼寧謐，彷彿萬籟都屏息以待。霖雨不知什麼時候已停歇，雲隙透出淡淡約約的亮光，照著遠山嵐煙升騰，湖上薄霧消散——從深遠的追思緬懷中，慨然有所領悟；蔣公偉大的生命為革命奉獻，莊嚴的生存為拯救人類。而淡泊的生活，已簡單樸素得無視於物質的存在。如今更超然物外。供奉於黎民心頭的是億萬瓣不熄滅的心香，億萬支光焰長明的素燭，以及千千萬萬束愛戴和永思的鮮花。敬與愛存於一心，已重於任何傳統形式的表達，蔣公他仙去而物化的是有形的軀體；不管暫時安息的是稍嫌狹小的慈湖靈寢。日後長明的是宏偉的紫金山陵墓，他的生命已昇華而永生，他立下的典範已永垂史書，他鋼鐵的意志已鑄造成中華民族的意志，他不渝的信仰已融化在中國人的血液中，他的人格已進入不朽和河山並存，他的精神已化為浩然正氣，瀰漫人寰，充沛於天地間，無處不在，化為永在的光，如日月光華照耀，超越時空，擴揚於大氣中，永不沉落。

照耀下，籠罩在全國人民心上的愁雲慘霧自將散開，承擔遺命，堅此百忍，奮勵自強，以開創未來天清地朗的新局面。

照耀下，蒙蔽於我靈智上沮喪的霧將消失，經過眼淚的洗禮當堅強地站起來，毋怠毋忽，執著於真理的追隨。

踅回靈寢，我仰望「慈湖」兩字，肅立默禱：請安息吧，偉人，我們此行已獲得啟示，獲得力量，自當懷憂勵志，奮發圖強，追隨所領導的方向邁進。半世紀餘，您一肩擔擋風暴雨雪，引領我們通過憂傷，戰勝苦難。六十年來，您用血和淚寫下了「中國」這部苦鬥史；我們保證，我們盟願，來日當在紫金山下，蘸我們的心血，蘸我們的眼淚，繼續寫上另一頁光輝的中國歷史，呈獻於在天之靈！

恭寫於民國六十四年五月二十二日深夜，謁靈歸來

編註：本文原刊於《中華日報・副刊》，一九七五年六月二十六日，第九版。

艾雯全集3

散文卷三

倚風樓書簡

倚風樓書簡：台北市，水芙蓉出版社，一九八四年一月初版。三十二開，二六二頁。後改由台北市，漢藝色研文化事業有限公司重排印行，一九九〇年三月發行初版，二十五開，一九九頁。

◎水芙蓉版原目：

倚風樓外、春暖花開時、人在山谷中、雨中的沉思、第一個冬天、滴不盡的更漏、寂寞的奉獻、寶石瓔珞翡翠帘、哀傷後的堅定、聞聲聊慰故鄉情、從格爾尼卡想起、還似舊時遊上苑、歲寒一品紅、又待荷淨納涼時、夢迴天涯芳草遠、一切繼續中、只是將息、寄我一朵鳳凰花、曉窗窺夢有鳥鄰、爐香靜逐游絲轉、結實成蔭都未卜、昨夜幽夢忽回鄉、萬物皆有情、獨立市橋人不識、又見天香第一枝、畫長蝴蝶飛、門前樹已秋、無言倚修竹、第一座城、載情不去載秋去

◎漢藝色研版新增篇目

往日情懷、艾雯其人其事（張秀亞）、我見青山多嫵媚（沈謙）、艾雯書目、作者簡介

◎說明：

本集據水芙蓉初版編入。

漢藝色研版新增篇目收錄於水芙蓉版末，評論文章、艾雯書目、作者簡介未收入。人在山谷中、歲寒一品紅等兩篇已收錄於《艾雯自選集》。

倚風樓外

——《倚風樓書簡》前記

靜靜的晝午，燦麗的陽光正照著鄰院青翠的叢竹，透過滿架盆栽，自向西敞開的樓窗，灑進一室波動迷離的綠蔭，案頭，一盆素心蘭盈盈地開了三枝。光影閃映、香氣清幽中，我理一理那疊清校完竣的稿件，凝眸窗外，讓「色經寒不動」的永遠蒼翠，拂除雙目的瘦澀。忽然想起了清晨在溪中石上靜坐時，有一片碩大的黃葉飄墜在我身邊，那是今年第一片落葉，它捎來了一份淡淡的秋意。

一點秋意，也就是說我離開倚風樓，搬來這兒，已將近一年了。

返顧當時匆遽決定自南而北，臨時選擇新店中央新村賃居，亦是偶然的一種機緣，未經污染的清新空氣具有最大的吸引力，安靜純樸，兼有田園風光的氣氛正合我意，更何況那一座草莽未闢的庭園可供我任意栽植！環山縈水，長巷深幽，一帶粉牆輕挽綠色小樓，春寒料峭，入夜只聽得風撼窗扇，咯隆咯隆徹宵不停；遂名為「倚風樓」。倚風而棲，居安思危，提示自己應隨時有所警惕，原意當作一處臨時驛站，不想一住又將近十載；隨著樹木的成長茂盛，環境的發展繁榮，人際關係的熟悉親切，我不僅在小園中栽種一批批花草，也逐漸在這片土地周遭的事物上，撒播了絲絲縷縷的感情，離去，總不免依依不捨。

北上之初，我首先便準備了一張台北地圖、一本公車手冊，開始我的文化探訪，凡是天時地利人和的日子，讓四通八達的公車載著我自由來去：「住在台北就有這點好處：平常日子，那許多開放性的故宮博物院、歷史博物館、省博物館、國父紀念館、藝術館、國家畫廊、各家藝術走廊，以及什麼城、什麼中心的，要仔細認真看起來，可真還看不厭看不完。再加上一年到頭各式各樣畫展、雕塑展、攝影展、書法展、書展、設計展、發明展、花卉展等百家展覽，看那些『人』所發明創作的種種，真是一種美的喜悅、靈的享受。」（〈從格爾尼卡想起〉）還有那條書香洋溢的重慶南路、光華橋下的舊書市場……每一處尚未到過的地方都是一種誘惑，常引起我探訪的欲望，只是，十年逛下來，我最熟悉的，大概還只有重慶南路，一到西門鬧區、敦化新興區，或其他市街，我仍是方向不辨、來自南部的土包子。

幽居的日子，我是個勤勞（不是勤快）而有點貪心的園丁，那些年，是我種植最多的時候，徹底實踐了「地盡其利」的學說：凡是有泥土的地方全栽遍了花草樹木，更有一、二百盆大小盆栽，自窗台、書架、壁櫥、牆角，一直滿溢到門廊上。我不僅充分享受了參與生命成長的樂趣和喜悅，也自那種堅韌生命力、蓬勃的生氣，獲得無限的鼓舞和啟示。「從來不去計較來日是否結實成蔭，只由衷地喜歡那份永遠的『眼下青青』。」（〈結實成蔭都未卜〉）。倒是花草自由發展、熙熙攘攘，更引來了愛花者——「我那小小庭園，花木未經刪剪，濃蔭匝地；小徑少人踐踏，青苔凝滑。日長晝永、花開花落，總是靜靜寂寂，卻也有不少喜歡這份幽意的小客人，經常三五成群，結伴來訪，或獨自逍遙優遊。乘著晨曦，披著陽光，御著清風，來去自由。一類是聞聲不見形的鳥雀，只聞婉轉鳴啼，啾唧吟唱，偶或羽光一閃，翅影疾掠，卻只隱匿枝葉濃密處；一類是見形不聞聲的蝴蝶，出沒花間、參差草際，栩栩從風、低飛徊翔，總是輕輕悄悄、悠悠舒舒。」（〈晝長蝴蝶飛〉）。蝴蝶不僅經常在園中盤旋迴繞，也有就在園中孵蛹成蝶，「翩翩與我共徘徊」，全不怕人。鳥雀更是朝夕相聞，貼近只一窗之隔（〈曉窗窺夢有鳥鄰〉）。偶爾逢上宿疾困擾，也只將息在花和書中（〈只是將息〉）。那些與自然相悅的時光，同時也不曾忘記在心園中培養些謙沖、恬淡、溫馨的小花，在平淡的生活中去發現些新的情趣。

屬於性靈的日子，我寫我心，但閱讀的時候比寫作多，我汲取前人的智慧滋養自己。但沉思默想的時候又比閱讀多，每每觸及一種題材、一點感受、一份構圖，常常會像漣漪般一圈圈擴揚，聯想到更多類似的蘊涵。那幾年，我越來越喜歡寫自成一系列的散文，擬訂了不少計畫，把自己限得緊緊的，卻因為健康不得不〈減速慢行〉，《綴網集》以致拖得好長好長。而在那段時期，老總統蔣公遽然逝世（〈哀傷後的堅定〉）；我覺得了久遠的鄉音（〈聞聲聊慰故鄉情〉）；好友去國遠行（〈夢迴天涯芳草遠〉）；約定了荷花小聚（〈又待荷淨納涼時〉）……「——我付出愛和關心，懷著謙遜和熱忱，嘗試著去探索這些、體驗這些、認同這些、介入這些、參與這些。融攝所見、所聞、所思為心靈的圓……鎔鑄最深切的感受為文字——」（〈獨立市橋人不識〉）。信手拈來，意到筆隨，與友人閒閒細訴，卻也涵蓋了自然、藝術、思想、感情、鄉土文物。

所以選擇了書信體裁，一則有別於其他系列，一則因為書信是最溫柔、率真、親切、自然、平易而且可以包含一切的文學，正適合於意到筆隨的融抒情、敘事、說理於一爐。（二十多年前出版的《漁港書簡》，只是從其中選那篇做為書名。）收受的對象可以是我那位遠去國外獨自進修不輟的朋友，可以是每一位友好，更可以是所有我的讀者；小說家亨利・詹姆斯曾說：「如若我的書信具有真正的魅力，我必給它最偉大文學作品的光榮。」我不敢說給它最大的光榮，卻已付出了我最大的真誠。

秋天，一直是我喜歡的季節，也是我生命開始的時日。《倚風樓書簡》在此時出版，也算是一種紀念，不管是時間或空間，思想、感受或情境，隨風而逝，煙塵湮沒，很難留下永久的痕跡。就讓文字暫且詮釋一下生命的歷程、思想的脈絡、心靈的蘊藉、生活的情趣，以及對愛和美、對這個世界的關注和感恩。記得在〈人在山谷中〉曾說：「……不管是時間也好，空間也好，對某些事物必須要保有一段距離，才顯出它的可貴可愛。一種是過去的，已經過去了，在回憶中隔著一層朦朧，所有原來的缺點都隱退消除，只有優點反顯得格外特出。一種是尚未深入其境，沒有主觀的意識存在，只覺得新鮮，只覺得一切未被探勘的好奇。」如今，當時所述尚未深入其境的又已成為過去。人也許本來不該以在一個地方逗留而自滿，而應該活在不斷地向大自然學習、向世界探勘、向未知的追尋中；十年，二十年，不過是短短的過程，一甲子也正是另一個開始。且將惓惓的情意和祝福留在這些篇章裡，明天，我又將期許新的事物為我帶來新的生命力。

最後，要感謝金哲夫教授為本書繪設封面，平添無限光彩！又小女恬恬第一次替我的書畫插圖，亦值得在此一提。

停雲小築・民國七十二年初秋

編註：本文原刊於《中央日報・副刊》，一九八三年十月八日，第十二版。

春暖花開時

正是春暖花開時，我從南而北，更換了一個人生驛站。今年再不能見到鳳凰木開花，卻趕上了杜鵑花的旺季。只是，那一片淡白淺粉，紅嫣紫奼，尚未染透滲入心靈的一角；思念的深處，依舊覆蔽著濃郁的綠蔭，閃熠著金紅的霞彩。是化不開的依戀，抑是忘不掉的情誼？噯！摯友，我又能怎麼說呢？空間不是距離，時間不是距離，咫尺天涯，天涯又何嘗不可以是咫尺！

世界上有些植物是隨遇而安的，種籽隨風飄送，石罅、沙土都會萌芽；枝梗隨意扦插、淺植、深種都能生根。有些植物卻選擇土壤、地域、氣候……適合才能生存。人雖是動物，似乎多少也具有植物的屬性。我羨慕那些到處為家，又能隨時扎根的人；更佩服那些無根而能生存得自在愉快的人，那該需要怎樣的勇氣、耐心和曠達的胸襟！最悲哀的莫過於一種一住下來便是一個蘿蔔一個坑；儘管內心並不願終老其間，儘管對四周永不變動的一切感到煩膩，對死氣沉沉的生活感到厭倦，對越來越遲鈍的生命力感到惶恐。渴望著新的事物、新的知識、豐富的生活和廣闊的世界；卻完全由於人的惰性、苟安及顧慮太多，缺少衝勁，便那樣抑抑鬱鬱、委委屈屈、渾渾噩噩地打發一天算一天。逐漸地，心智委頓，感情麻木，思想沉滯，生命中多少創造的機會荒廢了，多少可貴的志願消蝕了，歲月在蹭蹬中無聲無息地消逝，年華老去，青春不再，理想中的目標模糊遙遠。而親情迢迢，年輕的一代飛向遠方，留下了更多的寂寞。——其實我不怕寂寞，寂寞教人沉思，是一注清澈的靜水，暗中潺潺自流。我懼怕沉寂，沉寂是一泓止水，停止生長，停止流動，使一切腐朽。

想想看，二十年！一粒種籽會生長成一株茁壯的大樹，一個嬰兒會成長成一位優秀的青年，一片空地可以建築成明日的城市，一個理想可以有輝煌的成就。而漫長的二十年，我居住偏僻的小鎮，未曾挪過窩。徒自感歎白髮平添，徒自懊傷光陰虛擲。若說是血液中有祖先流傳下來「安土重遷」的本性，但不是自小生長的鄉土，又焉能生根？

紀德曾在《地糧》中說——別停留在與你相似的周遭，永遠別停留。當一種環境已與你相似起來，或是你已變得與這環境相似，立刻對你不再有益；你應離開它。

離開它，別再遲延，別再停留。我平生不慕浮華，只愛淡泊；不擅交遊，只圖寧靜；不喜匆迫，只求一份屬於自己的閒暇；不願矯飾人生，只願過一種至性至情真純的生活。對心愛的工作尚有那股熱忱，對相投的友人保有一份摯誠。只因為有些生活中、信仰上的原則我執著。也許有人認為我對人生太嚴肅、太認真；也許有人覺得我有點執拗、有點任性；摯友，唯有你了解我。你知道我並不是悲觀消沉的遁世者，也不是憤世嫉俗的隱世者，我熱愛人生，我熱中於自己的理想。我也一直渴望著能多多感觸到這時代跳躍的脈搏，多多體驗到這時代大眾的思想和感情生活，多多呼吸到這時代的文化氣息……且別笑我像屠格涅夫筆下《羅亭》的典型。我當然不是什麼思想上的巨人，但我也不甘心默認自己是行動的懦夫。終於邁出了二十多年來第一個起步，而最後那把催動的力量，卻還是醫生的一句命令：「遷地調養！」你說人是不是有點愚昧可笑？似乎什麼精神的號召、思想的感應，結果都還比不上軀體所加的壓力。

從南到北，從那一個村，又到這一個村，命中彷彿註定要做「村姑、村婦」。不過，我滿喜歡這都市中開拓建立的「新村」。十丈紅塵中，獨保留一份純樸、清靜，以及不被污染的新鮮空氣。住處是無數綠白鑲嵌樓房中的一幢，門前小小院落，栽些花木，有迴旋的餘地。廊上遠眺山嵐掩映，白雲出岫，可以陶情養性。搬來多日，風雨多於晴朗，夜深人靜，睡意朦朧中，常聽到風吹窗子咯隆咯隆響；我暫且管它叫「倚風樓」。只是，一切都很陌生，不容易看見熟悉的笑容，聽到親切的語聲。紅門緊扃，庭院深深，偶爾對面相遇，不得不肅然岸然，幾次都只好讓睦鄰的笑意凍結在唇畔——究竟，究竟住的都還是深受工業化都市薰陶的居民，多一份防嫌，也多一份冷漠。我已開始懷念南方那醇厚的人情味，那在社會進步中漸漸泯沒的，我國傳統的可貴的民族特性！

行裝甫卸，剛從紊亂忙累中喘過一口氣來，迫不及待先寄上我深永的懷念和無限祝福，正是春暖花開時，朝氣蓬勃，生意盎然，且讓我們彼此互慰互勉！

編註：本文原刊於《文壇》第一五五期，一九七三年五月，頁一〇九～一一一。

雨中的沉思

落著雨，雨落著，昨天雨綿綿，今天霏霏雨，明天，可能還是下雨。千絲萬縷，萬縷千絲，卻什麼也繫不住；只是，沒有晨曦，沒有驕陽，沒有晚霞；白天和夜晚，唯有灰與黑。缺少了色調的變化，感覺上時間的輪子似乎減速輾壓，不那麼匆遽迫人，生命的腳步也遲緩了一些。感情的觸角，乃在塵慮俗務的繭壁中獲得一角空隙，殷勤地伸展向妳！

想念妳，在濛濛細雨中；惦記妳，在滂沱豪雨裡。也懷念那南方亮麗的晴朗，在北方陰霾遮蔽的時日。

摯友，想要了解一個人，先要知道他的個性；去熟悉一個地方，也得清楚它的特性。就像熱忱、坦率，是妳可愛的性格；細緻、風雅，是身為江南人受傳統陶冶的氣質；更使我體會到每一地域有每一地域完全不同的地方性。這兒，我所棲息的山隅一角，是粗獷的、豪放的，而且非常任性，全不受「氣象」這一套約束。熱就是火辣辣的熱，冷就是徹骨的冷，走極端而不屑中庸。記得第一封信曾告訴妳由於風特別大，所以題名小樓為「倚風樓」，其實除了風厲害，陽光也非常強烈，雨水更特別充沛。常常好好的晴天，不知從何方遊蕩來一朵流浪的烏雲，驟然發動一次突襲，橫掃直射，銳不可當，慌得人措手不及；搶救了案頭的稿頁，又顧不得院裡的衣裳。有時倒是布滿了薄薄的灰雲，彷彿被什麼追趕著，急急忙忙奔馳逃逸。也不知怎麼推推擠擠就全聚攏在山隅上空，成為厚重的雲層，又化為大雨滂沱，從四面八方奔騰而來，聲勢洶洶，喧囂奪人，空氣被壓縮抽空，就像密封在罐頭裡。也有時是定期拜訪，每天下午什麼的，瀟瀟灑灑飄拂一陣，潤潤花草，又瀟瀟灑灑自去。更多時卻是早也淅瀝，晚也淅瀝，纏綿數日無盡時……

且舉幾個例子——

居住北市的朋友打電話來探詢：

怎麼搬來了台北，仍舊蟄居山隅，也不出來走走？

雨淋淋的，出來不方便嘛！

什麼，下雨？電話那端充滿懷疑的口吻，彷彿嘲弄我編造的理由很可笑：太陽好得很哩！

那天看電視轉播少棒冠軍爭奪戰，正緊張關頭，忽然一聲天崩地裂，驀地裡戰鼓催動，千軍萬馬衝鋒廝殺，大家立刻以搶壘動作封閉窗門，再回顧螢光幕時，現場仍舊陽光普照，小將們一個個迎球揮棒，奔馳自如。

有時有事必須進城，一身防雨裝備，濕淋淋擠上公車，在一片迷茫中開出去，越往前駛，卻越見明亮。也不知什麼時候，車窗上那把不住畫著弧線的小刷子已停擺，車子衝進陽光中，扇形四周沾著的一顆顆雨珠，兀自在閃閃發光——可是先別討厭傘是累贅，回來還用得著哩！

套一句年輕人的時髦話，這兒的天氣可真夠「性格」！

也許屬於神經質的人，情緒多少會受氣候的影響，晴好的日子心境也比較開朗，陰陰雨雨就意興闌珊，像氣壓一樣低落。你我似乎都會有點這種感受，不過目送上班、上學的一個個掛著一副受難的神情衝進雨裡，倒覺得自己留在家裡安安靜靜地賞雨是一種享受。

雨水洗淨了塵土，也滌除了燥熱。清涼是一服潤濕心靈的潤滑劑。先擱下繁瑣俗務，獨自悄立廊上，雨中新綠便從腳前引伸展漾；一方方織絨似的草皮，彷彿正在發酵，四周圍繞著暗紅的鑲邊草。沒有太陽，「朝陽」花紅得有點淒豔；嬌小的日日春，怯怯的似乎不勝風雨；美人蕉明燦燦的一枝枝亭亭玉立，舒展著花紋斑斕的寬葉；斑芋顯得很開朗；常春花閃爍著星星點點的小紫花，開得正繁密；粉紅色的珊瑚藤一串串蔓延懸垂，斑駁的石牆侈麗地綴滿了珊瑚瓔珞；蔦蘿纖纖柔柔的嬌弱模樣，卻一股勁地往上竄，翡翠屏上一支支紅寶石喇叭，吹奏著雨中組曲；高高瘦瘦的九重葛便臨風招展，隨雨起伏。我總喜歡隨意栽插些摘來的花草，泥土也從不吝嗇它的供養。那些無根而存活的植物——聖誕紅、變葉木、扶桑、石蓮、萬壽花、彩葉草、觀葉植物，如今在雨中匯集成一片盎然的生意，湧向我、漫向我、浸潤我、渲染我，欣欣的綠意，潤澤了我枯燥乾竭的心靈。

更上層樓，陽台上憑欄遠眺，遠山隱現在茫茫雲霧中，有時一片混沌，有時煙霧蒸騰，一長列一長列的房屋便停息在煙霧中，沖洗得藍是藍，白是白，牆與牆之間，不時閃耀著小學生鮮明的雨衣，流動著繽紛的花傘，堆滿澄黃、淡金、碧綠、淺褐的水果攤剛過去，花枝招展的花車又施施而來。平常日子，那一盆盆花呀草呀，披著塵埃，在灼熱的陽光下曬來曬去，總顯得委委靡靡、沒精打采的。如今，淋得濕漉漉的，反顯出精神來，疏朗有致的枝葉，一路搖曳生姿，一朵朵紫姹紅嫣的花兒，顫巍巍地展瓣欲飛……懷一份悠閒的情致做個觀賞者，你會覺得什麼都有它美好的一面，似這般雨景，不亦浮泛著詩情畫意？

雨小時，細細的雨絲若有若無地飄沾在臉上、身上，涼幽幽的，自有一種清醒。雨大時，風也助威，連撲帶灌的，承受不了，只有避進室內。這時再沒有車聲喧囂，再沒有人類活動，統轄空間和時間的，唯有莊嚴磅礴的風雨合奏。這時，最好便是端一張藤椅坐在紗窗內，獨自靜靜地去朝聖——思想，進入那純粹屬於私人的，神聖不可侵犯的禁地。

就像雨水澄清了塵宇，也澄清了我，心情不那麼跋扈飛揚，情緒不那麼浮躁陰鬱，正適於靜靜地沉思。沉思，不是荒謬的幻想，不是虛妄的夢想，也不是空靈的遐想；而是對人生、對未來、對生存的目標，作更深的思索和探討，以期有所穎悟、有所啟發、有所理解。

摯友，上次我告訴妳與山朝夕相對，它將教給我堅強；如今，雨又教我如何沉思，似乎新居對我不無裨益。一輩子不懂得怎樣使物質生活富裕，且讓精神生活中有更多的淬礪和收穫也罷。

似這般微雨初涼的天氣，多麼盼望和妳打著傘，散步在幽幽的長巷。傘下，輕輕的笑語，深深的默契，踏遍青苔，攜回盈盈一掬綠意——是妳的畫，我的散文。

盼待著那麼一天！

編註：本文原刊於《中華日報・副刊》，一九七三年十一月二十二日，第九版。

第一個冬天

早冬在中夜星辰上
展蓋著她的輕紗
召喚從深處傳來
「人呵！拿出你的燈來吧！」

——泰戈爾

可是，我不曾聽到召喚，也未曾準備照亮的燈、取暖的火，感覺上似乎盛夏的餘炎尚未完全消褪，意識中原該是秋高氣爽、萬里無雲的豔陽天，冬卻就那麼逾越時令，迫不及待地挾著冷風淒雨疾馳而來。從此太陽失色，星辰無光，滿園花花草草，受盡風雨凌虐，已逐漸呈現凋零。鐘樓聳立風雨中，顯得陰陰冷冷、空空蕩蕩，我獨自上去又下來，上來又下去，就找不到安逸的一角，可以保存我身上那一點點可憐的熱能。台北的冬天遠比南台灣的來得早，也來得獷凜凌厲，而住的地方靠山臨水，更是高處不勝寒。摯友：這是我遊牧北部第一個冬天哪！漫長沍寒的冬季還剛剛開始，一向怯寒的我，已凍得縮手縮腳，生命彷彿都失去了彈性。恨不得自己是冬眠的動物，一匹真正的熊——不管是潔白超然的北極熊，抑是黑黑楞楞的山林熊，在深山密林中，找一個洞穴，睡長長一季的好覺；醒在春暖花開時，那該多好！可惜的是，祖先只借了牠的名字，做為我家的姓氏。

噢，摯友，我彷彿聽見了妳的笑聲，像悅耳的耶誕鈴音，回響在南方柔柔的和風裡。我知道妳一定會訕笑我：別這麼沮喪，一點點冷就畏縮不前，我們生長的故鄉——江南，雖然不像大陸北方那樣冰天凍地，卻也沍寒料峭。忘記了那些早晨起來，屋簷下掛著晶瑩的冰墜，金魚缸裡加了蓋——取出來透明透亮的一個冰圈，中間鑿洞穿草繩，我們拿來當大鑼敲。咬一口橘子，唧唧喳喳全是冰屑。硯台裡磨墨，撒拉撒拉都是冰碴。忘記了那些飄雪的日子，一個個小臉蛋凍得紅冬冬的，在外面忙著堆雪人，打雪仗。傻呼呼的雪人瞪著桂圓眼睛，戴著老祖母的帽兜兜，渾不知為堆砌他多少小手凍得像紅蘿蔔。男小囡總喜歡搓了雪球擲來擲去，生長在寶島的孩子只知道冰淇淋好吃，再也想像不到雪溶在頸裡是什麼滋味！忘記了那些頂著風雪上學的日子：老北風吹在臉上像刀刮，兩爿瓦棉鞋踩進雪裡就濕透，皮鞋又打滑，釘鞋喀吱喀吱一腳一個窟窿。二十分鐘路要走上三十五分，到校時，白頭髮白眉毛，一個個都成了聖誕老人。好不容易呵開了凍得錐子似的毛筆，僵硬的手指卻一點也不聽指揮，真是急煞人。忘記了雪霽時一片粉妝玉琢的銀色世界，那樣純潔燦麗，那樣一塵不染，沁涼的空氣中飄來幽幽甜甜的清香，便循著香味一路踏雪去尋梅花的蹤跡，原來金黃的臘梅、清雅的綠梅，一枝枝，一朵朵，全在白雪中綻開著。折兩枝回去插瓶，也將一壺香雪，在火盆上烹雪水沖碧螺春——經歷過大海的浪濤才不在乎江上的風浪；接受過嚴寒考驗的，焉能畏縮於那種沒有冰雪的寒冷？

我沒有忘記，摯友，我焉能忘記生長的故鄉、兒時的回憶？那樣深深地蝕刻在心靈上，融貫在生命中，在有呼吸的時日，將永遠和我的心跳一起。只是，妳知道，人固然能夠適應環境，卻慢慢地會變得與環境相似。我想我大概這許多年來，被南台灣的氣候嬌慣了、寵壞了。長長一個冬季，總是陽光普照，柔暉撲面，阿波羅神收斂起夏天的桀傲、狂妄，變得如此和煦可親。我喜歡端一張藤椅在小院裡，挾一疊原稿，攜兩冊書，再裝一碟零食，捕住靈感寫一段，趁著興致讀幾頁；睏了，向背一靠，雙腳擱在紅磚台階上，仰望澄澈無雲的藍天。陽光透過冬天不落葉的老榕樹枝柯，閃閃爍爍，飾一身斑斕，溫熱滲透了衣服，沁入全身，沐潤著每一個細胞，我感到軀體彷彿失去了界限，向無限舒展，思想和意識化作輕盈透明的雙翼，向雲霄升騰——那片刻的溶化，使人渾然忘卻一切，而融入自然，回歸於自然。

我喜歡漫步在冬日照耀下的田野，看到菜蔬不斷地生長，讓人覺得泥土真是神奇，而太陽是使神奇變作真蹟的大魔術師，只要撒下種籽，稍加灌溉，青翠碧綠的各種蔬菜，一批收成馬上又一批萌芽茁壯。誰管它季節變換，有陽光的地方就有健朗的生命力。我高興出去時腳步輕捷，不必穿戴得臃臃腫腫，陽光是一襲最溫暖柔軟的披風。我高興冬天的早晨醒來第一眼看玻璃窗上閃耀著明燦的陽光，這一天一定心情舒暢，胸襟開朗……噢，摯友，我喜歡南台灣的陽光，但陽光卻把我嬌慣了，寵壞了。如今，半世紀輪迴，我又該重新接受嚴冬的考驗。

嚴冬，我寧願是白雪飄飛，冰凍連天，北風凜冽，冷得煞煞辣辣的樣子；卻難以忍受這種陰凄凄、濕漉漉、泥濘濘的時日。偶翻舊詩自遣，正好讀到杜甫〈聞官軍收河南河北〉詩中「白日放歌須縱酒，青春作伴好還鄉」句。你我不都盼望著那一天！那一天，在故居的宅院中，窗外是瑞雪紛飛。靜室中瀰漫著幽幽的蠟梅清香，紅泥爐上烹一壺雪水，泡一杯碧螺春，妳我相對品茗、賞雪，促膝談心。

那一天，不會太遠了，是麼?!

滴不盡的更漏

隱隱約約傳來爆竹的聲響，彷彿在遙遠遙遠的彼處，來自另一個升起在天空的星球，輕如羽毛般擦過我模模糊糊的意識邊緣。為什麼慶祝呢？習慣用鳴炮來表達內心的歡樂。哦，依稀記起，是春節；每個人不正興高采烈去迎接那簇新的三百六十五個日子！鞭炮忽遠忽近，越來越密集，這喧騰、這囂鬧，響在今夕，響在十年二十年以前，響在另一個世紀，似乎沒有差別。昏昏沉沉的是我，分明堅持著要守歲，怎麼便睡得迷迷糊糊。不知那插在小鹿燭台上的守歲燭可曾結報喜燈花？掀開紗帳，白皚皚一片代替了燭影搖紅，原來是雪光從窗外氾濫進來，映照得案頭那瓶天竺蠟梅紅得鮮豔欲滴，黃得明燦剔透；映照得妝台上那對錫鑄的蠟燭台閃閃生輝。緊一陣密一陣的鞭炮聲，分不清是自家在迎神，抑是鄰家在接財。忙不迭抖擻地拿起疊放在牀腳邊的新衣裳，穿上一件貼身的縐紗小棉襖，再套上一件軟軟的玫紅錦緞棉袍，又一件沿鑲花金的長馬甲，裹得一身圓滾滾、胖嘟嘟地。跨過高高低低的門檻，穿過一連串的廳堂，正好趕上燃放開門炮，好長好長的連發百子炮，猛然從下竄躍上天空，又從空中翻滾下來，一剎那潔白的雪花夾雜著片片紅紙紛紛飛舞，煞是好看。中間更間隔著響徹遐邇的沖天炮直上雲霄，震撼了新春第一個黎明。

黎明，書房裡，在一陣陣水仙和素心蘭的幽香中，父親用上好的墨，磨一硯台墨汁，揮動羊毫筆，端端正正在紅紙條上寫下濃濃的「新春試紙，萬事亨通」；我也歪歪扭扭地寫了一張「新春開筆，萬事大吉」。這時，客廳裡的「喜神」面前已供上一盅盅元寶茶、蓮子羹……白銅燭台上紅燭高照，古香爐中萬字香迴旋，歡喜團在銅盆中燒得熊熊烈烈，不時撒下些檀香柏枝，香煙裊繞，花氣氤氳，明晃晃的燭焰與紅堂堂的宮燈相映生輝，只照得滿室光華。大家跪拜過祖先，一家人又挨著長序，一個個拜年，然後玩樂開始，歡笑溢耳，融融樂樂，喜洋洋一片——可是，為什麼那麼熱？是新棉袍起烘，還是火烤得太旺了？猛一睜眼，慘白的日光燈下，第一樣閃入視野的是一支吊在半空中的玻璃瓶，晶瑩透明的液體正沿著一根懸入腕脈的橡皮管，一滴一滴滲進我的血管；鼻孔裡又有一根管子通向牀旁的炸彈式鐵罐。沒有燭影搖紅，沒有香煙裊繞，也沒有燒歡喜團的銅火盆，而自己燙得就像一塊燃著的大火炭。耳畔斷斷續續傳來從壓抑的靈魂中迸發的呻吟。原來這是醫院，淒淒涼涼的觀察室中盡是天涯同病人。

時代不斷地在改變、在進步、在求新，但有些傳統深深地在我們靈魂上，溶入我的血液中，一代又一代；歲月也許沖淡，動亂也許減色，卻終不泯滅，永不消失。童年的歡樂扣住心弦，每逢佳節便重彈回憶的樂章。我喜歡農曆新年那種安居樂業的喜悅，那種歌舞升平的氣象，那份融融樂樂的和諧安詳，還有那份純中國的閒情逸致。雖然家園破碎，一身如寄，也不免綴拾一番，慰情聊勝於無。我把水仙培養在瓷盆裡，一株株青翠的莖葉上仔細裹紅又貼金；把報歲蘭擱在花架上，那兩株茁壯的花梗上一朵朵蓓蕾正欣然翹揚；把蟹爪蘭高懸在窗口，盈盈四垂的葉尖上透露出紅豔的花苞；一簇簇滿天星似的金錢菊閃耀在牆角，濃郁郁的黃菊花供在櫃頂。牆上掛一方剪紙的「萬事如意」，大門口貼一幀燙金的「恭賀新禧」，前後門亮著光燦燦的「福」和「春」字斗方。沙發上換一套紅絨繡福、祿、壽、雙喜的吉祥靠墊；螺鈿鑲嵌的福漆果盤裡裝滿糖果蜜餞，一份心意，一點溫情，只為與家人共享那份安詳愉悅的氣氛。且圍坐下來拈一塊寸金糖，剝幾顆桂圓，說一說故鄉過年的風光，今年的憧憬和願望……然而，為什麼糖那麼苦澀？嘴裡又那麼焦渴？倒像剛跋涉過乾旱的沙漠——驀地抬起重甸甸的眼簾，躍入眼睛的又是一個吊在半空的玻璃瓶，淡金色的液汁，正緩緩地經由橡皮管一滴一滴進入血管。小小的病室裡沉沉寂寂，渾不知夜有多深……

噢，摯友，誰想到來台北第一個新春，我竟躺在醫院。深更半夜突如其來的高燒，嚇壞了家人。只是染上了流行的惡性感冒，一些什麼看不見的、渺小的細菌，卻重重地擊倒了一個高一六二、重五十二公斤的人。一連幾天，只是軟弱地躺著數一瓶又一瓶清澈的、淡金的液汁，一滴一滴注入血管；焉能相信那些透明無質的糖水鹽水，會增強生命力？似睡似醒，凝眸處，總見那透明膠管裡不急不緩地一滴又一滴，滴點沉重，倒教人想起古時候的更漏。朝朝、暮暮、白晝、長夜，家家鞭炮聲中，我獨守著那滴不盡的更漏！

平常，現實生活猶如打一場又一場的仗，時時刻刻在備戰、作戰。病了，卻無能地由別人替自己向病菌打仗。生活單調的樂章畫上了休止符，生命行進的步伐暫告停頓。等於被宣叛「否定」了自己，有些悲哀，也有點落寞，也許妳會說：有否定，才有創造；有揚棄，才有超越。那麼，病癒後，還我一個身心都嶄新的自我罷。

更漏滴盡，立春過去了，元宵也過去了。儘管陰陰冷冷，二十四番花信風已捎來七八次消息。寒冬冷冷的庭園已該著手整枝添肥，忙中、病中疏怠的心園，也該鬆土播種。摯友，新春甫臨，展開在我們前面的又是一番新的里程。讓我們期許今年是個風調雨順的豐年。在性靈上有新的領悟，在拓耕的園地上有新的收穫。

若要趕上春，不能再遲延！

且囑春風帶上我遲遲的祝福，萬事順遂，春風得意。

編註：本文原刊於《中華日報・副刊》，一九七四年二月二十四日，第九版。

寂寞的奉獻

準擬春來消寂寞，愁風愁雨，翻把春耽擱。
不為傷春情緒惡，為憐鏡裡顏非昨。

——納蘭性德

顏非昨，是一季嚴冬的蒼白；是小病初癒的慵怠。原盼望春來多接受陽光薰沐，還我雙頰紅潤；多接受自然陶冶，促我心胸開朗；也去春風裡遊蕩遊蕩，春光中逍遙自在一番。怎奈朝也風雨，暮也風雨，夜來更淅淅瀝瀝到天明，還真箇寒意侵人。也不知春究竟在何處耽擱躲藏？而「人在玉樓中，樓高四面風」，縱使門窗緊閉，猶是終日蕭蕭瑟瑟。這樣的辰光，做什麼也意興闌珊，就像隻畏寒的懶貓，我蜷縮在書房一角的沙發裡，捻亮一隻壁燈，柔和的光圈彷彿小太陽照臨。也不知白晝黃昏，悶著頭讀完了那本厚厚的《高更傳》。雨仍在下個不停，濡濕的水分彷彿浸透了我的內心而感到滯濕沉重，如同早年讀完《梵谷傳》一樣；兩位藝壇巨擘一生為藝術所作的奉獻和遭遇，久久縈迴腦中，不能平伏。曠世的天才真的幾近瘋狂麼？抑是由於太專心貫注，全副身心投入工作中，而忽略了日常生活，行動舉止異於凡俗之輩而被人視為逾規？當他們執著於一個信念，為崇高的理想百折不撓地全力以赴時，竟必須忍受那麼些冷落、蔑視、貧窮、病困、絕望和孤獨。聽聽高更說的：

談到藝術，我常感到我是被天譴責的。每一次只要我在繪畫上稍有心得，那都是用血、用淚換來的；我必須失落我生命中的某些東西——我越像一個藝術家，越不像一個人。

沒有家，沒有過去，沒有現在，沒有將來，除了對著畫架能感到自己作品的真實性外，我什麼都沒有。

多麼蒼涼，又多麼悲憤！

「藝術便是戰鬥，它需要全力以赴」。這一場慘烈艱苦的戰鬥，不僅付出全力、全生命，甚至全部做一般「人」生存在這世上的享受和待遇、義務和責任。又有多少人真正付得起？

拋書起立，才知窗外已是暮色深沉，聲聲簷雨更急。我坐在書桌前，玻璃板下幾幀妳送我的油畫、彩色攝影赫然躍入眼中，又一度被那飄逸的意境、生動的神韻所深深吸引。大自然原是最美的畫材，而妳天生具有那種對自然的契機；捕捉自然的神髓於筆觸，化作色彩的韻律、音樂的氣氛。那空靈幽美的境界，令人沉醉，令人神往。

日升、日落，太陽每天升降，在一雙平凡的肉眼中不會發現夕照竟如此神奇和美妙！〈日落而歸〉，清澈的小溪，林立的樹，以及駕牛車歸去的農人，只是構成一幅平靜的黃昏；而一經妳把落日餘暉渲染得亮澄澄的，一切便顯得生動起來。溪水披著亮麗的彩紗展延引伸，樹像要接近上帝般往上竄高，鮮黃的稻田宛如流動蒸騰的硫磺；人和牛就沐在柔和的光線中，帶著工作完成的悠閒，任憑車兒緩緩自行；那份寧謐安詳中，流露出生命愉悅的節奏，給人精神上一種豐盈而平靜的感覺。而妳在〈出海〉那一幀，譜出多麼深遠明淨的一片藍調子！藍的是天、是海、是破曉時分將現未現的曙光。凌晨的海是平靜的，浪花輕輕拍岸，一艘艘漁船安然停息在港灣中。但向海討生活的漁民，必須趁日出前航向海洋，與海風對抗，與浪濤搏鬥，生活是一場毫不放鬆的戰爭。一色的藍，刻劃出山的沉雄，水的深邃，更有人類求生存的勇氣和力量；不僅給予人美的感受，也是心靈的激發。但我最喜歡的還是那幀〈波影天光〉：蒼蒼鬱鬱的森林，兜一灣幽幽邈邈的湖水；樹的翠綠，天的澄藍，霞彩的澄黃，和遠山的一抹淡紫，全深深淺淺輝映在平靜的水面；一雙白鷺正貼近那片透明炫麗的彩色之流，優美地滑翔；湖岸柔潤的弧線烘襯出樹群的蒼勁挺拔，疏朗中自有茂密之致；林中青苔披覆，荒徑淒迷，那份完整而幽美的寂靜，那種悠遠神祕的氣氛，彷彿夢中幻景，常令我心馳神往，深深入迷。

摯友，人實在是一種自相矛盾的動物，當我在沉寂的南方一住二十年時，每每看到報載台北各種畫展、影展的那些消息，總是心嚮往之，渴慕不已。自己雖然沒有美術修養，卻偏愛那份美的喜悅、靈的享受。可是，如今來台北已卜居一年，展覽依舊不少，卻難得有時間去欣賞，而最使我感到遺憾的是妳在南方第一次開畫展，我反不能躬逢其盛，只能在報端讀到佳評無數。正為妳高興，接來信談到……看到自己心愛的作品都送到別人手中去了，不免有悵然之感。何況身體不好，心情灰暗，今後很難再畫出相同的景物，也不想執筆了……不禁也為之憮然。就像高更說的「賣一張畫就像賣一個親生兒子一樣」，我可以想像得到妳的心情；當我把作品的版權，讓給出版社時也會有這種感覺。記得那時去妳雅致的精舍，當妳忙著張羅蘇州餚菜款待我時，滿室生春的畫便默默地饗我以無限清馨，那似乎已成為妳的一部分、妳居處的一部分。如一旦不見了那些，確是令人悵然若失。

我們都已不再年輕，也沒有健康的身體，世事更使心情沉重。但當我們一旦熱愛上藝術，便已滲入生命，融入血液，蝕刻在心靈，再也難捨難割。也許有一點天賦，自然絕對不是天才，也許對理想一直很執著，但絲毫不瘋狂。我們必須為生存支付，為生活支付，做為一個女人，更得為許多毫無意義的俗務、瑣事、情感和煩惱支出。我們付不起全力，只能在那些枯燥乏味、七七八八的支付中，盡量留一點、賒一點、偷一點，省一點、透支一點給自己。且別奢言登峰造極，也不誇耀不朽事業；只為，噢，只為自己的興趣、自己的情熱和內心的需要。而在煩瑣的俗務中，在備嘗流離病困的餘年，還能享受一份創作時物我兩忘的境界，豈不很美？更何況創作使人保持赤子之忱，有顆永遠年輕的心！

空白的畫布像一個白癡凝望著我……生命本身朝著一個人的也是挫人勇氣、無盡無止的空虛。可是有信仰有力量的人並不怕這一片空白；他走進去，他做事，他建設，他創造，到最後這塊畫布不再是空白，而是充滿了豐富的生命之圖形。

——梵谷

是的，不管將留下些什麼圖形，已經走進去了，絕不輕言停止或放棄；忍受過寂寞，忍受過孤獨，更不在乎未來仍是寂寞和孤獨。

藝術，原來就是寂寞的奉獻。

揀那風和日麗的一天，我將攜新作來訪，彼時，妳的新居想必正煥發著美妙的光彩——由於妳豐盈的畫。

編註：本文原刊於《中華日報・副刊》，一九七四年四月四日，第九版。

寶石瓔珞翡翠簾

綠意掩映透幽窗　紅影綽約倚春風

四月的腳步輕輕盈盈，五月的腳步柔柔綿綿，六月的腳步俏俏巧巧，七月的腳步悠悠忽忽，八月、九月……噯，摯友！好幾個月從我身畔漫步過去，卻未曾向妳問一聲好，請一個安，寄一份懷念和祝福。妳若問我在忙些什麼？不外是一些瑣事，一些俗務，一些閒愁，一些文債。正如有人所說：有看得見的勞力，有看不見的勞心。其實呢，也還有不少是疏懶。減少了年輕時那股熱勁，自我鞭策的鞭子也比較放鬆了，常常只想做點不太費腦筋的事，譬如看書。就如尼采說的去思想別人的思想，越是多分享別人的智慧，自己思考動筆的時間就成反比地減少了。等看書看得雙眼倦澀，頭昏腦脹，最好是登樓去廊上小立；遠眺白雲出岫，青山凝黛；俯瞰小園幽幽，長巷寂寂，讓清新的空氣洗滌性靈的困瘁。而親操井臼之餘，為使自己從繁冗瑣碎中擢拔出來，去園中拈花惹草，扎兩手泥土，讓一片生意融解心頭的鬱壘，亦是最佳的調劑。於是，時間的造訪，總是倥倥傯傯在生命的門前經過，恍惚聽到跫音，轉眼已是杳然渺然。徒自感歎時不我留，時間給勤勉的自然卻留下了豐碩的饋贈；那些花花草草的，就緊跟著它的跫步萌芽、生長、茁壯，還比賽似的，看誰竄得高，誰又更茂盛；這當口，我倒亦崛身其間，幫忙自然做了點事。噢，不！這樣說未免太僭越了，應該是借重自然奇妙的神力，讓我完成了一件蠻有意思的事，若是要繳作業，那就算我生活的一課成績罷。自然，那不是什麼豐功偉績，只是一份小小的巧思，一點平淡生活中的點綴，使我在炎夏盛秋、侷處室中，卻享受了綠意掩映透幽窗、紅影綽約倚春風的幽雅情趣。

記得上次曾告訴過妳：目前屬於我的書房，有一扇開向北北東的軒敞的窗，框一框風景是天空，對面人家的牆和園中的花草，藍、白、綠相映，倒也晴朗悅目。不過這景致隨著早晚時間、陰晴天氣以及我的坐姿而略有變動。有時我深深地埋進大轉椅裡，視野中便擁有寬廣的蒼穹，白雲悠悠常從我頭頂飄忽展曳；有時我伏案正襟危坐，西曬的陽光正從對面皚白的牆上反射過來，就像拍戲用的金屬反光板，亮灼灼直迫人雙眼。沒有遮簷的窗楣，不管多小的細雨微風，也會飄進來打濕桌上的文稿零碎。

掛一幅窗簾嘛！妳會提議，我當然接受。但華麗的配不上書房的質樸，棉布的嫌沉重了些，薄紗的又飄忽隨風。不是捲到花瓶香爐，便是撣落小狗小鳥，且看我的吧！摯友，妳相信不相信！我將親自織幾幅生動而美麗的窗簾，不用針縫，也不用一縷紗或一寸布，只是煩請自然與我合作。

早春，我撥開地面的青草，在窗前撒下一把蔦蘿花籽，一週後便萌發了新芽。就著一旁釘下簡單的竹架，繫上銀白色尼龍索，一根根經過窗戶，直牽上陽台，剛竄出的藤苗嬌嫩纖細，顯得那樣地弱不禁風，一挨著繩架，就怯怯地攀附上去。起初還試探性地沿著繩索轉了一圈，又繞一個迴旋，怪有趣的；不多久，長得漸漸茁壯了，攀緣得也越來越快，隔一宿果然竄高尺許，早晚間也顯著不同。藤自己織的是直經，一直向上；我織的是橫緯，每天牽引嫩苗穿梭交織。先是蹲著編，再是站著編，之後踮起腳尖，伸長手臂來編，又站在椅子上編……到最後，眼看著藤蘿一路蔓延伸展；千頭萬緒，不盡纏綿，已高不可攀；我亦只有望藤興歎，由它自我發展了。而在這同時，忙不迭地展葉布蕾，已是柔柔潤潤，一片輕蔭拂窗櫺，給整個書房增添不少幽情詩意。清晨，當朝陽照臨，細緻纖柔的葉片間閃耀著紅寶石般玲瓏剔透小喇叭，婷婷盈盈，彷彿浮漾在光波裡。透過窗紗，又綽綽約約弄影在案頭，搖曳生姿，疏朗有致，真是美極了！午晝時分，透過綠蔭，只感到空氣裡盪漾著光渦，室內卻一片陰涼幽邃。西曬白熱的輻射變得柔和了，倒反烘托得花朵像小小火焰在跳躍，葉片線條立體似蝕刻浮雕。而微雨也不再飄進來濡濕稿箋，小雨滴紛紛沾在花間葉隙，閃閃爍爍，晶瑩明澈，益顯光澤滋潤，生意盎然。當我坐在桌前，面對如此亮麗、清新、生動的翡翠雕花簾，小小靈台，不禁情思洋溢，充滿了單純的喜悅。靜靜地，我思、我寫、我讀、我懷念遠方！

另外，我更把南方故居移植來的珊瑚藤，牽引上客廳兼餐室的兩扇大窗，這裡毋須繩架，就緣著白漆雕花欄柵，曲折盤旋，迂迴縈繞，嫩綠半透明的心形寬葉叢中，懸垂著一串串明豔嬌媚的粉紅色小花，彷彿小鈴鐺，微風裡輕輕搖曳著色彩的韻律，又似瑪瑙珠玉瓔珞，綴飾著華麗古典的東方情調。更引來蜜蜂嗡嗡覓食，粉蝶徘徊依戀。有如身在花叢中，閒坐談天，賞心悅目，平添多少情趣。早晚用膳，縱使是素菜淡飯，卻也飽餐秀色。

像一注綠色的瀑布自高傾瀉，前園的蔦蘿早已越過窗戶攀上陽台，又攀滿女兒房間的窗子。早晨，紅寶石喇叭喚醒她的酣夢，睜眼映入明眸便是一片清新，帶給她一天的神采飛揚，旁邊的珊瑚藤也揉升爬高，繞過屋角，緣飾在母親寢室的窗櫺門楣。粉紅鈴鐺搖響在老人枕畔，醒在安詳寧靜的黎明，起來還得小心點開門，提防叮叮噹噹撞落一地瓔珞。

自春至秋，如今已跨越了三季，而藤莖仍在不斷地伸展蔓延，花朵仍在賡續開放。摯友，植物那種堅韌強項的生命力真是令人驚奇！如此微小的種籽，如此柔弱的莖芽，只要一點陽光和水分，稍加扶助和照拂，便生長得如此迅速茁壯，怎能不高呼：造物萬歲，自然偉大！而當凋零的冬天，我將撤下綠簾，明春又換上嶄新的。一年更換一套織錦鑲寶石窗簾，誰又能這般豪華奢侈！

摯友，妳喬遷之喜，無以為賀，如若新居尚有一扇窗子沒有掛上窗簾，且讓我送妳兩幅——附上我親手收的花籽一包，無他，只須殷勤灌溉，親切照料，希望有一天織就翡翠寶石簾，我這裡在簾下寫寫，妳那兒在簾底下畫畫，雖然兩地迢迢，卻是心情一致、行動一致。

且將衷忱付花籽。

但願人長久，千里共翠簾。

編註：本文原刊於《中華日報・副刊》，一九七四年十一月十日，第九版。

哀傷後的堅定

四月，妳悄悄地來了台北，又匆匆地回去南方，沒有來敲響我寂然緊闔的小扉，沒有踏上我門前青苔凝滑的石階，甚至沒有在空氣裡招呼一聲——通一次電話。雖然事後收到妳託人帶來的信件使我感到緣慳一面的悵憾，但我一點都不怪妳，我完全了解妳那時的心情。七個多鐘頭僕僕風塵，七、八個鐘頭烈日風露下列隊佇候，又七個多鐘頭車行轆轆，怎樣倉促緊迫地匍匐奔喪！只為瞻仰一生所仰賴的領袖最後遺容，恭致內心最尊崇的敬意和最沉痛的哀悼。荏弱身心載負如許哀傷和悲慟，縱使妳我見面，除了淚眼對淚眼，哀傷加哀傷，還會有什麼心思來一訴久別衷曲？普天下皆同聲悲慟，七億人全椎心泣血，又何況妳我。

四月，哀傷的四月，那一天，蝕骨難忘的那一天，正是清明時節。那樣清清冷冷、落落寞寞的「寒食」。望望日曆上民族掃墓節的註釋，不禁黯然愧疚，又哪裡有先人陵墓可掃？何處有祖宗墳塋可祭？抗日八年，流離失所，先父病歿客地，勝利後還來不及奉厝還鄉，又倉促逃避紅禍來台灣，轉眼便是二十多年，祖墳久無人祭掃，已不知怎樣荒草淒迷，剝蝕坍圮；更怕的是慘遭毫無人心的匪徒挖掘刨平，休說四時奉祀，連屍骨都無安葬之處。想到這裡，我們這輩做子孫的真是罪該萬死，愧對祖先在天之靈。想妳總還記得當我們小時候，大人們是怎樣鄭重而虔敬地安排祭奠！清明上墳是一年中的一樁大事，老早就動員全家女性，把一張張錫箔摺成金錠銀錠，摺進去子子孫孫每一分敬誠，蒸青糰子、煮麥飯，準備一份豐腆的蔬果香燭供品。到那天一早便挑的挑，提的提，一家老少坐船去好遠好遠的鄉下掃墳祭祖。看墳的經常把墳地管理得很好，做晚輩的仍得略盡孝心，親自除草整土添兩株花木，然後恭敬地上供奉祀。在那香煙繚繞、箔灰飛揚、莊嚴虔敬的氣氛中，讓人自然而然地打從心底泛起一種深遠綿長的感情，恍惚冥冥中真有那世世代代血脈相承的一縷親情，縈迴在子子孫孫身邊，領受後人的孝思永念。那時小小的心靈乃充滿無限感恩情懷……摯友，相信妳小時在家鄉一定也不知多少次領略過這種感受，而如今，年年客裡清明，一年年只有充滿內疚和虧欠，感到悵惘和悲憤。當然，今年不曾例外，憂憂悒悒過完一天，又愴然上牀就寢。深夜卻突然被迅雷轟輾，暴風驟雨驚醒，來得那樣突兀又那樣威猛，天象似乎有所顯示，卻不知是什麼預兆？半夜就那麼中心悁悁，怔怔忡忡地捱到天明。天明，竟傳來總統蔣公遽然逝世的耗音。

巨星殞落的時刻是四月五日晚上十一時五十分，仍然是清明節的子夜。莫非他老人家靜養中亦由於感懷傷時而引發了心臟病？莫非他老人家又因此想起故國錦繡河山，五千年優秀文化，七億善良百姓，家鄉的祖瑩，溪口的慈庵……太深太重的憂憤和責任感，使那顆偉大、堅強、仁慈、寬達，卻由於六十多年來，夙夜匪懈，為抵抗外患內憂而創痕纍纍，殫精竭慮，為拯救民族而鞠躬盡瘁的心，再也負荷不起如許而遽然崩殂了。他奉獻自己，不惜犧牲的精神是革命精神的表率；他堅毅果敢，不屈不撓的精神是民族精神的象徵。而他卻選在民族掃墓節仙化。一代偉人，就連最後離開他關愛的子弟，仍不忘以行動來配合一生勛業和最後遺囑；猶如啟示我們體念他一番苦心孤詣，遵照他的遺志去走他尚未走完的路。

摯友，妳我一生中已經過了好幾十個四月，每個人一生中都不知經歷過多少四月。有春花爛漫的四月，鳥語花香的四月，雲淡風輕的四月……可是，誰也沒有經歷過這種日月無光、黯淡淒涼的黑色四月，到處是一張張哀戚的臉，沉重的腳步，到處都是半降的國旗，藍白的孝誌。冷冷落落的大街鬧區，淒淒涼涼的巷頭弄尾，城市驟然於一日夜之間瘖啞了、癱瘓了。四月的雨落著，是億萬人流了又流的熱淚；四月的河流嗚咽奔流，是億萬人的眼淚傾注又傾注；四月的花朵開放，盡是白玫瑰、白菊花、白色馬蹄蘭、白色劍蘭以及小小白雛菊，有形的黑紗戴在每個人臂上，無形的黑紗纏繞在每個人心上，白色的鮮花供奉在靈堂，也供奉在每個人心的殿堂——黑色的憂傷，白色的哀悼，四月，世上似乎只存有這兩種顏色；四月，人們心裡只存放著憂傷和哀悼。妳我又何嘗不一樣，民國六十四年四月五日是一個火燙的烙印，深深灼傷了每一顆仰賴尊崇的心，永難忘懷，永難磨滅。

摯友，妳我一生中也曾排過隊，見過各種真實的、影片或畫刊上的隊伍，可是，誰也不曾見過這樣的行列，相信世界上絕對沒有這樣的行列，歷史上也絕不會有這樣的記載。那幾天，彷彿地球正在寸寸陸沉，汩汩的水流從四面八方漫溢注瀉，奔流向一個方向，匯集在一個終點，然而又歸納成一道曲折迂迴、綿延無垠的巨流，圍繞著一座莊嚴的殿堂緩緩移動，而妳與我，都是這無窮長流中的一點一滴——那漫溢的水流是人流，那氾濫是人潮的氾濫。憂傷的人，哀戚的人，悲慟的人，從大街小巷，從窮鄉僻壤，從各個城市，各個鄉鎮，各個角落，哀默地湧向國父紀念館，又一個接一個，三個成一組，自動地排成隊伍，一匝又一匝，密密層層，曲曲折折，鋪滿了廣場，迴繞著馬路，彎進了小街小巷。妳說妳們下車找排尾就找了好半天，還有人找了一兩個鐘頭呢！如果把幾日幾夜銜接著的隊伍拉直來，串連起人的鍊索，也許可以橫跨台灣海峽吧！

那是怎樣的隊伍哦！人群潮流般一波一波湧來，卻那麼靜肅、那麼莊重，又那麼守秩序。白髮蒼蒼的老人帶著小孫兒，年輕的夫婦抱著孩子，孝順兒子揹負著不便行動的老親娘，健康的人攙扶著殘疾患者；有來自僻遠高山的山胞，有來自海陬漁村的漁民，有從寺院廟堂集體來的信徒……不少都是像妳一樣乘汽車、火車或飛機來的。一個個神色哀悽，表情凝重地排列在隊伍裡，誰也不去計算時間，驕陽曬得頭昏腦脹、唇枯舌乾，猛一陣風雨又淋濕了衣衫，晚上夜涼如水，寒露浸沾，更何況飢渴相迫！又是怎麼樣一種深摯崇高的感情，讓人類通過了史無前例的，精神、體力和忍耐最大的一次考驗！隊伍行進得很緩慢，有時移動，有時停頓，那樣進退一致彷彿是一個整體——所有懷著同樣深摯哀悼的心、悲慟的心，原已是脈脈相連，在淚水中團結成一體了。淒涼的哀樂悲悲切切瀰漫在空間，迴盪在每個人心靈深處。摯友，那悠遠淒怨的哀音，不正是我們每個人心底深切哀傷的悲鳴！

幾小時的佇候，只是幾秒鐘的瞻仰致敬，而在頂禮膜拜時，淚水早已模糊了雙眼。但就在那珍貴神聖的一瞬間，我已呈現出比我一生更多的虔敬與赤忱，誓願恪遵遺訓，奮勵自強。相信妳一定也以妳基督徒的虔誠許下誓願，除了這樣，我們又拿什麼告慰在天之靈呢？

哦！四月，哀傷的四月！妳曾悄悄地來到台北，又匆匆南返，雖然緣慳一面，但我不怪妳不來敲響我緊闔的小扉；因為我們都浸沉在如此深長的哀傷中。

如今已是七月，經過淚水的洗禮站起來，相信我們定能更堅定地邁向未來的目標。摯友，讓我們共勉吧！

聞聲聊慰故鄉情

夏日的濃蔭涵滿了小園，窗前的梔子花已兩度飄香，牆畔一叢叢茉莉也陸陸續續開放，摯友，又是許久不通消息了。倒是逝去的金色歲月遙遠地帶來了音訊，帶來了往昔的回憶。可還記得，家鄉在這樣的時節，正是賣花孃最殷勤的時候。一粒粒珍珠茉莉花苞，穿綴成花環、花球、花飾，戴在髮髻，佩在襟前，花籃懸掛在紗羅帳裡。凌晨，夢醒在花氣氤氳中，又迎來芬芳新鮮的一天。那是多麼、多麼甜蜜的日子！

如果我告訴妳，我最近不久曾聽到了最悅耳、最扣人心弦的美妙聲音，妳會怎麼猜呢？是聆賞了一場歌唱演出或一次音樂欣賞會，抑是無意中得聞「誰家玉笛暗飛聲」？妳真要這樣猜的話，答錯了。這與豆芽菜似的音符，任何發聲的樂器全不相干。我要告訴妳的是妳我都熟悉的、生命最初聽到的聲音。

是的，就是生命最初的聲音。當妳我一誕生到這世上，懵懂無知時第一個聽到的聲音：那是母親說話的聲音、父親說話的聲音、所有親人說話的聲音。那種聲音根源於歷代祖先，賦有所生長地域特殊的腔調、節奏、組織和語氣。就像我們廣袤的祖國每一處肥沃的土地有它的特產一樣，每一個地方的言語總有某一個地方的口音。從開始發音，牙牙學語，童言無忌，到能說善道，自幼就耳濡面提，涵泳在那種聲音中，成長在那種語言裡，浸沐親情，吮吸智慧，滋潤心靈，像陽光照耀，像空氣澄澤。那不是別的，摯友，正是來自妳我生長的地方，故鄉的語言，親切的鄉音。

提起我們的故鄉，有「天堂」之譽的蘇州，總不由人氣血潮湧，心嚮神往。那千百支河流潺潺環繞的文化古城，豐饒的魚米之鄉，有阡陌連綿的綠色平疇，幽邃靈秀的山水，巍峨莊嚴的古剎，歷史悠久的名勝古蹟，數不盡的寶塔和石橋，一座座純東方藝術的古老城門，圈圍起幽靜的大街小巷清雅園林，到處瀰漫著寧謐、安詳、平靜的氣氛。融和著文化氣息和書香、花香、稻麥香。蘇州人樂天知命，恬淡自適，原是最懂得享受生活中的悠閒藝術，善於優遊歲月的人。也就因為太眷戀如此安逸美好的家園，一向世代相傳，安土重遷；就算年輕時出去闖蕩一番，歷練一番的，也還是葉落歸根。何幸「生在蘇州」，誰又不想終老如此美好的家園呢？可是，生存在動亂時代的我們這一代便沒有這般幸運。像我，這一生半世紀的歲月裡，流離顛沛，十年寄居贛南，二十多年遊牧台灣，在故鄉盤桓的日子只有嬰兒到青少年那一段甜蜜時光，也是接受薰陶塑捏最初最深的時光。它已在我人格上、思想上、觀念上鑄成了初淺的雛型。儘管歷經鍾鍊，直到現在，多少還保留些地域性的特質。自然，有優點也有缺點。而人越是一天天年華老去，一切欲望看得平淡無奇，便越是懷念生命最初的印象、幼時嬉戲作息的地方。離開家鄉後，音訊越來越疏隔，鐵幕沉沉，消息杳然，從海那邊到海這邊，就難得遇到同是來自故鄉的天涯淪落人。就連唯一的鄉親——妳，如今南北迢迢，也不易小聚敘敘。思鄉令人愁，鄉愁催人老，這千斛鄉愁又怎生得排解？

摯友，並不是我誇耀故鄉的水特別甜，因為啜吮的母乳中有那兒的井水、河水；並不是家鄉的米特別香，因為自小吃的地糧來自那肥沃的土地；並不是家鄉的餚菜特別鮮美，因為哪裡加了最鮮的味精——感情；並不是家鄉說話的聲音特別悅耳動聽，因為生命最初聽見的便是那口音。

說了可別笑我，那口音對我似乎有種特別的震波；能在嘈雜中震撼心弦，囂亂中安定心神。有天在鬧哄哄菜場裡忽然飄來一句「牛踏扁」（蘇州人對一種發芽豆的稱呼），我竟忘了靦腆，冒冒失失迎上去跟人家攀同鄉；而就為多聽聽鄉音，我參加了同鄉會的小聚。

那天，從踏進「自由之家」第一聲招呼開始，就像一個泳者自沙灘泅入海水，那熟悉的聲浪一波接著一波從四面八方潮湧而來；溫柔地舉起，輕輕地推揉，漫過四肢百骸，一剎那整個身心便浸潤其間，載浮載沉，隨波逐流，引領我通過時光隧道，恍惚又回到兒時的故鄉，回到庭院深深的家宅——陽光透過茂密的梧桐灑一天井金銅錢。和合窗前飄揚著幽蘭的清香；初夏的清晨，賣花孃嬌滴滴的賣花聲響徹了寂寂的長巷，透過一重重門庭，蘭閨中有人等著鮮花助晨妝，縱橫曲折的長巷鵝卵石砌得的溜滾滑，石獅子一對對蹲在一排排黑屏門前，照牆上竹篩那麼大龍飛蛇舞的福子，森嚴的風火牆上探出一枝海棠或紅杏，一座座苔痕斑駁的忠孝節義牌坊矗立在路上。蛛網般密密細細的小河就縈迴在街巷間。橋上人來人往，橋下小舟穿梭，兩岸臨水人家紅袖招展。九曲紅橋通樓榭，疊石假山成峰巒的幽靜園林，七里山塘香飄七里的花圃，天平山燒紅了半片天的楓葉，鄧尉山一片香雪海的梅花，靈岩山處處西施的遺蹟，虎丘山廣可數畝的千人石，滄浪亭五百多名賢的石刻像，寒山寺悠遠的鐘聲……噢！摯友，就在奇妙的聲波起伏間，時光倒流。我依稀重溫了舊日悠閒的情懷、安樂的歲月，久違的鄉音聽起來竟是那麼舒服、那麼熨貼！把心頭重重疊疊的愁紋全給熨平撫貼了。人不親聲親，儘管是些完全陌生的面孔，看起來卻是那麼親切和善。只是，比起那些純正的吳儂軟語來，我的鄉音似乎已有點「荒腔」、「走調」。

有鄉前輩講述姑蘇的風俗掌故，語意悠遠，充滿思古幽情。也許，讓下一代未曾沾踏過故鄉泥土的年輕人聽來，以為是在編另一篇〈桃花源記〉哩。有人說了個白相（玩）玄妙觀的笑話，用了不少蘇州人最擅長的「雙關語」。還記得小時候跟大人去白相玄妙觀是最開心的，吃的有各種糖食、點心、小吃攤；看的有西洋鏡、變戲法、木人頭戲、活猻出把戲，甕裡矮夫妻；聽的有說大書、彈詞、蘇灘；買的有各種玩具、洋畫、香煙牌子、古董、舊書、首飾……真是百看不膩。有人提議下次聚會每人炒一色家鄉菜，不由人想起那些鮮得會脫掉眉毛的蝦子海參、蔥烤酥鯽魚、冬筍炒雙菇、薺菜蝦仁、清炒蟹粉、鮮嫩碧綠的蓴菜羹……噯，怎不教人嘸饞涎！

壓軸餘興是數位票友客串說書，台上擺起陣勢，一剎時弦索錚錝，琵琶叮咚，幾支開篇〈戰長沙〉、〈刀會〉、〈黛玉焚稿〉、〈鶯鶯操琴〉彈唱得宛轉流麗，抑揚激昂。彈詞會書〈三笑姻緣〉、〈玉蜻蜓〉、〈秦香蓮〉，更是說唱得委婉細膩，情韻生動，稱得上「說，噱，彈，唱」俱佳。彈詞風行在故鄉，源流悠遠，一直可以追溯到敦煌宣卷中的佛曲，實在算得上是歷史悠久，純中國文化的民間藝術。說唱的內容包括了歷史掌故、民間傳奇、小說演義……總不外乎盡忠報國、義僕救主、貞節烈婦、孝感動天、警世勸善、兒女英雄、才子佳人，差不多都蘊含著我國傳統的固有道德以及民族精神。儘管故事通俗，卻講得細膩曲折，委婉動人，加上妙語如珠，幽默風趣，很能引人入勝。而一些開篇唱詞寫得都很美，把彈詞文學列為中國古典文學，絕不比其他文藝的產物差到哪裡去；因此它能成為歌舞升平時代盛行不衰、雅俗共賞、老少咸宜的娛樂。我小時候就常常跟父親去茶館店裡茗茶聽說書，戚友家有喜慶也有送說書堂會的。還有夏天黃昏請一檔長堂會消暑，一面納涼一面聽，真是悠閒的享受！如今，不聞此調怕不有好幾十年了？倒不是說此曲只應天上有，而是此時此地，人間又哪得幾回聞？

摯友，我只是要告訴妳，我又聽到了最悅耳、最舒服的、生命最初的聲音；恍惚是回憶的豐收，又似乎是現實中更多的失落。真個是：

少小離家老大回，
鄉音未改鬢毛催；

幾時，幾時才能——

兒童相見不相識，
笑問客從何處來？

編註：本文原刊於《中華日報・副刊》，一九七五年九月十二日，第六版。

從格爾尼卡想起

——世界已在秋天打開了它明朗的心，
出來吧！我的心，用你平靜的喜悅迎接它。

對氣候十分敏感的我，就喜歡秋天。春天實在太短暫了，溽暑是苦刑，寒冬是威脅，只有秋天，尤其是晴朗氣爽的初秋，教人由衷喜歡。一直抱怨壞天氣影響健康，健康影響情緒，幾個月便納悶在半隱半休中；逢上接連一串美好的秋日，又可感覺到一顆顆蟄伏許久的細胞在躍躍欲試。為迎接秋天，教自己去接觸這明朗的世界，我洗清指上沾染的墨水和泥土，走出書房，離開園圃。噯！摯友，人類能擁有一雙觀察一切的眼睛多好，這世界上有的是永遠看不完的美妙事物；人類能擁有一顆寬容而善感的心多好，這人間又有多少可愛動人的情景供你激賞、詠歎、共鳴！

別笑我那份貪，只要當我有足夠的體力，我總是高興去領略、去體驗、去欣賞、去觀察這多采多姿的大千世界。住在台北就這有點好處：平常日子，那許多開放性的故宮博物院、歷史博物館、省博物館、國父紀念館、藝術館、國家畫廊、各家藝術走廊，以及什麼城、什麼中心的，要仔細認真看起來，可真還看不厭看不完。再加上一年到頭各式各樣畫展、雕塑展、攝影展、書法展、書展、設計展、發明展、花卉展等百家展覽。看那些「人」所發明創作的種種，真是一種美的喜悅、靈的享受。

在這個秋季最熱門的，是一項宣傳已久的「中西聯合名畫展」。昨天清早在歷史博物館開門前半小時，我便與一位友人約好了在門口會合，朝陽下還有另外一批默默等候著的固定觀眾：那是一群青年學子的塑像。就當我亦將變成塑像以前，硃紅的大門在鈴聲中開啟了。聽說這次展的中西名畫特別豐富，事先決定要分類觀賞，先中後西，先西後中，分上下午，或乾脆分兩次蒞臨，但一跨進那典雅堂皇的文化殿堂，就迷糊了。當進入國畫室時，必須經過西畫走廊，焉能視而不睹？將去西畫室時，又得穿過國畫陳列室，又怎能過境不理？就這般唯恐失之交臂、目不暇給的一路瀏覽，從九時開門磨蹭到下午二時多，腿也硬了，眼也瘦了，腦子裡沾染的是五顏六色，心中溢盈的是顏彩繽紛，各家各派的印象混淆一起，掛一漏十更是難免，然而那又是多麼豐富的一次美的享受！在這兒我要告訴妳一些我的感受，自然，外行只能憑直覺說些外行話。

展出國畫共二百幀，我國三大名家平分秋色。我個人比較喜歡的是溥心畬的〈雨來空翠〉，兩邊懸崖峭立，遠樹煙靄迷離，一片蒼茫溟濛中卻充沛著一種「山雨欲來風滿谷」的磅礡氣氛。〈柳蔭漁舟〉，著墨不多，淡淡的輕柔垂柳，縈一葉無人小舟，襯一抹隱約遠山，留許多空白、飄逸、空靈，一塵不染；〈鍾馗嫁妹〉，滿臉于思的鍾馗端坐石上，正聚精凝神督促小鬼敬酒，燃爆（圓形臉譜似的炮竹）慶祝，將做新嫁娘的妹子卻悠然伏於肩後觀望，神態維妙維肖。張大千的〈秋林逸興〉，遠遠近近，點點楓葉染紅了山林，有人意態瀟灑地獨在林中賞楓，好一份閒情逸致盡融入幽邃的秋意中；〈秋江泛舟〉，那麼濃濃鬱鬱，筆致淋漓的一大堆潑墨，滲透成巍巍山脈，綴以小橋輕舟，豪邁中又透著一份細緻。還有黃君璧的〈家住煙靄〉，雲樹蒼茫中掩映著小屋一幢，遠離人寰，靜坐觀瀑，不由得令人悠然神往。

看國畫山水，常常會給人一種超越時代、遠離現實的縹緲意境，西畫有時卻能產生心與畫合一的感受。自然，像我這種「直覺」派的觀眾，多半還是比較容易接受寫實的，如十八、九世紀雷諾爾、梅滋、安東尼歐他們的人物畫。我好喜歡安東尼歐那幀〈獻花的女孩〉，以那樣精緻細膩的筆觸，畫出女性的溫柔氣質、純真感情，充滿了靈性和高潔和諧的氣氛，典雅優美，十分動人。與「古典」正好相對的是「現代」超現實主義的達利，他那些奇特的構想、獨創性的見解，認為只要人類的意志力和欲望存在一天，將永遠不滅。為表達這觀點，他揉合了神學、化學、數學、物理、生理、生物、玄妙的哲理以及繪畫技巧繪製了有名的〈永生十法〉。一些線條簡潔的圓形，配上立體製作技法和文字詮釋，讓人迷惑而慢慢思考。

畢卡索是這次畫展的主客，有八十二件原作和複製的展出。其中三十幅以他主觀心象為主的一系列肖像畫，鮮明的顏彩一抹一撇彷彿任意塗鴉，有上下雙眼，有一眼兩瞳，有正反疊影，有扭曲變形，故意的誇張嘲謔，使拿破崙、莎士比亞、巴爾札克看起來像小丑，像海盜，像有鬍鬚的女人。雖然怪異，卻有童稚的諧趣，很吸引人。不過我還是喜歡他早期寫實的風格，尤其是孩子的畫，一幅〈小牧羊人〉，只寥寥數筆，若斷若續，簡潔有力的線條，極其生動地勾勒出乖巧伶俐的小男孩，白綿羊柔順地依偎在身畔，煥發著生命純樸可愛的光輝；〈持花的皮耶羅〉、〈小丑皮羅〉，神態儼然作持重狀，一身白絨絨的服飾讓人視覺上有種溫柔的感覺。〈藝術家的兒子〉，端莊得有種超越年齡的憂鬱，似乎顯示血液中有先天性的優越；〈美食〉，那就著碗品嚐的女孩是那樣專心一注。他後期的畫都帶有童稚趣味，他筆下的兒童卻賦予生命成長中的莊矜，真是有趣的對照。而給我印象最深刻的，是那兩幅標題為〈格爾尼卡〉（GUERNICA）的版畫。乍一眼看去，彷彿很複雜，然而卻有什麼吸引著你；仔細看下去，更覺得怵然有所震撼。第一幅中間一乘騎士似乎正奔衝直闖而來，戰馬桀驁騰躍，亂蹄踐踏著翻開的樂譜、經典、零落的花朵；馬腹下舉起一雙向上翻伸的手做著無聲的呼救，馬背上的戰士揮舞著利刃，半截染透了鮮紅的血，在黑白的畫面上，格外顯得刺眼。撕裂了的和平之鴿釘在另外一些戰士的盾牌上，後方一排拔劍張弩、猙獰可怖的陰影，正凌厲地欺壓侵犯，顯示出一項殘酷的戰爭暴行正在進行：蹂躪平靜的國土，戮殺無辜的人類，摧毀文化，侵犯自由，破壞和平……血淋淋一場令人心悸的浩劫場景，也暴露出人性殘忍的一面。第二幅畫中所有重疊排列扭曲變形的人物、跪抱嬰兒的母親、被碾壓和截斷的人體、齜牙咧嘴的馬、愴惶痙攣的牛、垂下雙翼引頸直立的家禽，神態顯示出極端驚駭恐懼和痛苦，一齊仰首向天作絕望的哀號，垂死的呼救。彷彿驟然遭遇到猛烈的震撼被活活窒息於地窖中，充滿著生命作最後掙扎的悲慘氣氛，給人一種壓迫感，使人血脈賁張。

起初看畫時還不知道「格爾尼卡」指什麼，只是直覺地感受到這些。之後讀畢氏介紹中提到創作該畫的經過，才知道那是西班牙的一個小鎮，一九三七年德國竟選擇該鎮趕集時試驗炸彈的威力。當時畢氏正居住小鎮，目睹殘酷暴行，立刻畫出他的悲憤和對侵略者的控訴，喚起世人的警惕；這也是他流傳千古的名作之一。由這兩幅畫使我想起二次大戰時，我們的國土、同胞、文物所受侵略者種種迫害、戮殺、摧毀、劫掠、凌辱……又不知比「格爾尼卡」慘重多少倍，但我們能表達悲憤的控訴，喚起世人警惕的作品又在哪裡？做為一個藝術工作者，盡可以在風格上創新，技巧上弄詭異，但總不能完全脫離所生存的時代，而全不賦予作品以時代意義。「創作是為了自己的情熱，也為了內心的不平和良知的呼喊。」以人類本位的良知，加上藝術造詣，將性靈的感受和良心的呼喚付之創作，繪畫和寫作在配合時代動脈這一點是一樣的，而我們在這方面的成績實在都很差。

會場中最生動有趣的是畫家們生活的照片，其中兩幀放得最大的畢卡索和張大千的獨照尤其傳神。兩位同樣跨越兩個世紀的大畫家，一個是輪廓突出，一對銳利、智慧、炯炯有神的大眼睛深陷在高聳的眉骨下，神情十分嚴肅；一個是銀髯垂胸，丰采飄逸，睿智慧心全蘊藏在慈藹可親的笑容裡，倒是一副仙風道骨超然脫俗的模樣。中西兩國的民族特性、氣質，竟全在他倆身上流露出來。

看過畫展，我總有個感想，恨自己寫作的拙筆不能變成繪畫的彩筆。妳會笑我外行看「畫」盡說些題外「話」。那麼，聽我說：明朗的秋天才開始，展覽的季節正旺盛，請束裝北上吧！另一次畫展，希望能與妳同行。

還似舊時遊上苑

也是這般細雨濛濛，乍晴還陰，秋意甫涼未涼的日子；也是這般成熟和豐收的季節，當花訊迭一連二傳來，我又去了士林。離前次去時，已經相隔了四年。四年中花兒開了又謝，謝了又開，循環不息。只是那時我是北上的旅客，來去匆匆；如今已算是這個城市的居民，可以從容叩訪。

依舊是車如馬龍人如潮，依舊是兩排高高挺挺的大王椰，守護神似的，拱衛著那長長的幽徑，長葉搖曳，篩下若有若無的雨絲，忽隱忽現的陽光。蒼蒼山脈，蔥翠花樹，青青草坪，假山蓮池，亭台雕牆，一切依舊，一切如昔。只是，只是尋花的腳步似乎不像往年那般輕快，賞花的心情似乎不及往年那般雀躍，一步步沉沉地走過通道，又一拐彎，驀地，當濃蔭掩覆中盡端那寂然緊閉的雙扉映入眼底，不禁心臟為之震撼收縮，腳步為之顛頓失措。猶記得往年來時，也曾遠遠地經過門前，滿懷崇敬地望著雙扉，暗自思忖，那位領導我們的慈祥偉人就憩息在綠蔭深處，那些欣欣向榮的花木芳草都曾常親謦欬，時蒙榮寵。我今走著的幽徑，常被那東征北伐、踏遍祖國河山的矯捷步履一步一步走過，也沾一些福祉和榮寵，默默地祝福著松柏長青，山河並壽，再欣然觀賞百花獻瑞。而如今……濛濛雨忽然那樣淒迷，滿園蒼翠忽然黯然失色，秋風蕭瑟地吹過樹隙，枝葉嘁嘁喳喳彷彿在歎息：主人何在？主人何在……

園中展示了許多具體而微的「人工的自然」。那些應該是屬於崇山曠野，屬於森林的樹，一株株蹲踞在小小瓷盆裡。有的蒼勁古樸，蟠節虬根；有的蕭疏灑脫，俯偃生姿；有的清癯高潔，孤傲獨秀；姿勢美妙，形態迥異，居然生長得生意蓬勃，野趣盎然。「盆栽」，觀賞的是生動優美的韻致，神奇古怪的形狀。「山水盆景」，更把大地河山，自然風光，狀如納須彌於芥子，全納入淺淺水盂中。看那崇山峻嶺，斷崖絕壁，那湖光山色，小橋流水，依稀眼熟，彷彿舊識，該是祖國何處名勝？那奇峰峭立，怪石嶙峋，標示陽朔風光，記起「桂林山水甲天下，陽朔山水甲桂林」，原來是天下第一景！每盆布局幽雅、配置巧妙的盆景，有時像一幅立體的畫、一首具體的詩。別看是雕蟲小技，能經營一盆富有逸趣、引人神遊其間的盆景，不僅胸有丘壑，還要具有詩人情懷、畫家筆意，以及深遠的故國之心。但願我亦能臨摹一二。「隔水青山似故鄉，亂峰深處是吾家」；也將那家園勝景搬來陳列庭園，供在案頭，以供晨昏神遊，聊慰鄉愁於尺寸間。

樹有千姿，那是當它還是有生命在成長的「樹」時，有葉子裝飾，有花和果實點綴，真是多采多姿。沒想到當它斲斫成「木」時，竟也是花樣百出，那些拙樸的禿樁，虬蟠的老根，像山獅發威，像大鵬展翅，像巨蟒糾纏，像某種模型，像新潮雕塑。樹可以在泥土中活很久，木也可以在地面上擱好久，不管有沒有生命，總存在於空間。石頭所展示的形狀，並不如它所標揭的那樣怪奇。塊然楞然，都是些玲瓏剔透、晶瑩光澤、石紋斑斕、精緻可愛、供人玩賞的擺設，但缺少那份崢嶸的風骨、莊嚴的氣象。就如人貴在獨特的性格一樣，山石不就貴在那份嶙峋的風骨麼？

「唯有黃花晚節香」。說到菊花，總讓人聯想起開在金風蕭颯中，那種傲然獨秀、超群拔俗、清逸高雅的韻致。可是，看到那排列在長長的布篷下，那浩浩蕩蕩，又是怎樣一支裝備一致、整整齊齊等待檢閱的花隊伍喲！單獨看，一朵朵花兒可真豐盈、肥碩，怕不有湯碗那麼大！有的花瓣密密攢集，有的長短參差不一，有的瓣端舒卷自如，像海底章魚；有的瓣尖彎彎折攏，像一枚枚金鉤。燦燦的黃，斑斑的白，華麗的紫……果然是花團錦簇，十分壯觀。卻嫌它呆呆板板，彷彿鋪展了一條厚厚的織錦花毯。原來一朵朵全箍著鐵框，支著竹桿，每盆三朵一樣大小一般高，十盆百盆還是一樣大小一般高。不知栽花人哪來的聰明主意，都約好了讓生動的鮮花開得像假花，剝奪了它天賦的韻姿。看花是雅事，蘭花更是最高雅的花。進入芝蘭之室，賞花的雅人似乎比西門町的俗人更擁擠。困在人叢中只能在項背上、縫隙裡窺一眼閃露的豔光霞影；待豁然開朗，光彩耀眼的花丘就堆在眼底。洋蘭就是豔，豔得豪華，豔得絢麗，二三朵一支，三五朵一叢，全開得灼灼有神，顏彩最多的還是紫，自深沉的茄紫，光澤的葡萄紫，發亮的貝殼紫，瑩澈的水晶紫，起暈的琥珀紫，古瓷瓶的青紫，蝶翅的粉紫，到淡至欲無、透明若水的紫……當洋蘭競相鬥豔爭妍時，高潔的國蘭只靜靜地在一旁恬淡自娛；在滿室花氣氤氳中，一縷縷清清幽幽淡淡雅雅的幽馨，竟然那麼若即若離，若有若無地透過所有的芬芳，沁入肺腑，怡人心神。一朵朵素淨淡雅的嬌小花朵開在纖長的莖梢，就像一隻隻玲瓏的蜻蜓、輕巧的蛺蝶，輕盈地駐息在梗上；受驚即倏忽起飛。讓人記起鄭板橋的：「此是幽貞一種花，不求聞達只煙霞。」看的俗人那麼擠，真怕濁氣會薰得它們離莖飛去幽谷隨煙霞。

狀元紅，這名字好古老，古老得染著歷史性的陳舊香味。那一個悠遠時代的榮耀，卻是滿枝密密纍纍細小勻淨的紅果實。小小紅果子，牽引起一個熟悉的印象，印象又串連起一串回憶——那是我的也是妳的，屬於我們這一代的歲月，那不叫狀元紅，叫天竺子。每當天竺子伴著澄黃若透明的蠟梅，供奉在大廳天然几上的天青花瓶裡，正是農曆新年，新春又包含著多少意義：美麗甜蜜的家園，歌舞升平，安居樂業的日子，恬淡自適，閒情逸致的生活……很想捎一盆小小紅果子回家，但是，又到哪裡去覓得與它搭配的雪中蠟梅！

天堂鳥，極樂之鳥，噢！這名字取得真好，這花兒也美得出奇；寬長的葉片看似薑花美人蕉，纖圓的莖梗從葉底一直向上竄，秀秀長長，高高挺挺，而花朵就在頂端傲視群儕，燦然綻開。那是一種火焰的噴射，六朵灼灼燃燒的橘紅火焰；那是一種展翅飛翔，亦如鼓翼待飛的彩鳥；那也是種引頸長鳴，長頸上頂一頭橘色間藍紋的羽冠，紫棕色的巨喙戛然張開，真個是鶴鳴九皐。天堂之鳥，極樂鳥，那來自遙遠的南非嬌客，沒有一種花能比得過它的生動、熱烈，而洋溢著生之歡欣。

傳說中，靈芝是一種珍貴的瑞草，鍾草木之菁英，稟天地之靈氣，吃了可以延年益壽，可以起死回生，甚至成仙成佛。這樣稀罕的植物之寶，也被珍藏它的人獻出來陳列於百花叢中，從最小的直徑三四寸到最大的竟有二三尺長，泛著暗沉的紫褐色光澤，古樸而又高雅，是誰的雕工那麼細緻，塑成這固體的紫檀木雲朵。噯！竟還有零賣靈芝，切得一片片裝在塑膠袋裡像是大頭菜，一片一百元。可是靈芝亦像有些肉莖植物可以割切來扦插？不、不是，是賣給人吃的，吃了延年益壽，長生不老。但來看花的這一會兒全迷於植物的生長，無暇花一百元買長壽。倒是一旁展示樹苗花秧推展處，人人搶著挑幾支蘭芽，選兩盆花草，把綠色帶進城市，把生意帶回家中，以補償對自然的渴望。

沐一衣襟花香，掬滿握蒼翠，真個是滿載而返。長長的通道上，人流一直絡繹不絕。來的一邊，去的一邊，摩肩接踵，魚貫交錯。分不清是哪一邊行進的人群中，飄來悄悄地低語。

——他老人家每天晚上仍在這兒散步。

——不是該在慈湖麼？

——大概住慣了，比較喜歡，還有這些花木……

說得那麼自然，聽得也那麼理所當然，相信同路的人也聽到了。離去，不曾離去；深摯的懷念不只是一種心情，是一種精神，已超越形質的存在。

一陣細雨，一脈秋陽，透過光霧織成柔暉一片，撒在樹上、花上、賞花者身上，秋風拂過樹隙窸窸窣窣似乎在低訴：無處不在、無處不在……

自士林歸來，在園中挑一角向陽地帶，我仔細栽下攜回的花苗，天堂鳥飛來吾家，且待花盛開時，摯友，請前來分享天堂的歡欣。

編註：本文原刊於《中華日報·副刊》，一九七五年十二月二十九日，第九版。

又待荷淨納涼時

那些慵倦懶散的日子就在薰風裡，在晚蟬聲中，在草長花開間靜寂地流失了，像東風掠過樹隙，像夏雨滴在地面，無影無蹤，更無生存掙扎的跡象。如果說疏怠一切生命的活動是唯一治療，已令我厭惡。昨天，我終於又抖落性靈的積塵，迎著晨光，披一身金色的柔暉，去赴一個隔年之約——荷花小聚。

摯友，記得我曾為妳報導過、描述過，那俯臨荷塘的長廊，也便是匯集古今文物的樓榭。是前年仲春，我甫從兩千多年以前的泥塑木雕、古鼎銅器，從典雅的國畫山水、濃豔的新潮抽象中鑽出來，越過時光隧道，迷迷糊糊踏上正廳的長廊，迎面另一巨幅鮮明生動的寫生畫深深吸住了我，是那一排敞亮明淨的長窗。髹漆木框，框一框藍天、白雲！遠遠近近的樹，迂迴花架，還有盈盈一池塘翠荷。不管是透過玻璃或直瀉進來的光線裡，涵泳著幽幽邃邃的綠意，彷彿流溢於雕樑承塵間，越向前走，綠意越是擴漾；待俯身在一扇敞開的窗前，人便由觀畫者溶進了真實的風景。

走進風景，也擁有了蓮池。說「擁有」並不是誇張，想妳總還記得，在我們家鄉蘇州，河流密布，縱橫交織，幾乎到處有荷池蓮塘，站在池塘畔，只見擠擠攘攘一大堆綠得化不開的荷葉，簇擁著朵朵雍容高潔的蓮花，重重疊疊，密密層層，就在腳前舒展綿延，儘管踮起腳尖，翹起下巴，總也望不穿、看不透，那是岸上觀花。走上橫越池塘的九曲橋，倚著水榭、湖心亭的雕花欄杆，人就被圍繞在荷叢中央，花葉掩映，清香浸滲，已是沉醉。而居高俯臨，卻將整座蓮池完全攬入視野中。每一枚蓓蕾的新姿，每一朵花的韻致，每一片葉的丰采，還有梗和莖的精神，更是清晰可辨，那又是另一種豪情逸興。記得其時正是仲春，新綠溢池，圓潤的荷葉高高低低擎起玲瓏翠傘，密密蓋滿了一池污泥。卻是傾側、斜倚、平平舒展、拳拳斂攏，一片有一片的姿態；無風時遒勁挺立，微風裡招展搖曳。忽然一陣粗獷的風掠過，一霎時只見葉片紛紛翻騰偃臥，掀起綠浪壯闊起伏，寬葉豎立半邊成直角彎折，承受陽光的反面葉底泛作金紫色，陰影下的半邊轉成暗綠；瞬息變換閃爍，彷彿在玩弄色彩與光影的魔術。一根根參差俏立的蓓蕾，卻像一支支筆端蘸滿了淺紅粉彩的巨型羊毫。靜止時筆尖指著藍天，正待機而動，風一來也跟得左右前後搖晃，有如誰執著在臨空迅疾揮毫，寫意手法，灑一筆潑墨，潑下淡霞，潑下粉白，潑下天的澄藍、陽光的鑠金……風稍停，立刻又平復一片亮麗的青翠，一支支白裡透紅的蓓蕾，俏伶伶挺立翠葉叢中。那份綠意，更盈盈四溢，直泛上樓頭——是服務小姐端來一盅甫泡的清茶，把自己從忘我的目迷神眩中喚回。

檀木方桌上一盅原泡茶，不是一杯咖啡，或是一杯可樂，純粹中國典雅的茶盅。線條圓潤的蓮蓬式，綠和黃的碎雲如意花紋，環繞拱襯著紅色「福」、「祿」、「壽」字，同花紋的蓋和茶碟，精緻中透著古樸的趣味。左手端起茶盅，右手稍稍掀開碗蓋，一縷清香隨著熱氣裊裊浮升，輕輕吹開茶葉抿一抿，淡淡的苦澀中似有些甘味，口頰餘香……噢！摯友，那香氣不僅是茶葉，蘊有古老文化的氣息；那甜不是水甜，摻有兒時回憶的蜜汁；那苦也不盡是茶葉，而是離愁無奈的況味；當我端看茶盅，坐在靜靜的長廊，面對著紅柱雕欄，一池翠荷，忽然間心血潮湧，胸臆激盪，那情景，那氣氛，依稀讓人想起幼時隨父親去蘇州幽雅的林園——「留園」、「拙政園」，在水榭、湖心亭品茗賞荷的情景！

從塵囂繁華中，從現代文明的急流中來，領略一份屬於東方文化的醇厚，對著一池淡紅翠綠，俗念逐漸澄淨，心境漸趨恬靜，正如張潮在《幽夢影》中寫的「蓮令人淡」，一切煩慮、物欲，自化為淡泊。「心無欲物，即是秋空霽海」，人生又有多少次能達到那樣的境界？縱使是剎那片刻間。

啜一口香茗，啜一份思古幽情，啜一陣蓮荷清馨，啜一份悠閒逸致；就從那時起，我深深戀上了這些，不只為畫展。

第一次荷花之約，相約於去夏荷花盛開時。我也約了菡與露。雖然同在台北，一兩年不見面不算稀罕事；能一起賞荷、看畫、談心，又該是多麼美妙的時刻！對著「出淤泥而不染」的蓮花，總使我覺得它象徵某種高潔的情操，完美的人格，而對我所心儀的友人，常常也會產生這種微妙的感受！

但那一年夏天過去了，那一年也過去了，樓頭之幻在寤寐中。今年，今年自春至夏，我苦於被宿疾頻頻糾纏。盛夏時妳自南北上，來卻是為了離去。匆遽握別，來不及探訪一下蓮花，離情更比蓮心苦。直到昨天，我走赴荷花小聚，長廊依舊清清靜靜，只是，緊閉的玻璃窗外，滿地翠綠，已顯得黯淡憔悴，疏疏朗朗參差其間，是一枝枝瘦弱伶仃的蓮蓬。

花開原不是為了顯美，而是準備果實；絢爛過去，締造平平實實的收穫。看花是美的喜悅，看蓮蓬是豐盈的充實感。清癯的精神和綽約的丰采各有千秋，惱只惱自己總是事事遲緩，行動不能配合心念，未曾抓住時機。失去了一季夏，也失去了一番燦爛。

如同生命中的任何季節，又何嘗抓住過燦爛！

原先來看畫而意外地看到荷塘，為著荷花而來又何妨欣賞欣賞蓮蓬！蓮蓬，在我的印象中一直認為是最富含蓄之美的果實。那翠綠色蜂窩似的蓮房，填襯著彈性的海綿墊，保護那一粒粒玲瓏的翡翠錠、晶瑩的白玉顆，簡直是一件藝術品。小時候剝吃蓮蓬是一份愉快的享受，留著蓮房吹乾還可以洗硯台，還記不記得在家鄉農曆六月二十四日蓮花生日到葑門荷花宕遊塘賞荷的雅事。七、八月間採蓮藕卻是種荷人家的大事。偶然去鄉下正逢上這樣的大事，站在岸上楞楞地看採蓮姑娘划著木盆，撐著小船，逍遙自在地在荷葉叢中穿梭來去，一面唱歌，一面採摘，真教人打從心眼裡羨煞！不過採藕卻沒有那麼輕鬆，蓮根埋在深深的污泥中，是一種長長的葡萄莖，每一節上都萌生葉和花。眼睛看不見，鋤頭不能掘，莊稼漢就光著腿在泥水裡慢慢摸索，仔細辨認出那些幼嫩的「終止葉」。在終止葉的前端，才是藕生長的地方。

一面是終止，一面是生長，蓮也有它的一套生存原則哩！

一支支頂著個小巧的圓錐，纖細而勁韌地挺立在葉叢中，無動於秋風。當荷葉逐漸萎零，蓮篷卻因為孕育種子而日益豐碩。看荷花是欣賞高潔的韻致，看蓮蓬是領會擢拔的精神。

窗外蓮蓬亭亭，廊上絮語輕輕，茶盅乾了又一次次悄悄斟滿，歷史文物的幽馨薰陶中，連服務的女孩子也賦有嫻靜安詳的氣質。啜著淡淡的香茗，啜著思古幽情，啜著遄興逸致；當綠茶啜成清水，盅底仍剩有如許遐思冥想。

想起兒時故鄉蓮塘，想起太平洋彼岸的異鄉客。噢！摯友，池中沒有蓮花，座中缺少了妳。

記得臨別時妳許下一年歸期，一年後，不正是荷花盛開時？我們都喜歡杜甫那首：「竹深留客處，荷淨納涼時；公子調冰水，佳人切藕絲。」小園剛栽下數支新竹，還不知幾時能綠蔭留客，且讓我們期許來年「荷淨納涼時」吧！

記取來年荷花之約，好教蓮蓬作見證。

編註：本文原刊於《中華日報・副刊》，一九七六年十一月十九日，第十一版。

夢迴天涯芳草遠

此刻，秋蟲唧唧，夜涼如水。我走下燈影闌珊的堤岸，乘上友誼之舟，航向妳……

妳可知道，當新聞傳來妳去的那兒奇寒侵襲，冰雪封鎖，多少城市陷於癱瘓的消息，我不禁為妳擔心；擔心二十多年來已被台灣半熱帶氣候嬌寵慣了，是否抵禦得了異域的酷冷？當杜鵑花開遍城裡城外，我想告訴妳一些祖國土地春回的音訊。白妍紫奼千萬枝，唯有那屬於原始本色的朱紅花朵，最能喚起鄉愁。妳總還記得：在我們家鄉每年清明節乘船去鄉下祭掃祖墳，或是郊外踏青尋春，那火焰般灼灼開滿山坡的映山紅，湖光花影裡都曾閃映著你我金色的童年。當我情緒低落，被困於思想的死谷，只想向妳訴一訴心底的鬱結。而多少個黃昏裡，人靜後，心潮起伏間，拋卷凝神時，默默地思念著地球另一邊的妳，自然，妳不會知道這些，除非真的有靈犀一點通。因為，因為我未曾付諸筆墨，寫下隻字半句。如果有人發明「錄思機」能錄下意念，發明「影印思想機」能複印下思想多好！隨思隨錄，迅即原版傳達或留存，一定遠比假借文字轉播更真切、更完美。而我只要費貼郵票之勞，妳就隨時可以收到我的問候和祝福——這不是故意胡謅，只求妳別氣我老不寫信。我承認近來筆底下的確十分疏怠，是健康、是心情、是生活……削弱了我的體力，也使我心靈疲憊。沉默讓我覺得自己倒像一具會行動的史芬克斯。

唯有妳的信，妳那生動、親切，充滿熱忱的來信，冬天是一汪越過太平洋的暖流，夏天是一股吹過高山崇嶺的清風，常帶給我溫暖和清新的喜悅。

可是，展讀這次來信，只覺得那幾頁薄薄信紙在手中卻越來越沉重，滲透在字裡行間的哀傷也壓在我心頭。原以為像往常一樣，又可以分享妳的思想和眼睛所看到的異國風光、妳的心靈所體會的美好事物，分享妳融融的天倫之樂，再也沒想到竟是滿紙辛酸。

做父母的盡心呵護兒女成長，使受教育，出國深造；然而，學有所成，在海外成家立業，自創天下。彼時做父母的勞瘁半生，也自工作崗位退休，寂寞倍思親，於是擱下家園或結束老窠，興致滿懷骨肉團圓、共享天倫的希望，遠赴國外去和兒子媳婦、女兒女婿一起生活；結果，相處不到一年半載，懷著受傷的感情，黯然返國——像這一類大同小異的故事，近年來已不知聽過多多少少。雖然不清楚究竟是什麼傷了妳的心，以致賃居獨居；猜想不外總是思想觀念上的距離和出入，生活中的一些摩擦和誤會，冰凍三尺，非一日之寒。果真如此，妳也不必太生氣，何不先平心靜氣退一步想一想，事情是怎樣演變的？妳的愛心不夠嗎？妳付出的心血白費了嗎？還是妳給予的教養不對？不然，一手撫養大的孩子怎麼驟然變了？不，相信妳的愛心和教養都沒有錯。人呢，不依然黑髮黃膚，眉眼神情間自有肖似妳的地方，除了更成熟老練，當然也不致會變質變形。只是，妳也許忽視了關鍵性的這一點：「改變人類歷程的，乃是一個觀念」；而「思想、觀念是自他所生存的環境中離析出來的」。當初，妳撫養長大所給予的是一個環境——那個我們這一代都熟悉的崇尚倫理道德的環境；可是，當他們自創天下時，卻生存在另外一個完全不同的環境裡。許多年的適應、感染、薰陶、潛移默化，當一種觀念逐漸形成，另一種便逐漸退隱……也許是由於早年不夠深植，未能定型；也許是太年輕，意志薄弱，未曾防範那種侵蝕性。這是個機械文明突飛猛進的時代，也是個人類物欲橫流的時代；尤其在那個國家，人人致全力於功利的追求、物質生活的享受。這份壓力太大也太費心機了，可憐他們已沒有時間和心力去返顧感情那樣細緻、人性那樣嬌貴的抽象東西。妳又何必斤斤較量？培養下一代是做父母的責任，使生命延續是為人的義務；已經盡了責任和義務，可以期許，卻得不指望、不要求、不依賴。愛原是無代價的付出，無條件的給予；如果兒女能回報一份愛心、一份關切、一點諒解、一點體貼，那是額外的收穫，得來才覺得格外珍貴。

摯友，妳知道不？我最佩服妳的就是妳不僅有才幹，而且有果斷、有魄力，尤其是在性格中欠缺點堅毅的蘇州人中，妳是傑出的一位。因此當我讀著妳寫的……身處異國，孤苦無依……這些字句時，像一針針扎在心上，真有說不出的難受。比妳感情上的一些挫折更使我難過的，是妳似乎忽然間變得軟弱，變得自我憐憫，不像平時那個有獨立性格，熱愛生命、熱愛藝術而勇於接受生活挑戰的妳。如果妳不硬把無依、無助，這類字眼和想法跟「孤獨」糾纏在一起，孤獨不但不可怕，而且有它無比的尊嚴，與絕對的自由。存在主義者如是說：「人除了他自己之外，不能信賴任何人。他在世界上是孤單的……除了安排自己之外，沒有其他目的，除了自己鍛鍊自己之外，也無其他命運可言。」話也許稍嫌誇張強調，不過，人若不能安排自己、鍛鍊自己，誰又能來代替呢？

還記得去國以前，妳曾約略跟我談起妳的嚮往和構想：將以休閒之身，如願以償地去尋訪和觀摩那許多渴慕已久的世界名畫、藝術品，可以重新提起畫筆，渲染彩色人生；或許，再與友人合辦一個中國人的小小畫廊。行前，妳幾乎送盡所有日用品和收藏的身外之物，大有千金散盡不復返的決心。雖然我覺得妳做得稍嫌過火，仍舊為妳高興，高興妳為家為兒女勞瘁半生，終於擺脫羈絆，從現實生活中贖回自由，恢復妳原來的真實價值，再一次自我創造！噢，且想想妳等待這一天來臨，已耗費了半世紀的光陰年華，還不該好好珍惜、百般重視嗎？焉能由得情感上一點小小的挫折，便讓沮喪的情緒損害妳、阻礙妳、蹧蹋妳寶貴的機會嗎？

別懼怕接受孤獨，孤獨不是無依無助，而正好幫助妳找回內在真正的自我。唯有懂得真正的自我，才更能把握自我。還有人稱讚：「孤獨是不受任何人侵犯的和平，不受任何人干擾的自由，在那個安詳、寧靜的世界裡，妳是自己絕對的主人，是國王，是庵主，也是燈塔守者。」忍受孤獨也是一種精神上的鍛鍊，唯有當孤獨的感覺侵凌欺壓時，才能產生對於至善的欲求，而昇華成藝術最扣人心弦的創造。

別再為那些小事介懷，當妳給自己另一次機會，就鼓起勇氣，振作精神，專心一志去做妳一直想做的事吧！盡量把握時光，用妳的思想、心靈和眼睛，去欣賞異國綺麗的風光，欣賞豐富優美的藝術品，欣賞一切新奇和美好的。以及妳自己——當妳發揮妳的才能，畫出妳的感受和思想，畫出這個大千世界時。

摯友，這是妳的人生，妳已貢獻自己，對責任有所交代，現在，妳是為自己的存在、理想而奮鬥。別忘了妳去國是探訪，不是投靠，是旅遊，不是放逐。如若已滿足於心靈的滋養，那就帶著美好事物的記憶和回響，回來妳心所駐留的地方。祖國的土地會安撫妳疲憊的心，友誼的溫馨將溶解妳的孤獨——

海上風濤闊
扁舟好自持

編註：本文原刊於《中華日報‧副刊》，一九七七年九月二十日，第十一版。

一切繼續中

今晨，璀璨的陽光又帶來爽朗明淨的秋朝。小小陽台掩映在珊瑚藤綠蔭裡，那些纖雅玲瓏的蜂鳥，細小的蜜蜂，正忙碌地穿梭啜飲於一簇簇翹揚、一串串懸垂的粉紅色花朵間；而我，便靠坐在斑斕疏落的光影中，臨風致意，好想捕捉這可愛的光景，隨同我的祝福一起向妳抒寄。

且看我這一筆歪歪扭扭的字，只緣甫從生活的放逐中回來，仍有點軟弱而生疏。那些日子，被摒棄於工作、愛好、身心活動，以及一切日常的瑣事俗務。牀是囚禁我的孤島。那些日子，聽到電話鈴、門鈴，震撼著寂靜的空間，只能在心底激起一圈圈歉疚的漣漪，時間是空白，感情是空白，思想是空白，心情的沮喪遠勝過軀體的痛楚。已經是夠小心的了，將鞭策自己的鞭子扔在一旁，事事適可而止，擱下多少工作，放棄多少情趣，忍耐多少消蝕心志的沉寂！又多少次婉辭稿約說自己「正在保養中」，心裡總想等等，這次一定要等身體好透了加倍補償。一個秋天又一個秋天，慢慢地覺得自己夠健朗了，剛開始活動活動身肢，重新磨練磨練筆尖……防不勝防，又一次來勢洶洶地突襲——宿疾新症，會師一朝。幾乎完全摧毀了我的信心和鬥志，一切待進行的又擱置下來……吾友，我一向不相信命運，但似乎乖運常追隨我。這一生，一直在與痼疾對抗搏鬥。宇宙那麼廣博，世界那麼繁富，人生那樣多采多姿，而我生存的範疇卻越來越小，行動受牽掣，興趣被阻限，就連那份寫作的愛好，也由當年焚膏繼晷的狂熱，逼降為不熬夜、不限時，而不得不時斷時續。從埋首伏案孜孜耕耘，退而轉移陣地到一塊木板擱在膝頭，隨「氣」之所至寫寫停停。而它，依舊緊迫釘人，毫不放鬆。每次，從不同醫院、不同醫生哪裡得來的，不是治療肯定，不是特效藥，總是一聲揉著鼓勵和無奈的忠告：「要自己多保重！」

說也巧，近幾年來文章果然越來越少，卻越來越喜歡選擇成一系列的寫作方式——文字技巧、內涵性質都屬於同一性質而又各具風格的作品。像最早的小說《夫婦們》，散文《生活小品》和《浮生散記》，暫時擱置的「你我的書」，正在寫寫停停的：「忘憂草」、「懷鄉草」、「倚風樓書簡」、「日光頻道」；儘管光說不練，卻還擬了好些計畫寫作如「遊牧吟」、「物情物趣」、「現代生活之癌」以及「蒔花情趣」、「成長之歌」、「我家愛寵」等等。雖然這樣分門別類，選擇題材的寫法有點像鑽牛角尖，倒也樂此不疲。誰知身體內也有「一系列」的呼吸器官正在大做文章；而且有懸宕、有驚悸、有疑難、有險句，曲折離奇、高潮迭起。奈何，卻全由不得我自己部署策劃。

以往，曾經歷過長長八年物質匱乏的抗戰時期，相信不少人多少都培育成一份克難精神。修修補補，整舊如新；拆拆拼拼，改造發明。直到如今，我還是保持這份自己動手的興致。近年來的萬能強力乳膠真是好東西，一隻給女工打掃時砸得粉身碎骨的老虎，經過我耐心黏補，又昂然峙立架上。遠看，還絲毫不見破綻。心愛的小花盆破了，黏上，花草仍然栽得生意盎然；茶壺碎裂、燈罩脫落，都給黏好使用。自然，這過程中也有不曾黏牢，沒有乾透，或浸水潮濕，或碰撞又壞了的。妳問我感覺怎樣？告訴妳：我現在的感覺就像是一件剛剛黏補的瓷器，還不知道乾透牢固已未！

「沒有比在虛弱的肉體中想存在堅強的精神更為困難的事。」——那位黎巴嫩的詩人哲學家紀伯倫的話，深獲吾心。面對著豐富的人生，面對著廣闊的世界，面對著浩淼的知識海洋，不敢奢望創下什麼偉績，攀登什麼巔峰，擁有什麼榮華；只想啊，只想貢獻自己微薄的力量、付出自己熾熠的熱忱，能多一點心力和時間去領略生命的美妙，採擷人生的真諦，探討世界的奧祕。然而，能源不夠，小心電池就是盡量充電，發光和發熱還是有限。又像是有砂眼的皮球，不斷打氣，彈性卻總也維持不久。吾友，妳說，還有比這更教人生氣的麼？

幸好，我雖然一生匱乏——缺少健康和世俗的財物，卻還一直擁有與生俱來的原始的財富，對自然和一切美的愛好，任何花開草長，鳥飛蝶舞，白雲出岫，山青水流，小動物的姿態，嬰兒的笑靨，一件小玩意、一支音樂、一幀畫、一本書……常常都能帶給我單純的喜悅、心靈的滿足。就在此時此刻，外面是那我盼望已久的明媚秋日，陽光下該有多少可為、可行之事？我偏偏局蟄於斗室，獨自懊惱辜負了大好時光——但當我一抬眼望見窗口纍纍懸垂的花串閃耀在陽光裡，顯示它豐盈歡樂的生命——正是我一手栽種又以尼龍繩、鐵絲牽引上樓，以簡單的竹架攀緣成綠棚花蔭。如今，為我引來秋光明麗，喚來蜂鳥嬉戲，彷彿鼓舞我闌珊情懷，安慰我苦楚的身心。若不是因病得閒，又怎能仔細觀察到花串竟如此豐密繁富，低垂翹揚，各具韻致。小小蜂鳥竟如此靈活矯捷，攀緣倒墜在纖柔的花莖上，伴著金屬的鳴聲，尖尖的針喙一一啜飲花蕊；隨風搖曳，俯仰自如。感受到這一份生命的喜悅，躁鬱漸漸轉為寧靜。何況，枕畔有妳的來信，牀頭櫃上散置著新書、雜誌和美麗可愛的小卡片。究竟，我並未完全被世界放逐，人間些許溫馨，有時常常是鼓舞心靈的良藥！

噢！是的，我會暫且放棄那些已經失落損壞的，而更珍視仍擁有的這些。儘管生活的天地越來越小，至少，思想的領域依舊無窮大，心靈的長空依然無限寬廣。縱使時而有陰影遮掩，煙塵蒙沾，當愁霧散去，又將是清澈明淨，雲淡風輕。病中，我一直記取那位英國作家吉辛的話：「病不能影響靈魂，靈魂才是永久性的，身體只是心的衣服或茅舍。讓肉體受痛苦去吧！我、本我，要站在一旁，做我自己的主人。」「病，就讓它留在病的部位，不要滲透到腦中。」既不能做健康的主人，只有盡力繼續去做情緒的主人吧。要在虛弱的肉體中保存堅強的精神固然有困難，卻總比重新再塑造一個健康無缺的軀體更有可能性。寫到這兒，想起不久剛讀到一則介紹美國多產作家艾吿穆的小傳：當他知道他自己生癌時，擔心的不是自己可能死掉，而是怕壯志未酬，向生命繳一份成績低劣的報告單；在接受手術前，還在醫院趕寫了一篇小說。這才叫精神可嘉哩！

多謝、多謝妳的殷殷關懷，但我無法肯定地告訴妳說即將痊癒還是仍在進行；因為，這期間常是「緊急突變」和「穩定狀態」的循環，也可以說是繼續中。是的，地球繼續運行，太陽繼續升降，萬物繼續孳孳不息，一切都在繼續中；只要一息尚存，所有屬於生存的權利，心靈的活動，目標的追求……也都在繼續中。

而每次從「突變」到「穩定」，從躁鬱到寧靜，雖然身子骨那樣虛虛怯怯，內心深處反有一種被濾過更新的感覺。似涓涓澗水，濡濡濕潤涸乾的死谷。

吾友，當妳讀到這些凌亂的心聲時，也許，我又已沾兩手泥土，在扶植那些被冷落了的花草；也許，我又已揮動塵帚，拂除案頭殘稿累積的塵灰，請為我祝福吧！

編註：本文原刊於《中華日報・副刊》，一九七八年一月八日，第十一版。

只是將息

一季秋收，一季冬藏，又一季春耕。而妳，心弦似已瘖啞，妳的靈田似已荒蕪，妳的筆犁似已生鏽，妳在哪裡，竟如此沉寂？

噯！多謝，多謝賢者的責備。那許多散失在風裡雨裡不留痕跡的日子，我不在別處，只悄悄隱遁於修行——請別誤會，不是屬於佛教信徒的修正果、修來世；卻是修得心理的均衡平靜。能不為俗務煩慮，能不為感情激動，能超越日常繁瑣，修得自我治療。一面壓抑自己，減少生命的各種活動，以免缺氧受傷害；一面放鬆自己，讓思想如輕風流水，行動如閒雲野鶴，只是將息在書本和花草之中，徜徉在天空和大地之間。

潛心修行中，擁有如此兩位親密可愛的沉默伴侶，倒是真正享受了一段恬淡怡悅的時光。我喜歡將一粒粒微小的種籽撒入土中，看它突破泥封，竄出嫩芽，分享新生命成長的喜悅；我喜歡將一截截剪枝斷梗扦插土中，看它又抽枝萌葉，死而復生，深深領悟生命力的堅韌，無根而能生存，是多麼悲壯的勇氣！

日復一日，我將心愛和期許如同肥料融入清水中，殷勤灌溉。彷彿感受到它們正欣然吸吮，滲入細緻的纖維，滋潤根莖和葉片……曾幾何時，點點綠意已是青翠蔥蘢，濃蔭綠叢中，更番綻放一串串、一朵朵鮮豔的花朵。儘管生命是天然，卻都經過我播種栽植。畢竟不是兩手完全空空，我已將我的靈感寫在泥土裡。輕紅翠綠有我的份。

洗一洗兩手泥土，我又回到書本，浸沉在優美的字句、奧妙的哲理、動人的情節裡。那些智慧的光輝、思想的泉源、感情的暖流，照耀我、灌溉我、滋潤我，就同花草吸吮著陽光和清水一般，絲絲滲入心脈，滴滴融入靈田，自覺分外充盈……

書本是沉默的，但它蘊發著智慧的光輝。

花草是沉默的，但它散布著生命的喜樂。

泥土是沉默的，但肥沃的大地孕育著萬物，生生不息。

蒼穹是沉默的，太陽是沉默的，真理也是沉默的。

唯有和諧的天籟，美妙的音樂，才是悅耳怡情的聲音。

我又何必喋喋？

靜默中，生命之流運行不息，智慧之光熠熠灼爍，而我，我只將息在花和書之間。

一季秋收，一季冬藏，又一季春耕，現在已是盛夏，繁花綴滿金色日子，自然正醞釀另一個豐碩的收穫季。當我拋卷綠蔭下，神馳雲天外，也自覺得心際靈思閃閃，意象繽紛；

卻一任它如輕風吟唱樹梢，漣漪織錦水面。有人說：「思想是空靈的，一發為文字就著跡了。」那麼，就暫且讓它保持空靈吧。

我一直心折泰戈爾那兩句小詩：

樹葉有沙沙的聲音去回答風雨，可是你是誰啊，這樣沉默？

我只是一朵花。

讓我告訴妳，關心我的朋友，不管來日是陰是晴，目前，我只想做那朵沉默的小花。

編註：本文原刊於《中華日報・副刊》，一九七八年七月二十八日，第十一版。

寄我一朵鳳凰花

央求妳，我南方的朋友，妳不需回信，也不必問我什麼，只要寄一朵鳳凰花來。不管是枝頭現摘，抑是地上拾取，一朵完整的花，放在潔淨塑膠袋裡，限時寄給我。

噢，只是一朵鳳凰花，對我，卻蘊藉無窮。二十年韶華，幾度星霜，生命中的甜蜜和憂傷，人生的坎坷和衝激，幼小一代的成長，年輕的少壯而哀樂中年。數不清守著寂寞耕耘的晨昏，數不清刻劃思維的朝朝暮暮，數不清平靜如止水般悄悄流去的時光……這些、那些，都曾映照著綠蔭，閃耀過花顏，一年又一年——

台北不是完全沒有鳳凰木。就在我住的長巷口上，有一家便在院落種了一株，經過時，總忍不住要望一望。五年來，枝葉已高聳出牆，蔭覆如傘，可是，從未著一朵花蕾。今年，夏天又將過去，仍然花訊沉寂，消息杳然；而我已渴望得心尖酸疼。央求妳，吾友，請速寄我一朵；解我相思，止我渴慕。也好讓我自花的韻采，回味一次舊時歲月，重溫一遍往日情懷。

猶記得二十五年前夏末，倉促自屏東遷往小鎮。吉普車在炎陽烤炙的公路上奔馳了一個多鐘頭，人畜（貓狗）彷彿都將融化。忽然轉入一條綠沉沉的林蔭道，兩旁蟠虬盤踞的樹幹向上縱橫伸展，叢密的枝葉在半空中參差相接，形成一座濃蔭遮掩的拱道，幽幽邃邃，筆直向前延伸。細緻茂稠的葉隙間，還閃爍著將凋未落的鮮豔花朵，路旁樹根下也有層層落英，風過處，更有三朵兩朵輕盈飄舞，似彩蝶翩翩翻飛，又悄然墜落車篷上、地下——一瞬間只覺得心平神怡，暑氣全消。噢，那就是我一住二十年的地方——我們的村子。

屋子很狹隘，卻擁有座種有兩株老榕樹的L形的院子。第一個心願就是，我也要栽兩株鳳凰木。

陸陸續續，栽下不少花樹，卻沒有鳳凰木長得那樣快，那樣茁壯。在朝南的籬畔，相距約莫一丈左右，我並排栽下了兩株幼枝，第二年，甫比人高的樹梢便已綻開了一簇灼灼紅花。這以後，一年比一年竄高、擴展，早便壓過了右側的玉蘭、左邊的聖誕紅，初春開始，就逐漸撐開越來越稠密的綠蔭，到初夏時分，茜紅的花朵，閃閃爍爍燃燒在樹顛，光焰沖霄。孩子們喜歡在樹蔭下擺家家酒，一小碟紅豔的花瓣，一小碟青翠的葉片，還有一些野莓和小酸果。扮結婚拜堂時，小新娘插戴一頭喜洋洋的鳳凰花，知了在樹頂叫得一片價響，小手小腳搆不著，便在樹下抓一隻碧綠的金龜子，或是披一身點點盔甲的天牛，繫上棉線，看牠飛一個迴旋又一個迴旋。靜靜的晝午，那個胖阿珠便端一張竹椅靠著樹幹打盹，全不管蜜蜂在左右呶呶不休。更有小半樹蔭遮落在籬外路上，常有牛隻在籬畔閒閒散散啃著青草，銅鈴串起悠悠忽忽的時光。補皮鞋的來了，便揀那蔭處擺開攤子，叮叮嗒嗒敲一個上午；爆米花的偶爾也停在哪裡生火烤米，不時的爆炸聲卻惹得狗兒怒叫，雞們驚惶。男孩們愛在水溝裡捉蝌蚪、釣青蛙。夏天過去，花朵開始慢慢凋落，小白貓活潑地跳躑在落花堆裡抓蚱蜢、捕蜥蜴，紅白相映，那情景，真是幅鮮明生動的圖畫。到冬天落葉時，那細細小小、又輕又薄的葉子，卻是最不容易打掃，只好隨它留在地上，化作春泥更護根。

我在鳳凰樹下添了間書房，書桌就擱在南窗前，花葉扶疏掩映，抬眼隙間，透過天光雲影，俯首案頭，剪碎陽光斑斕，風起時，樹葉沙沙低語。伴著筆尖劃過一行行格子，留下生命的轍跡在煙雲塵埃中，日復一日，年復一年——

那條鳳凰林蔭，一端通大路，一端引伸過小橋溪流，是村子出入必經之途。每次打從那兒經過，總有些不同的感受：春天漾著柔柔的輕蔭，漾著鳥語的漣漪，兩旁的菜畦和番薯田綠意潤潤，心頭也添一份清新的滋潤。夏日炎炎，那一片濃蔭匝地，風透過樹隙吹在身上，不汗自清涼。秋天怎樣豪華地踏過織錦繡花地毯，冬日看一株盤錯蟠虬，奇崛樛曲的光枝幹，又如何遒勁地支撐著澄碧的天宇，顯得高曠軒朗。而陰雨的日子，有霧的早晨，或日暮時分，看來幽幽邃邃，彷彿深遠無底，不知通向何處的神祕穴道。我最喜歡乘著三輪車悠悠通過。仰首翹望，陽光跳躍枝葉間，金、藍、紅、綠交互輝映，撲朔迷離，讓人目眩神迷，只想車子不停地向前駛去，路永無盡頭……

還記得遷去那年，我家，你家，和鄰居的孩子們、女娃娃都是雙丫辮，或短髮覆額；小男生則剃個傻楞楞的小平頭，就在林蔭道上爭著騎小三輪車，踩溜冰鞋。嬉笑衝撞，夾著大狗小狗在中間吠吵追逐，眾家兒童快樂融洽地玩成一片。隨著鳳凰木越長越茁壯茂密，孩子們小小的身軀揹上了大書包，三五成群，手牽著手，亮起稚嫩的童音邊走邊唱：「來來來，來上學。」要與枝頭的小鳥比嗓子。在數不清往返的腳步聲中，跨過多少次花開花落，孩子們換上了一律的白衫黑裙、藍短褲，小女生談笑著拾取花朵收藏在課本裡，小男生卻做成標本。彷彿不多久，又換上了筆挺的卡其布制服，船形帽俊俏地斜戴在頭上，騎著腳踏車並駕齊驅或前後成縱隊，輕疾地駛經林蔭道，敏捷的身手，充沛朝氣和活力。可愛的十七、十八，讓人覺得那花的豔、樹的青，那麗日、那清風，都是為她（他）們奉獻。青春，青春才是最清純而絢麗的美！

已沒有孩子在我家樹蔭下擺姑姑酒，抓金龜子。偶然，繞過綠蔭走進書房來，卻都是默默揀一部世界文學名著，看得暈頭轉向的少年書獃子。

沒有丈量，沒有比較，空間又如此寬曠無垠。年年賞花，誰又清楚花樹究竟長高長大了多少？自幼兒到青年，孩子的變化卻是如此顯著，只顧照料她（他）們成長過程中的身心健康，分享她（他）們成長的喜悅和驕傲；卻從不記取自己年華逝去，已漸漸進入生命的秋天。而除了花開花謝，時序輪轉，一、二十年來，小鎮也沒有什麼變化；淳樸、安謐、寧靜、親切、醇厚的人情味，彌補了精神文化生活的落後貧乏。在那一串平凡的歲月中，我默默地在紙上勾勒性靈的昇華，在筆下塑造人類明日的美景。甘於淡泊，止於原狀，以為心裡有「桃源」，處處是桃源；卻從未曾想到去為現實的明朝作安排。

然而，林蔭道上那許多穿梭來去，早出晚歸的年輕身影，忽然越來越零落疏遠了。有好幾年，似乎周期性的，只在鳳凰花開得最熾熠絢爛時，彩裙飄曳，像一群蝴蝶；英挺俊偉，似一群燕子；帶著青春的驕矜、青春的歡樂、青春的趾高氣揚，飛翔翱舞在花紅葉綠間。一個接一個暑假過去，終於，一個個飛離了鳳凰林，各自選擇方向，奔赴前程，創造自己的人生，儘管親情縈迴，童年難忘，又怎能留戀這一泓止水似的平凡？

已長大的一代帶著希望和歡樂走了，留下年長的一代，默默厮守著花落花開，日暮黃昏，平靜的村子更沉寂冷靜。鳳凰花卻依舊年年開得如火如焚，但走在蔭涼裡的身影已不再矯捷，踩在花瓣上的腳步已不再輕盈。

小院裡的兩株鳳凰木參差重疊遮覆的空間越來越廣。朋友勸我砍掉一株，左右端詳，總不忍下手。而書房裡卻早已望不到樹巔的灼灼紅花，只滿滿裝一框濃濃的綠。蓊蓊鬱鬱，溢進窗內，溢注於桌上的玻璃板。我就浸在陰影裡蘸著蔭翳書寫，染得滿紙沉沉，分不清是憂鬱還是辛酸——我忽然感到無比的疲乏，身心雙方的倦怠！究竟已二十年了，生命中的銳氣已消蝕，最菁華閃亮的也磨損得黯淡無光。

那一年我離開村子北上治療，五年未曾再回到南方。五年未曾回南方，五年不曾看到開得如火如荼的鳳凰花，畢竟，那一段歲月，在我生命許多逝去的時光上，已烙下不朽的印記。又怎能忘懷？央求妳，我南方的朋友：請速寄我一朵鳳凰花，解我相思，止我渴慕，但願還不太遲。

編註：本文原刊於《中華日報・副刊》，一九七八年十一月六日，第十一版。

曉窗窺夢有鳥鄰

我最喜歡醒在曙光微曦那一刻——不受外界的干擾，醒在黎明的寧靜，醒在心的安詳、肉體的舒坦中。不僅安眠消除了隔宿的煩慮和倦懣，更有著對新的一天開始的煥發。

妳知道，一向，我不是貪睡的人。年輕氣盛時，還常跟睡眠爭奪時間，覺得一天被白白占去八小時，簡直是生命力的浪費；如今，儘管睡眠已越來越薄如朦朧春霧，還是十分珍惜清晨自己醒來那一刻。那種有如過濾過的澄清、晶瑩和緩緩舒展自己心智的平靜安詳，該是繁瑣的一天中最美好的時光。然而，就當我北上成為倚風樓居民時起，便再也不能保持這份專有的、完美的寧靜——緣因我有了比我醒得更早的芳鄰。

也許，妳會說，竟有這種擾人清夢的鄰居，實在太可惡了。

是的，擾人清夢是實，倒是我並不覺得太可惡，只是有點惱，誰又忍心憎厭如此稚弱可愛的小生命呢？畢竟，牠們——我的芳鄰，只是一群快樂無害的小鳥。

南方居，二十多年來大小總是有個園子，少不了樹木花草，更少不了鳥，卻總不及這裡那樣眾多，那樣貼近，那樣與人類友善相處。想來大概是都市拓展太快，摧毀了牠們所有能棲息的地方，以致全聚集到郊區僅有的綠樹人家來了。尤其像我這兒花草叢密，樹不加剪，藤蘿到處牽纏蔓延，長日裡蔭蔭幽幽，靜靜寂寂，更是理想居處。枝椏間、藤蔓裡、屋簷下、窗櫺上……隨處是窠，處處是巢，幾乎弄不清是鳥棲息在我家，抑是我們寄居鳥之領域。且舉幾個例吧！冬天來臨時我去掉攀滿陽台的老藤，在扯下來的枯葉堆裡卻發現一窠孵出不久的雛鳥，難過得我接連幾晚都夢見老鳥繞屋悲啼。從此，殘葉枯莖一直要等到春夏間新葉長成了才自己慢慢落盡。飛揚跋扈的九重葛遮壓了扶桑和果樹，待修剪一番時，卻窺見枝葉深處還別有洞府，也只得由著枝枝藤藤，糾纏不清。小小樹蘭栽種得太靠近變葉木了，逐漸長大已分沾不到雨露，斟酌著是否該移植，不料那齊我胸高的矮枝上，竟也嵌著一座極精巧的草窠，隨著柔細的枝條款擺輕晃，我唯有躡足繞道，再也顧不得樹蘭的營養了。

說的這些，也還是衛星群哩，更有關係密切的，就緊貼在我牀頭枕畔，才一窗之隔。當我自南方移植的珊瑚藤剛攀上樓窗，牠們也緊跟著遷來了，大概是麻雀吧，而且實行大家庭制度，鳥多喙雜，很熱鬧。多年來息息相關，我已十分熟悉牠們的生活起居，想來牠們也習慣於我通宵達旦的燈光，和徹夜不停的輕音樂（驅逐噪音）。去年在窗旁裝了冷氣，夏天甫過，竟又被不賃而居，原來牆洞開大了，工人在旁邊填塞上保麗龍，聰明的小鳥就知道這種輕軟稍具彈性的化纖物溫暖舒適，苦心開鑿成雙層樓房，與我牀頭僅有一紙（膠紙）之隔。

悄悄掀開一角，飄下一支灰白羽毛，也不知屬於哪一鳥族。平時輕聲細語，嚶嚶唧唧，似乎因為擁有這樣一座安逸的窠巢，感到幸福極了。

麻雀實在是急性子的小東西，每天被吵醒時，光線陰陰暗暗，猶是晨星未落的時光，司晨的那隻便發出短促而具權威性的號令，一次、兩次……起初，反應是零零落落的，聲音裡帶著惺忪，隨著越叫越高亢，急促震顫的鳴啼，長腔短調一起迸發，像一鍋滾水似地逐漸沸騰起來，一片嘈雜的吱吱喳喳中，夾著欠身撞上玻璃，撥翅擦著紗窗，鐵柵欄上磨喙拭爪，這一陣喧騰，曙光才由青灰轉成魚肚白，微曦在牆上畫下扶疏花影，而遠遠近近，天空樹梢，別的鳥兒也早就迎著晨曦鳴囀啼唱，世界在歡欣鼓舞中甦醒了。

乍醒猶帶睡意，躺在牀上靜靜地，諦聽美妙的鳥唱，眼看曙光一分一分地變幻，變得亮麗，變得明燦，矇矓的意識也隨著清明，心靈與黎明世界的純淨、和諧、清新，化而為一。於是，一些詩句，詩的意境，如同晨風掀起漣漪般，自然而然地泛上朝霧甫消的心湖。

> 綠窗初曉，枕上聞啼鳥。
> 銀屏夢覺，漸淺黃嫩綠，一聲鶯小。
> 曉朦朧，前園（溪）百鳥啼匆匆。

渾不知是我進入古人詩中，抑是前人詩中已有我。

也有時正好是冬天，陽光滿室，鳥鳴千囀，我只貪戀著安逸和溫暖，遲遲未起；突然記取那首——

鳥鳴庭樹上，日照屋檐時，老去慵轉極，寒來起猶遲。

不禁又怵然驚起，畢竟，我們在心理上誰又承擔得起「老去」呢！

噢，別以為鳥雀都在拂曉歌唱，其實那只是為迎接新的一天所譜的序曲；待飛翔果腹之後，才是牠們真正舒展歌喉，縱情歡唱的時候。漫長的白晝，我在室內操作家務，閱讀寫作；鳥聲就像微風、陽光、花香般，不斷自敞開的門窗飄送進來。彷彿是什麼身歷聲四聲道，左右前後，一片細碎的啁啁唧唧，讓人也感受到歌聲裡單純的滿足和喜悅。有時其中一隻獨自引吭高歌一曲，然後若有所待地停歇；果然，遠遠的另一隻唱和著，隨著這樣互相呼應，遠的那隻飛近來了，可真是訴說不盡的傾羨之情。有的會越唱越激昂，歌聲節節拔升上去，洋溢著比小身軀千百倍的熱烈情緒，幾乎連周圍的空氣都熾燃起來，唱得人不由得不擱下手邊的事凝神諦聽。生命當真像歌頌的那樣美好麼？有的卻幽幽嫻嫻地唱得那樣婉轉曼妙，甜美的旋律像是花瓔的雨，輕輕柔柔地從天飄灑降落；更有時一串嘹亮清越的音波閃亮似地掠過空中，那是喜歡一面飛一面唱的歌手——百靈。

或是當我臨窗筆耕，忽然間，陽光印在稿紙上的葉影無風晃動起來。

原來是兩隻好小好小的小鳥，就攀緣在窗上的葉叢間，纖巧輕盈的身影在瓔珞似的花串上俯仰自如，在柔細的藤莖上跳躍騰撲，一面愉快地發出金屬帶磁性的鳴聲，那是活潑的繡眼鳥，當粉紅色的珊瑚藤開始著花時便常常來叩訪。

恬淡的日子裡串綴著陽光、微風、綠蔭、花香、鳥語。這樣的辰光，讓人深深體會到「風暖鳥聲碎，日高花影重」的情境。

除了那許多「園林自在啼」的鳥，還有家鳥。第一隻是當我們搬來時新鄰居送的金絲雀，一身炫麗的金色羽毛，體態嫻雅玲瓏；歌喉尤其婉轉悠揚，變化多端，天天自譜美妙的新曲，盡情歡唱。不但歌聲悅耳動聽，還通人性，懂人意。「晝長無侶，自對黃鸝語。」周密那句話，真正描繪出那時和金絲雀相處的情景。可惜牠只讓我寵了四年，更遺憾的是未曾錄下牠無比美妙的歌聲。補牠缺的是一隻鸚鵡，鮮豔的紅喙配一身翠綠的羽毛，華麗驕傲不與人親善，恰恰相反的是，啼聲聒吵而粗厲；偶然有一點點像喜鵲，幸好牠平日矜持沉默。好幾次牠的啼聲竟引得牠的同儕來訪，我一直不曉得鸚鵡也還有野生的。想來妳也一樣，下次，我將跟妳說鸚鵡來儀的經過。

有時我在想：如果有一天杜鵑、鷓鴣、畫眉，同時來到樹上，一隻哀切地呼喚：「不如歸！不如歸！」一隻無奈地申訴：「行不得也，行不得也！」而畫眉卻十分贊同地在一旁助興：「如意！如意！」那可真鬧得人無所適從了。

最後我要告訴妳，這些年與鳥為鄰，我有一個發現：鳥身上一定有一種精密的雷達組織，對季節、對氣象都有敏銳的反應。每當暴風雨來臨以前，牠們總是早早歸巢，叫聲顯得躁急不安；而儘管寒冬凜冽，自牠們唱得特別動聽，充滿喜悅的歌聲裡，就曉得春天快來了——若不是鳥聲出於枕畔，怎又知春之將臨？因此之故，我還是最早知道春訊的人。

當真有一天我那親密的芳鄰不再擾人清夢，還準以為是世界瘖啞了哩！

編註：本文原刊於《中華日報・副刊》，一九七九年六月十日，第十一版。

爐香靜逐游絲轉

翠葉藏鶯，
珠簾隔燕，
爐香靜逐游絲轉。
一場愁夢酒醒時，
斜陽卻照深深院。

——晏殊〈珠玉詞〉後半段

有的情境可以寫，不能畫。
有的情境可以畫，不能寫。
有的情境寫了也畫了，可是，欣賞的人若沒有這份體驗，也還是難以領略。我在這兒摘錄晏殊〈珠玉詞〉裡的一段，也許，妳不會有太深的感受，然而對我來說，前面那三句，卻是最貼切不過了；恰恰就描繪出我此時此刻所處的情境：靜靜的晝午，小園綠蔭深處不時傳來鳥聲鳴囀，窗格上懸垂著一串串珊瑚藤花朵，宛似粉紅色珠簾，陽光透過葉隙，斜斜地投射進書房；書桌上，墨綠色大理石座墊烘托著盈盈一握的古銅小香爐，一絲絲，一縷縷的輕煙，正從爐蓋上八個小方孔裡冒出來，繚繞不絕，裊裊上升，絲絲縷縷匯集、結合、糾纏又擴散。通過陽光時，一圈圈銀色光環與金色光柱周旋迴轉。撲朔迷離，又縹緲騰沖、漸漸淡去，化作香霧氤氳，瀰漫空間。

先別驚訝，焚一爐香，不為參禪，不是祈福，不是皈依三寶求涅槃，只緣我喜歡那點悠閒恬淡的情趣，和那種擢拔身心於物外的寧靜自足。

我喜歡在神思惘慵的時候，燃一炷香，提神醒腦。

我喜歡在心意浮躁的時候，焚一爐香，安定情緒。

我喜歡在思想滯澀的時候，薰一爐香，培養靈感。

我喜歡在需要反省的時候，焚一爐香，靜思默想。

我喜歡在陰雨如晦的時候，燃一炷香，淨化性靈。

我喜歡在晝長心閒的時候，薰一爐香，提升境界。

噢！盡說了那麼些我喜歡，不知道妳可還記得？小時候跟大人去蘇州那些巍峨大廟裡燒香，只要一跨進那莊嚴的廟堂，浸沐在裊裊繚繞的煙霧中，望著大人奉香時那肅穆虔誠、凝神一注的神態，自然而然收斂起淘氣頑皮，也跟著肅然起敬。還有在祭祀時、敬祖時，在我們小心靈最初的印象：香，聯繫著人們莊嚴、虔敬、至誠，這些尊貴的德性，還能避邪驅穢保平安哩。去親戚家走動若是回家晚了，主人總不會忘記燃一根長長的安息香，和一包雲片糕，平平安安、高高興興伴送回去。坐在黃包車穿過曲曲折折、幽幽邃邃的大街小巷，睡眼矇矓望著那一點紅色的香火在車側閃閃爍爍，彷彿有隻提著紅燈籠的大螢火蟲在前面引路。總照不透濃濃的睡意。到家醒來，香仍燃著卻只短短一截了，經過廳堂，母親順手插在天然几上的香爐裡。上了牀，眼前恍惚還見到那一點灼灼的香火，引領我到奇幻的夢中。

最有趣的是，有時也用香來計時，做什麼事，動輒就是「一支香格辰光」。不但計時準確，而且沒有心理負擔，不必老惦著時間去看鐘，更有香氣提神醒腦，實在很妙。讀書讀一支香，練字練一支香，打個盹打一支香，若是犯了錯，罰跪一支香可就不好捱受了。

我們蘇州的大才子唐伯虎，曾寫過一首家喻戶曉的〈焚香默坐歌〉，依稀記得開頭是：「焚香默坐省自己，口裡喃喃想心裡，心中有甚害人謀？口中有甚欺心語？為人能把口應心，孝弟忠信從此始……」不知妳還背不背得出？

記憶中，偶然，母親在繡花時，會在繃子前面燃一支香，提神驅穢氣。父親在繪畫寫字時，也會在筆硯旁薰一支香，大概是添注點祥和之氣。而我自己在什麼時候開始喜歡焚香，已記不清了。不過，總是來了台灣以後的事。好像有人自泰國帶來兩束名貴伽楠沉香，試著燃上一支，果真是：「房中皆如風過伽楠，露沃薔薇……」香味幽雅沖澹，使人清心悅神；從此，只要手邊有藏香，總不忘常常點燃一支。那時都是一根根的棒香，遷來台北，有一天在地攤上發現了那個仿古小香爐，直徑不過一寸餘，約二寸高，卻有規有模。不僅爐身四周雕刻著祥雲、如意、鳥獸、環帶等裝飾花紋，兩隻耳朵鑄成兩條龍形。三隻腳上雕著獅首，蓋子上鑿了八個長方形的孔，也間隔了八個壽字，提把是一隻蹲伏著的獅子，古雅的青銅顏色。分明是殷商銅器的雛形，讓人興起思古幽情，緬懷起三千多年前我國文化的光彩。當我焚一爐香，呼吸到的將是歷史久遠的芬芳。

更引起我興趣的是，還有一種特別製作的錠香配合著出售。三寸見方的紙盒，好像是一盒跳棋，打開來也真個是一枚枚圓錐形的跳棋模樣。卻分赭、綠、紫、紅四種顏色，每色七錠，作半圓形排列在白色塑膠盤裡，中間還安嵌著一隻金梅花小碟，好可愛！四種顏色原來是四種不同的香味：綠的茉莉，紅的康乃馨，紫的玫瑰，和赭的檀木，焚上一錠，香味甜潤清新，倒像走進了花朵正盛開的花園。我也曾向挽著篾籃，純賣印度檀香——從整段木頭到粉末全有——的婦人，買了一小袋檀香粉，那香味就比較濃烈辛辣，乃有廟宇的肅穆氣象。

棒香點燃時，一縷細細的輕煙直上屋頂，一點微風，便隨著空氣流動，幻作螺絲倒轉，幻作銀蛇蜿蜒；爐香則氣勢磅礴，花樣繁複，同時從八個孔中冒出香煙，不住結合、糾纏、縈繞、迴旋，變化多端，詭譎奇幻。但不管是棒香或是爐香，坐下來望著裊裊不絕的煙霧，聞著淡淡幽幽的香味，不由你不心平氣靜，凝神斂志，忘卻繁瑣庸碌的世俗，進入另一個清心無欲、沉思默想的境界。

——教堂爐香有舒暢、催促、激發、純化人們感官的作用，因而促使人們更容易達到靜心默想的境界。——這是法國散文哲學家蒙田在四百多年前說過的話，跟我現在的感受竟彷彿相似，而在東方，在我們歷史悠久，最懂得享受悠閒生活的中國，焚香，也曾經被古人當作生活中的情趣，且讓我們來看看屠隆在《考槃餘事》中，一段描寫焚香之趣的文字：

——香之為用其利最薄，物外高隱，坐語道德，焚之可以清心悅神。四更殘月、興味蕭騷，焚之可以暢懷舒嘯。晴窗搨帖，揮麈閒吟，溫燈夜談，焚以遠辟睡魔，謂古伴月可也。紅袖在側，祕語談私，持手擁爐，焚以薰心熱意，謂古助情可也。坐雨閉窗，午睡初足就案讀書，啜茗味淡。一爐初熱，香藹馥馥撩人，更宜醉筵醒客，皓月清宵，冰絃戛指，長啸空樓，蒼山極目，未殘爐熱，香霧隱隱繞簾。又可祛邪辟穢，隨其所適，無施不可。……當斯會心景界，儼居太清宮與上真游，不復知有人世矣。噫，快哉！……

周邦彥亦曾寫到：「……燎沉香，消溽暑，鳥雀呼晴，侵曉窺檐語。」只是品香，信手拈來，便都趣味盎然，意境悠遠。就如林語堂在《生活的藝術》中所寫：「善於優遊歲月，有詩人的性情，而熱愛生活的中國人，原是最懂得享受悠閒的藝術的民族。」這樣說來，我喜歡有時焚一爐香，也不過是拾取一份久已失傳的生活情趣吧！

而此刻，靜靜的晝午，綠蔭深處，鳥聲細碎，珊瑚簾外，羽影閃掠，我焚一枚綠色茉莉香在香爐裡，在輕煙飄忽繚繞下，執筆向妳致候，茉莉清幽的芳馨正象徵純真的友誼，情思與香霧縈迴周旋不絕，但願能滲入字間，染透紙背，與妳共享這份恬淡雋永的情趣。

編註：本文原刊於《中華日報・副刊》，一九七九年七月七日，第十一版。

結實成蔭都未卜

驟雨方過還晴，踩著潮濕的泥土，我走在小園裡，走在靜謐的時光，呼吸著清新涼沁的空氣，覺得自己像一棵樹、一枝草、一株花。微潤的氣流沇沇滲澤心脈，猶如被雨水洗濯得閃閃發亮的葉子般，澄澈明淨，一塵不染，在這天地氤氳與萬有生命融和合一的美妙時刻，只覺人與植物，一樣都是屬於大地，屬於自然——噢！做個自然的女兒真好！

摯友，相信妳一定也體會過這樣的感受，我們同是愛花木愛自然的人，是大地的女兒，也是大自然的女兒。想想看，如果生存的空間沒有了花木，沒有了綠色，生命該是怎樣的荒涼，生命該是怎樣的貧瘠，心靈又是怎樣的庸俗空虛！幸好，人生的路程儘管坎坷崎嶇，自然卻絕不吝嗇它的恩惠，一路上絡繹不絕，終不缺少花樹點綴鼓舞，植物是自然界表示友誼的親善大使，能享有這般永恆不渝的友誼，也就減輕了生活給予人的重壓。說真的，有情有容的自然界，畢竟要比嚴酷苛刻的現實世界慈祥可愛多了。

有些興趣是慢慢培養而來，有些興趣是無意間偶然發掘，有些興趣卻是天生的。也許，一半是由於得自父親的遺傳，自幼耳濡目染薰陶；一半是天性，隨著年歲增長。由只是欣賞花草的生趣和美麗，逐漸發展到喜歡自己動手栽種。參與另一種生命的繁衍成長，比做一個客觀的純欣賞者，這其間的感受和情趣，除了親身體會，是難以描繪的。播種也好，插枝也好，秧苗也好，眼看著褐色的泥土裡竄出一枚碧玉般的晶瑩嫩芽，截斷的枝梗上迸發一片翡翠般亮麗的新葉，纖荏的秧苗日漸茁壯，而欣欣向榮，而綠意盎然，而蓓蕾綻放……妳說，還有什麼比得上這種種所帶給種花人的喜悅呢？那是生命與生命的默契，愛和美的交融。植物不用言語，不以動作回報人的愛護及照料，只是努力顯示出一種毫無畏懼的，向上的生命力，讓妳感覺、讓妳接受、讓妳相信，這世界由於它們的存在，是多麼美好而充滿了生氣。

植物們都各有各的典型、風格，各有各的韻姿、氣質，各有各的生長特性、適應本能和生存原則；原沒有什麼貴賤之分的，那只是俗人眼中的評價而已。對我來說，都一視同仁。妳知道，我一向疏懶木訥，不擅交遊，而對那些沉默的朋友，卻相交滿天下，只要住處有一角土地，凡是有緣邂逅的，一律接待厚遇。一些自小就習見的花木，像是青梅竹馬之交，十分熱絡投機；一些經常栽種的，又像是交往很久的舊友，已成莫逆。有些種是種了，卻一直不知芳名，等到有一天在書上或他處查證到了，格外地親切可喜。有的心儀已久，一朝得結識花容，真箇是喜相逢。還有遠道而來的貴賓，萍水相逢的初交，多知道一種花卉，就等於多結識一位新朋友，相見總不恨晚。只是植物界又何其廣博，植物種族更是繁複，認識越多，越覺得自己知道得太少，對那許許多多隱藏的神奇，未知的美，永遠充滿渴慕之情。這一生，人緣不夠，如能廣結花緣，也算不虛此行也。有時，栽下花草不僅是領悟那生之喜悅，也伴隨著栽下一段溫馨的時光，一點快樂的回憶，一份真誠的友情，一片幽美的風景，以及撩人情思的鄉愁。且看看這些，讓我告訴妳：那纏綿不盡的珊瑚藤，飛揚跋扈的九重葛，和那支聲勢浩大的小喇叭樂隊——孤挺花，都是最初隨我們遷移來此，常使我懷念南台灣的故居、陽光、純樸的風氣和濃郁的人情味。斑斕的花麒麟是臨行前一位朋友騎著單車匆匆送來門口，儘管多年疏於問訊，睹花如睹人。越南移民白雪草、彩葉草和到處蔓延的黃金葛，是遊那以樹石聞名的榕石園時，園主剪枝持贈。如今名園改建大廈，已無跡可循，唯花葉尚可憑弔。有一年秋天去烏來，攀登上一層層連雲石階，一抬頭，只見陽光斜照著山坡上密密叢叢的紅葉，透明玲瓏，鮮豔奪目，如今一看到牆腳的圓葉紅莧，眼前便浮現那一幅美麗的景象。那天，正是我跨越半世紀的日子。金色寶劍似的變葉樹，來自榮總，提醒我住院的紀念，該有所警惕。滿地燃放的爆竹紅，卻是耕莘醫院的老花匠贈予，記得我謝他時說：那些花苗，比醫生的藥丸更有效。孔雀羽毛般絢麗的葛鬱金，被當作寶貝似的從白雲山莊捧下來，連同滿山非洲堇的紫奼和美娘蘭的嬌豔。白雲台上眺望萬家燈火，仍不時縈迴腦際。一枚枚紅辣椒般懸垂的木槿，當我扦插時把指南宮後山鳥園的繽紛彩羽也插了下去，常見那對白冠畫眉追逐鳴囀的身影就時常閃爍其間。曾被梭羅寫成——「大自然製造羊齒草，是為了要給我看它能造出多麼好的葉子」的羊齒草，是去北投忠義廟時在山腳拔回來的，還記得難得郊遊的母親，那天玩得最開心，沒有牙齒的嘴笑起來好可愛。劍山似的厚肉植物摘自野柳海岸，依稀還感到挾帶沙礫的海風撲面，浪濤沖激著腳底的岩石。那枝纖細的野生蘭，是那個念藥學系的小朋友去阿里山時，偷偷採回來送我的，希望它能帶著那份純稚的情誼茁壯。而那兩株具體而微的小小青楓，自花展購回就一直擱在桌前窗台上，朝夕相對，聊慰鄉思。現在已是秋天，正是楓紅季節，凝眸處，那數片五角楓葉，恍惚幻作楓橋兩岸一帶紅雲，天平山上「半天紅葉欲燒樓」的情景……以上所寫，也只是舉幾個例子而已。當真滿園花木都向妳報導來源出處，怕不罄竹難書！任何情景、事物、感受，事過境遷，都將隨時間褪色淡忘，唯有藉花木栽植，生命不滅，憶念也永遠清晰鮮活，這又何嘗不是另一種美妙的收穫。

我也喜歡將親手繁衍的花花草草分贈友人，友人喜稱我有「綠手指」，沾土成活。其實，我一點都稱不上是個好園藝家，連花匠也不是，只憑那對自然生命的虔誠，仔細栽種，以無限愛心，摻和著清水殷勤灌溉。但是，常常忽略了修剪、翻土、除草、施肥這些雜務（體力是我最缺乏的），以致當花木草葉們自由發展，蓬勃成長，小園就日益擁擠而顯得凌亂蕪雜。那天不知看誰的作品，撿到一句：「一個人想有時間閱讀和寫作，就必須讓花園裡的草隨便長也不去割。」我也就借用來搪塞解嘲。這理由，聽起來不是很冠冕堂皇嗎？

也有朋友笑我何必苦費力氣弄這些花花草草，又不是自己的——說的也是，平時到處幫忙花木扎根，離開故鄉，自己卻從來就沒有在一個固定的地方扎過根。我一直不是個會去刻意經營策劃什麼的人，生平無所奢求，只由著性情去做喜歡做的，以致忽略了實際生活的安排。也許，一輩子就這樣「到處能安即是家」了。不過，除了建築物不能隨意部署更動，土地屬不屬誰還是土地。天賦孕育生命的才能，深厚的潛力，取之不盡，用之不竭，讓它投閒置散是物力的浪費，生機的扼殺；也是泥土的悲哀，愛花者的損失。我喜歡住處有一個園子或一角土地可以供我隨意栽種，植物由泥土孕育，藉泥土扎根，生命卻是它們自己的，而栽種人只是參與，只是介入。這其間，能分享生之歡樂，美的喜悅，便是心靈最大的滿足，精神上無限的欣慰。

鄭板橋有首〈種花〉詞，也是寫他那時客裡栽花的心情，讓我把它抄錄如下：

宿雨星宵晴，今日還陰，小樓簾卷賣花聲。伏枕半酣猶未足，又是斜曛。
晴雨總無憑，誑煞愁人，種花聊慰客中情。結實成蔭都未卜，眼下青青。

人生本來就是過客，失鄉離井更是客中客。寄情花草慰鄉愁，古人今人，心情都是一般。低誦再三，越來越喜愛——結實成蔭都未卜，眼下青青——那兩句了。噢！摯友，知否？我所需要的，也就是那——

眼下青青！

編註：本文原刊於《中華日報・副刊》，一九七九年九月二十日，第十版。

昨夜幽夢忽回鄉

請原諒，原諒我這長久的緘默，長久的沉寂，妳情意惓惓的飛箋宛如天外甘露，灑落在我心靈的沙灘上。那沙灘，思想壯闊的波濤，熱忱澎湃的浪潮，感情激起的浪花，以及繪在水面的文采，寫在水上的名字，都已一波一波褪落，只留下一片磽瘠的砂岸。也有日出，也有滿月，水流不曾改道；只是長期失根的困瘁沉抑，導致心的低潮。噢！摯友，「百感都隨流水去」，又何以回報甘露！

而今朝醒來，忽然心潮波湧起伏，胸際有什麼漾溢泛升……只為，噢，只為昨夜那場夢。

昨夜那場夢，只為，噢！只為那晴好的日子，天時、地利、人和，我去逛了書展。

幾乎每次書展我都去，總不及這次逛的時間長；每次書展我都去應個景，總不像這次連去數趟意猶未盡。而每次去時，都是走馬看花，蜻蜓點水，從一個書攤到一個書攤，以及卡片、藝術品、文具、唱片……瀏覽一遍；這兩次，我卻全神貫注於一個書攤，像一枚針，被一股強大的磁力吸住，像一道潛流，吞沒了我這小小書蠹。

那座專櫃書攤，就只陳列那部巨書——那套凝縮了我中華錦繡河山、浩瀚疆土，涵蓋五千年文物菁華的輝著巨鑄。沒有一本書能在一望之間那樣令人驚歎，令人震撼，令人肅然膜拜，令人意亂情迷又心儀神馳。像一個炎黃子孫，驟然又面對自己生於斯長於斯的壯麗河山；像一個中華兒女，驀然重睹祖國如此豐富精緻的文化藝術。更何況其中最親切美麗的圖片，赫然是我魂牽夢縈的故鄉。

摯友，在這個動盪的時代，或為情勢所迫，或為理想所驅，每個人都可能離開他的老家；可是，老家卻永遠不會離開我們。總會有那麼一些地方，被我們隨身攜帶著：門前走過千百次的鵝卵石長巷，後街觀荷賞月的小橋池塘，幽雅的園林，熱鬧的玄妙觀，莊嚴的寶塔，還有聽說書的茶館，啟蒙的學堂……儘管我們歷盡滄桑，度過如許艱辛歲月；儘管我們韶華逝去，兩鬢染霜，世事都已淡泊；而那最早貯藏於靈魂深處的印象，畢生不能忘懷。也許，隨著時光悠悠流走，塵埃掩浸，稍稍有點褪色，稍稍有點朦朧……但當我一眼看到那些精采清晰的圖片，立刻心電迸發、靈光疾閃。一剎那塵埃盡去、薄霧消散，記憶和影像兩相印證融洽，故鄉的一切又顯得那樣生動、那樣鮮活、那樣輪廓分明。無論是那些少年的腳步曾經一一踩過，那些常聽家人述說耳熟能詳的地方，紛紛在眼前展示、擴充、延伸、浮突……忽然間熙熙攘攘的人群從我身邊隱退，密集的攤位自我眼底消失，恍惚又投身在自小熟悉的景物中，徜徉逡巡……

悠閒地一步一步走上去，從弧形的起端，登上中央隆起的圓拱。不是天上的虹，是地上的橋。不知千百次這般登臨上下，更不知軟軟的布底鞋踩過多少高高矮矮的橋。小巧的旱橋，古樸的石橋，典雅的拱橋，宏麗的長橋，別致的亭橋，迂迴盤旋的九曲橋……各式各樣的橋，聯繫起全城的交通，點綴了風景。是張繼、白居易、杜荀鶴的詩；是倪雲林、唐伯虎、文徵明……的畫；也是一個個美麗的故事，一則則玄奇的傳說。有說「紅欄三百九十橋」，有說「畫橋四百」。沒有一個城市會擁有這許多建築精美古雅的橋像蘇州。記得小時候曾許願長大要踏遍全城的橋，仔細數一數到底有多少？但是，我們卻來不及在平靖時的故鄉長大。

數不清的橋，似垂虹、似長弓、似新月……懸空架構在數不清的溪流濱河上。橋多，只因為河流繁密。「綠浪東西南北路」，「市河到處可搖櫓」，真是形容得太好，太恰當了。像蛛網、像葉脈、縱橫交織在大街小巷；靈活的腳划船就行駛在路人身邊，滿載著四鄉運來的西瓜、稻草、魚蝦……小河深而靜，幾乎看不出水在流；但在寂靜的時光，仍可以聽到潺潺的水聲，低吟著古城悠遠閒適的情調。清明時節，一家人備一艘烏篷船去鄉下上墳或坐畫舫去訪春，欸乃聲中穿過兩岸臨水人家。垂柳桃花，平疇綠野，秧田裡有人在踏水車，山歌隔著河聲聲唱和，忽然飄灑一陣春雨，河上一片輕煙朦朧，遠山更在嵐煙外。駛過七里三塘河，來到虎丘山，經香溪，到天平山、靈巖山。

那疊翠攬秀的群山，是天然屏障，拱衛著寧靜的水城。峰巒深處隱現一角亭榭飛簷，修竹古松蔭映一抹白牆綠瓦。我們讀著風景古蹟，也讀著歷史掌故。千百年的時光滄桑鑿刻在山崖澗流間，只要伸出手去就觸摸到古代。虎丘，原是蘇州的創始人，春秋時代吳王闔閭的陵墓。當年試劍時一剖兩半的試劍石，還留著深深的裂痕，卻沒有人找得到陪他殉葬的兩千多把名劍。千人石封鎖著一個連秦始皇也掘不開的謎。唐伯虎點秋香處的一塊石頭成了那一個傳奇故事的見證。有幾個蘇州人不熟悉那部充滿機智、諧趣的「唐祝文周四才子」！

天平山上奇峰聳立、石林參差，真箇像極了「萬笏朝天」。欣賞過燒紅半天的楓葉，眺望過煙波浩渺的太湖，就在依崖臨淵的白雲精舍小憩，啜著一線泉的清冽茗茶，看白雲悠然出岫，讓人覺得出塵忘俗。不由地吟誦起白居易的：「天平山上白雲泉，雲本無心水自閒；何必奔流下山去，更添波浪向人間。」

響屧廊、館娃宮、姑蘇台、西施洞……靈巖山上處處遺蹟，千百年敘述著一個哀惋的故事。山麓墓碑一座，是當年擂鼓抗金的梁紅玉和韓世忠，一雙伉儷情深的愛國英雄，安息於幽邃的山林間。最有趣的是那兩尊巨石，「烏龜望太湖」、「癡漢等老婆」；一望一等間，也不知經歷了多少雲來雲去、日出日落？

依稀相識，依稀舊遊，那千水縈迴的大花園中，一座又一座幽邃的園林。走過花間苔徑，走過迴廊曲橋，走進樓榭亭台，也走進了宋、元、明、清。一景一物都涵蓋了古老中國的文化藝術，融匯了園林藝術家、畫家、詩人的巧思雅致；巧奪天工，又化人工為天然。「滄浪之水」圍繞著小山崗上「滄浪亭」，宋代文學家蘇舜欽在這裡寫下那篇有名的〈滄浪亭記〉。登上古木蔭蔽、藤蘿懸垂的亭子，讓人想起《浮生六記》裡寫芸娘與夫婿中秋來亭中賞月的雅人雅致，兩人窮困潦倒，總不改其樂，也反映出上一代蘇州人善處憂患、恬淡自適的胸襟。最令人羨慕的是園中的蘇州藝專，畫中有景，景中有畫。在那裡學畫的人，焉知自身也在圖畫中！

「拙政園」裡波光水影，卍畫橋迴旋於亭閣間——浮香閣、海棠春塢、月到風來亭、看松讀書軒、三十六鴛鴦館……且不說建築有多美，只名字就像詩。夏天荷風撲面，荷香處處，賞荷人徜徉在水中央。去「留園」，最好是熟讀《紅樓夢》，比照一下大觀園的格局。走也走不盡的是那條二百多丈的迂迴長廊，兩壁精工摹刻了三百多幅歷代名家畫帖，粉牆上各種造型的漏窗，透映著四季花樹，閒閒走過，書香、幽馨，浸潤了身心。

「桃花塢」，隨便什麼時候念一遍這個綺麗的地名，眼前就浮現一片絢爛明豔的粉紅雲霞，走進桃林，人也忽然嬌媚起來。就像去一趟「鄧尉」賞梅，投身在晶瑩透白的香雪海裡，彷彿變得冰心玉潔，不沾一點塵土……

——記不清自己怎樣從化境中引退，眼前書河縱橫、身畔人影浮動。畢竟，這是書展場所，儘管愛不忍釋，何奈巨書的價值不在購書預算之內。能攜回家的，是心中更鮮明的景象、更深切的懷念。朝思暮想，心神恍惚，夜夢忽回鄉。依然深靜長巷，只尋覓不著自家門牆。殘垣缺罅荒園一角，獨一截古梅老椿兀立在冷風中……怵然驚醒，只覺得胸際起伏洶湧、心血沖激升騰。忙不迭就在晨光微曦中，將這高漲的心潮向妳傾注洩瀉，以分載我萬頃鄉愁。

編註：本文原刊於《中華日報・副刊》，一九八〇年二月二日，第十版，原題〈夜來幽夢幾許〉。

萬物皆有情

冷雨裡，廊前一大盆豔麗的蟹爪蘭開剩了零零落落的三兩朵。新年的腳步早已隨爆竹聲遠去，新年的光彩也隨元宵的燈影闌珊，新年，還是舊年人。倒是又得到三百六十五個可以看、可以聽、可以讀、可以愛，也可以任意塗抹的日子，供我們支配。摯友，春節雖已過去，新春剛才來臨，讓我們期待另一個新的開始；生命中能有新的拓展，性靈上能有新的領悟，生活中也添注些新的情趣。

拓展和領悟，全屬於個人；情趣卻往往可以彼此分享。任何物質的東西，均分也就相對地減少了，唯有單純的樂趣，越是彼此分享越是擴大增加。獨樂時只是閃爍心頭的一支火苗，共享時卻擴散成一片溫暖的光焰，將我們柔柔地包裹。那種興趣和友情交融其間，物我相忘的時光，又何其美妙！噢，摯友，真高興我們有如許相似的趣味，同樣地喜歡種花蒔草，喜歡一切美好的、可愛的東西，在一些微小的事物中感到喜悅，為一點單純的愛好著迷，以小小巧思慧心綴飾平凡。同樣地喜歡在繁瑣的生活中保存一份閒情逸致，在俗務堵塞的心中保留一角空靈，在這個科技文明高度發展的世界，嚮往於純正天然。當我們倦怠於現實生活無休無止的纏鬥，當心靈在煙塵中感到窒息，隨時顧盼騁遊其間，便消除了生活的壓力，解脫了身心的桎梏，怡然自得其樂。

自然有千萬種色彩，大地有千萬種手采，千萬種花草有千萬種韻姿，千萬座山有千萬種岩石，千萬種動物有千萬種可愛；造化的無限涵博創造了萬物。而聰明的人類師法造化，加上慧心和巧手，融合自然和藝術，又塑造設計另外千萬種美好。不管有生命或無生命，喜愛本身是鮮活的。凡我所好，自會賦予特殊感情，而被喜愛的並不一定要還報。如此一來，萬物皆有情，只要我們懷著一份愛心、懷有一點關切。摯友，這世界上彷彿可喜可愛的事物，還當真愛之不盡、喜之不竭哩。

有那些屬於純欣賞的喜愛，從自然界展示的一切，到櫥窗、博物館陳列的種種，視覺的享受，帶給心靈美的愉悅。有屬於收藏擁有的喜愛，那些可以觀賞、把玩、接觸的事物，給單調的生活增添無限生意和樂趣。我栽種植物，不僅由於花葉的賞心悅目，更讓人感到參與生命成長的欣喜。我豢養小動物，喜歡牠們的活潑、馴良、狡黠、伶俐和善體人意。我喜歡藤、木、竹製的工藝品，給人那種溫暖的質感，那種樸拙而帶著鄉土氣息的親切。也喜歡陶、瓷、水晶、大理石雕塑的細緻、高雅、穩重端莊……任何美的型態和圖案，都能深動我心。最有意思的是各種動物造型，栩栩如生不算稀奇，妙的是捕捉住一些可愛的動作，豐富的表情凝聚於重點，使之人格化，而把神態塑活了。在我案頭就有一隻支頤倚臥的青蛙，黑炯炯的巨眼凝視著空間，緊緊抿成一線的嘴唇翹向腮邊。當你心中有些許憤怨時，看牠顯得矜傲自責，目空一切；當你心平氣和時，看牠又是一副悠閒自適，超然物外的神情。另外一隻併足端立的青蛙，整個身子像是一面團團的笑臉，讓人忍俊不住。而那隻四腳朝天、抓腮舞爪的熊貓，憨態可掬的模樣，實在惹人憐愛。還有幾隻小豬，相信是妳從來沒有見過的那樣標緻、溫柔，眼睛裡都漾著蜜一般的笑意……說是童心未泯也好，說是補償作用也好，越是老大不小，越是喜歡為自己私藏一些大人玩具。連小外孫來了都只能央求我：「借我玩一下。」

似乎不少人都有一點蒐集的嗜好，集畫、集書、集郵、集同類各式各樣的物品，心理學上說那是一種自我實現。我雖然愛好廣泛，似乎還沒有成癖。一向無視於世俗的價值觀念，也未曾刻意追求，彷彿都是偶然發現，或無意得來。經過攤販集中的旺市，我獨照顧那個挑一擔零碎、逡巡在夾縫中的老嫗；遊商展工展，最感興趣的是一些富有創意的小小工藝；去書展，常常會躋身在一群活潑的女孩子中間，挑選精美的卡片；走在路上，有時會挖起牆腳一棵自生自滅的草花，或悄悄拾取一只火柴盒。從菜場回家，提袋裝得重甸甸壓肩的，不是各式小花盆、撲滿、胡椒瓶什麼的……便是帶泥土的花苗樹秧。從鄰人含笑看我的眼光，好像我是那種剋扣家人營養，不吃人間煙火專買廢物的主婦。也曾教自己節制，但是，就那麼容易被一點可愛誘惑，被一點有趣吸引，被一點美感動。那正是我性格中改不掉的弱點。相信只有妳不會嘲笑我，可能還應該彼此同病相惜呢！

有時，我們保留某些事物，也不單純是為了喜歡。小小一件紀念品，往往維繫著一份深永的感情、一段美好的時光、一段生命的歷程，一種境遇、一種情懷、一種體驗、一種遭受、一種驚險、一種成就、一種快樂、一種哀愁、一處地方、一件偶然……譬如我有一塊手掌大的嶙峋礦苗，三、四十年來伴隨我越嶺過海，多次播遷。它代表我苦難中的成長，分載我深重的鄉情。我看它彷彿是祖國錦繡的縮影，如今蹲踞在案頭，是提升我自己的小小精神堡壘。有一些父親留下的圖章，其中一方有他手澤的「謙受益」，是我一生所遵奉的座右銘，滿盒琳瑯徽章，每一枚都是家人參與社會活動的紀念，那枚最精緻的，正是我從事第一個工作的獎章，上面依稀投射著青春的韶華。一帖長髮垂肩的剪影，出自那個恃才傲物的藝術編輯之手，常使我懷念那些輾轉避難在山區編報的日子，臨時編輯室裡拆閱越過烽火的稿件，油燈下揮動紅筆畫著版面，配合手搖印刷機印成一張張土黃色的報紙，發行在敵後、前線，一直到傳播勝利來臨的消息。一枚枚貝殼，又使我見到恍惚大陸風光的澎湖、鵝鑾鼻、野柳的波光濤聲、小琉球的片片帆影。鎮壓在便條匣上的小黑熊，總讓我記起女兒訪問加拿大回來，穿一身女童軍裝的矯捷英姿。而數千只火柴盒，更不知包含了多少體貼的心意，多少千里迢迢的情誼。這其中，就有妳的一份。

歲月的腳步走過生命，事過境遷，彷彿不留什麼痕跡。倒是保留一些身外物，也算是時間的見證、感情的留駐、美好的持續。隨時供回憶、供懷念、供感恩、供炫耀、供警惕、供玩賞、供心靈去浸潤、供思念去酩酊……摯友，我覺得人有時候亦像蜘蛛，一生不住吐著感情的絲，黏附在任何事物上；牽牽絆絆，纏綿不盡。有看得見的無數身外長物，也有看不見的不少心頭繫戀。越是感情重於理性的人，越是處處牽惹，物物留情；隨著年歲增長，密密層層，絲絲縈繞；既不忍割捨，又不能忘情，竟把自己圈在網罟之中——妳說：我們是不是都是綴網自縛的傻瓜？

而喜愛任何事物——不管是生命或是靜態的，必須付出愛心、付出照顧。對待動物得照顧牠的飲食起居，注意牠的健康情形，關心牠的心理狀況，安排牠的行動作息，絲毫不能馬虎。對待植物，先得了解它們不同的生態、習性。有些喜歡全天候的陽光，有些需要半日曬，有些只要光線，也有些只適宜陰濕，還有土壤、灌溉、施肥、栽植方法……一點不能怠忽。對待各種各類收藏物品，更要小心保管，仔細拂拭，時時提防受潮、受壓、受震、受煙塵湮蝕、受蟲蛀蟑螂齧……哎，可不是自找麻煩！當兵服役，只需三年，侍候所愛，卻是終身服役。

然而，如果當真有那麼一天，我們什麼都不關心，什麼都不喜愛，什麼都沒有興趣。如果當真有那麼一天，我們不再為美感動，不再為可愛誘惑，不再為有趣吸引——抽掉了感情和愛心，人只不過是一具真空的血肉機器，這樣的人生，豈不太淒涼！

摯友，有那許多被我們所喜愛、所關心、所欣賞的，畢竟，環繞我們的是個有情世界。萬物皆有情，我們又何妨處處留情！

可記得印度詩哲泰戈爾在《漂鳥集》中寫的兩句：「上帝期待人在智慧中重獲他們的童年。」如能自真純的喜愛中，返璞歸真，重獲我們的赤子之忱，又何嘗不是另一種自我肯定？

那麼，就心甘情願，服一輩子愛的勞役吧！

編註：本文原刊於《中華日報・副刊》，一九八〇年四月二十七日，第十版。

獨立市橋人不識

請容我免俗，先不向妳報告起居注，而寄妳數幀圖照——不用底片、不用顏彩，只是線條簡潔的速寫，墨筆勾勒的素描。仔細看看這些時光的紀錄吧！

宏偉莊嚴的圓頂建築，巨柱擎天、石階環拱。館內貯藏文物菁華，館外銅牛鎮守廣場。有人抱膝閒坐柱旁階上，意態悠逸，顧盼自得；看靜態的風景、看流動的人群，彷彿超然物外，卻又似乎是景物的一部分了。

畫棟雕樑，窗明几淨，長廊雅靜軒敞，古色古香更兼書香畫香。有人支肘檀木桌上，面前新泡綠茶香氣氤氳。甫從歷史古物中走出來，憑窗眺望一池荷花，滿園青翠，顯得心曠神怡，恍若已進入化境。

滿架盈櫃的書是一座座城堡，智慧的螢光，思想的芬芳，隱隱約約閃爍飄揚在大大小小、新新舊舊的書磚間。有人尋尋覓覓、輕攬淺翻，低徊沉思、流連忘時，有如迷失在冊頁間的大書蠹。

眾花在哪裡展示，植物在哪裡會合。留住了春天，自然暫且小駐。有人殷勤探訪，惓惓致意。舊友一番寒暄，新交傾注仰慕，花只脈脈含情，芬芳是它的語言。人也脈脈相對，卻已沉醉。

橋從陸地兩岸拔起，凌空橫亙，底下車如急流怒潮，橋上人似螻蟻熙攘。有人悠然佇立橋上，俯瞰人間十里紅塵，仰觀天宇白雲蒼茫。分明是芸芸眾生一分子，卻從紛擾中站出來，做一名逍遙自在的旁觀者。

那人不是別人，是我。

是我，真正的自我。

我獨來獨往，自由來去。進出塵寰市廛，不求物欲榮華；投入山林自然，未蒙鍾靈毓秀；只是趁自己神清氣爽時，懷著悠閒的情緒，感恩的心情，靜觀世界萬物，領略造化玄妙，欣賞藝術神奇。就如梭羅在《湖濱札記・悠閒》一文中所寫：「健康需要這樣的悠閒，這樣無目的的生活，這就是當前人生。」

我喜歡這樣的悠閒，這樣無目的的生活，這樣的當前人生。不僅僅是為健康，也為了重新肯定真正的自我，調整自己的人生。這一輩子，由於流離顛沛，為生存應戰，與生活搏鬥，已失去很多；由於做人的責任義務，追求理想、鞭策自己，已付出不少。如今，已是心力交瘁之身。能暫時撇開繁瑣，從人生紛擾中站出來，做為一個旁觀者，到處走走、看看、聽聽，享受我渴望已久的悠閒生活。俗諺：「清風明月本無價，享用不需花分文。」梭羅說：「要享受悠閒生活，所費不多。」林語堂在《生活的藝術》中也曾提到——中國人是聞名的、偉大的悠閒者。妳說，能做一個最懂得用智慧來享受悠閒生活藝術的、偉大的中國人，豈不是很可喜可愛！

一個人的性向和環境，常常是互為因果，相互影響的。從小我就是個寂寞、內向的女孩，長大一直到進社會做事，還是拙於應對、不善交遊。出門不辨東南西北，認人不記趙錢孫李。靜，也就靜慣了。只是小時候不知道什麼叫寂寞，卻害怕孤獨。年輕時以百般無奈、淡淡哀愁，接受孤獨、容忍寂寞；隨著年歲增長，歷經憂患人生，已逐漸懂得品嘗寂寞，化寂寞為內心的創作熱忱；懂得善處孤獨，使孤獨成為一種創造性的力量。而如今，深深體會獨處的情趣，越來越覺得那種寧靜，那種安適，那種悠閒情懷，比什麼都可貴。寂寞使人發現自己。獨自一個人與萬有之間，蘊藏著無限。孤獨，已不再是寂寞；孑然獨行，更是逍遙自在。

噯！摯友，請別誤會我是離群索居，故意製造孤獨；是摒棄友情，故意特立獨行。有什麼能比有友同行更愉快愜意的事？主要是由於我容易衰竭的體力，行動必須適可而止，隨遇而安。我不願因為自己的差勁掃別人的興，也不能遷就別人而耗損更甚，因此，我只有捨其一而選擇獨來獨往。結伴共遊，固然樂趣無窮，悠悠獨行，也有不少妙處。靜靜地欣賞，默默地領略，孜孜地探索，完整地投入，沉潛地深思，仔細地推敲，每一瞬間都專注地忠於自己。安詳平靜的內心，有如清澈深邃的湖水：映著天光雲影，山黛林蔭，坡岸苔痕鮮明，水底沉石晶瑩，花瓣飄浮水面，游魚清晰可數——一切投影在我心中，我又在心中鎔鑄萬象。當我登高眺望，我覺得我是那朵雲，正披著亮麗的晨曦自山谷冉冉浮升。我望著遠處搖曳的樹梢感到一陣來自空曠天風拂過臉頰。我看花，覺得花也還以脈脈含情地凝視，彷彿似曾相識。我巡邏於畫廊，有時覺得自己化為溥心畬畫中那一葉繫在柳蔭下的小舟，微波輕漾；有時又進入張大千的〈秋林逍興〉，我是那個站在一片紅樹下小小的愛楓人；有時又好像是何懷碩〈孤旅〉中那隻蒼鷹，獨自飛行在茫茫白雲、千峰萬仞之間；有時又恍惚幻作王愷〈眺〉中那匹眼中有著懷鄉憂鬱的白馬，孤立峭岸，俯眺那一片莽莽無際的青色草原。當我瀏覽過民俗文化，眼前耳畔就總是縈迴著環珮叮噹、鬟影衣香，和合窗上映著修竹鵲梅。屋簷下燃亮了油紙燈籠，閃耀著紅豔豔的雙囍，弄不清是回憶抑是現實，卻拾取了多少往日情懷。悄立溪畔，我是那叢細長的蘆葦，搖曳在秋風裡。蘆花飄墜水面，是點點鄉愁，順流潺潺消逝。經過田塍，金色陽光下吹動一大片青青的稻秧喚回了我的童心，柔柔地、輕盈地，就在綠色的波浪上翻滾。登臨陸橋，仰望肅穆穹蒼，我是天邊那抹漸漸淡去的霞彩，是那顆熒光微微的星辰。俯視擾攘塵寰，我是橋下那疾馳而去的列車，載著青春的奮鬥、掙扎的血淚、生命的成果，駛向無垠無盡，邈不可見……當人獨處時，思想是全部開放的，觀察是細緻的，感受是敏銳的。我可以「從大小事物、自然萬象中發現喜悅、智慧、趣味，獲得默契和共鳴」。也可以「自世俗的繽紛中，體驗到統一與和諧，感覺到宇宙萬物是一個整體」。我向世界伸出試探的觸角，跨出叩訪的腳步，隨著視野拓廣，心靈擴大，越發現自己興趣的廣泛，只恨小小方寸之間，不能兼容並蓄。我付出愛和關心，懷著謙遜和熱忱，嘗試著去探索這些、體驗這些、認同這些、介入這些、參與這些。融攝所見、所聞、所思為心靈的圓，蘊潤涵泳，運行不息；鎔鑄最深切的感受為文字，提煉最瑩澈的穎悟為靈思。然而，悄然引退，還我寧靜淡泊的生活，似閒雲野鶴，來去不受拘束；然而，悠然超拔，不占有什麼也不帶走什麼，似天外過客，沒有人認識，沒有人知道。正是：「明月留影在千江萬湖，本身仍在碧空中。」

「人間晴還自雨，戀青山白雲不去。」——是一種境界。

「獨立市橋人不識，一星如月看多時。」——是一種境界。

「幽人獨來往，縹緲孤鴻影。」又是一種境界。彷彿近似，又彷彿各有千秋。但我卻是越來越喜歡，越來越迷上那樣的境界了。摯友，寄上那幾幀圖片，正是在天時、地利、人和合一的條件下，我獨樂其樂的生活寫照。看看那獨倚橋欄的我，是不是很有那種「萬物皆為我備，眾生由我旁觀」超然物外的氣概？

期許來日，若健康允許，我更將獨自攀登高峰，遨遊四海，遍訪大千世界。像那英國詩人華滋華斯，心胸中蘊有偉大的、美的觀念，口袋中不名一文，徒步漫遊歐洲。如若不能，退而求其次，像愛默生那樣：「我的生活是五月的遊戲，我將按照我自己喜歡的方式生活……。」或者像俊羅，結廬清靜的湖畔，過最簡樸單純的生活——但是歸根結柢，我最喜歡的、最愛好的，還是我們中國人所崇尚的那種：優遊歲月的悠閒生活。

妳說呢？

編註：本文原刊於《中華日報・副刊》，一九八〇年七月十五日，第十版。

又見天香第一枝

今年春天，除夕也是立春。一年的最後一天，竟又是春季開始的第一天，多麼奇妙的巧合！儘管生活在尖銳化的科技時代，儘管以西曆計算著時光的腳步，但對古老悠久的中國傳統，我依然有許多偏愛和尊崇。就像我國的曆法，自伏羲氏（又說比這更早幾萬年的太古）制定甲曆至今，六千四百五十九年，配合四時節氣，歲序不亂，真是宇宙大學問中的奇蹟！尤其是二十四節氣的命名，不僅時令準確，字面和含意更是親切，蘊藉無限。像「立春」、「立秋」，以「立」字表示開始和來臨，多麼堅定有力！像「驚蟄」，春雷初震，地氣上升，驚醒冬蟄的蟲豸，萬物復甦，又多麼生動而具震撼性！像「小滿」梅雨季節，溪流漲升，池塘和稻田中積水滿溢。——噢！摯友，看我只顧在這裡歌頌節令，讓妳好笑。而原來是趁著開春，要告訴妳一個小小喜訊：屬於早春，也屬於所有愛花人的，緣於我得到了梅花的消息。

我不僅得到了梅花的消息，也尋著了梅花的蹤跡。不在詩裡，不在畫上，不在夢中，而是真真實實，生長在泥土裡，綻放在枝幹上，玉骨冰姿，清雅幽馨的花朵。

我不僅尋得到了梅花的蹤跡，更欣賞了梅花的高潔標格，傲岸丰神，不在梅山，不在梨山，不在蘇州鄧尉，卻在一幢莊嚴巍峨、軒敞宏偉的殿堂內。

這許多年來，渴望梅花魂牽夢縈，思念更凝聚在濃濃鄉愁裡。尤其是臘月寒冬，歲暮年節，闔家團聚，笑語頓落之際。環顧四壁，燈影燦明，映著燙金斗方，紅豔剪春，獨不見梅花清供，心頭總不禁泛起陣陣落寞的漣漪，懷鄉的輕愁。暗地裡，只默念著……故鄉遙，何日去，家住吳門，久作長安旅……畢竟，我們生長在到處遍植梅花的家園，童年清平的歲月，便無憂無慮地浸潤在芬芳裡，生命的根芽從那兒萌茁，焉能不思、焉能不念？因此，梅花的消息對我來說，不只是一個好消息，也是個好預兆；不只是花的消息，也是故鄉的音訊。去叩訪花蹤、去瞻仰花容，乃是七十年新春第一道召喚。我去了，帶著滿心感恩。

那天，聞訊而去國父紀念館訪梅的人匯成一股潮流，從白髮蒼蒼的老人到懷中的嬰兒。我們是三滴小水珠，溶入大潮中，轉瞬卻不見了我那兩位隨從，原來猶自留在門外，正一字一句研讀那一大張有關梅花的介紹。說也是，不知多少像他們一樣生長在亞熱帶寶島的年輕人，這還是第一次親眼看到真正的梅花哩！

花株沿壁排成兩列繞場一周，人擠、光線暗；只能隨著潮流緩緩移動，點數著小盆小盆的紅梅。高不盈尺，卻也根株蟠虬、點綴著點點纖柔的深紅花朵，真是具體而微的袖珍品種。人潮湧到大廳中間忽然分流四溢，這才豁然露出一片璀璨的白，綿綿不盡圍繞在　國父座前，全是一人高的白梅。花光瑩潔耀眼，幽香暗暗浮動，莊嚴的殿堂內漾溢著早春的氤氳。玉蝶梅清癯疏瘦，嬌小的花朵白裡泛著淺淺的粉，彷彿羞暈輕染；更間雜幾朵深紅，相映成趣。時梅丰腴雍容、晶瑩圓潤的花朵繁密地攢集在秀挺的枝梢，俯偃生姿，翹揚獨秀，在人的濁氣薰染下，依然開得灼灼有神。枝幹縱橫峭削，疏瘦蒼勁。雖然是年輕的新生代，已頗具堅忍卓絕的精神，狷介傲岸的風骨，和高潔超凡的標格。最難得的是習慣於嚴寒酷冷、料峭風雲中凌霜傲雪之姿，竟也能在潮濕的亞熱帶深植成長，真是，有土地就有我們的國花！

逡巡徘徊在梅叢間，也不怕冒瀆仙姿，我忍不住三番兩次湊近最高枝的花朵，深深地、深深地吸著氣，那清清幽幽、淡淡約約、若有若無、若即若離的芳馨，是那樣熟悉、那樣親切，喚醒了我最早最早的記憶，也喚回了往日的情懷……

若有若無的幽香中，我是那個短髮覆額的小女孩，老棉鞋踏過皚皚的雪，仰頭望著那株老梅樁，光禿禿的枝椏上，沾雪開著碧光盈盈的綠梅，比母親髮髻上的碧玉簪還晶瑩。父親雙手籠在狐皮袍子的袖口裡癡癡地欣賞，雪又悄悄地飄下來，沾在他帽沿上，觸及我臉頰，涼涼的像摻了冰片（中藥）的爽身粉。

若即若離的清香中，我跪在書桌橫端呵著手指磨墨，一面看父親深一筆淺一筆地畫一座峻嶒的岩石，畫一株峭聳的古梅，墨汁淋漓地題上：「仙姿不帶一塵氛，寫照還求冰雪文。疏瘦自來性本色，孤高妙在有清芬。」不過幽香不是透自紙上，而來自膽瓶中一束黃澄澄的蠟梅。

淡淡約約、清清幽幽，也是梅展，在天寒地凍的日子，在水榭亭閣的林園，疊架支座，展示一盆盆輕紅凝脂的紅梅，淡雅俊逸的萼綠梅、古雅名貴的檀香梅、晶瑩如玉的宮城梅、瘦疏疏的十二江梅、花瓣重重疊疊的重葉梅、明燦燦鮮黃的百葉湘海、色澤如杏的杏梅、結實成雙的鴛鴦梅、清癯高潔的古梅。枝幹高不過數尺，卻都長得鱗苔斑駁，根節蟠虬。有的蒼勁古樸，有的奇倔突兀，有的仙風道骨。那些愛梅成癖的梅癡、梅迷、梅叟圍著梅花仔細品題，喃喃吟誦，柱上壁際掛著些詠梅的對聯詩，有一幅松青篆刻的竹屏風似乎最具代表性，詩題：「江南素重一枝春，豔好國花自有真，萬紫千紅齊仰止，冰肌鐵骨見精神。」那是蘇州人一年一次的盛會，我跟父親去過好幾次，留下好深好深的印象，想必妳小時候也曾參與。

還有一株聞名的梅花，妳一定比我更熟悉，那就是滄浪亭——妳們的蘇州藝專對面，圖書館裡那株鐵梗紅梅。歷史悠久，樹齡古稀，根節潛虬盤錯地蟠踞在地面，枝幹撲拙遒勁，聳峭之氣凜然，真箇是鐵骨嶙峋！花開時，枝椏間、樹梢上，卻繁花密蕊，盛開著胭脂般的紅梅。樹是如此古樸蒼勁、花是如此嫵媚溫潤，正是「千年老幹屈如鐵，一夜東風都作花」。

自然，看梅花最好的去處還是鄧尉：「鄧尉山上梅花林，玉雪為骨冰為魂。」二十里地方圓的梅林，千萬株一齊怒放，蔚成一片香雪海！遠遠望去，彷彿天際垂雲，山巔積雪，待走進梅林，就像投身在白雲掩映間。花氣氤氳，香霧迷濛，那種「飛來香霧都成雪，尋入梅花不見人」的美妙境界，只要親身經歷過一次，這一生都不會忘記。

——卡嚓一響，鎂光閃閃，將我拉回現實，孩子們讓我和梅花留下了依偎的情景，留下了美好的時光，從前雖然沒有人替我和梅花攝下可貴的鏡頭，而在我們內心，卻保留著最雋永的一份。不是嗎？那孤傲幽雅的仙姿、高潔堅貞的丰神，深深地鐫刻在我們心版上，稍一斂神凝注，便又清晰地呈現在腦中，永不磨滅，永不褪色！

摯友，可還記得許多年前，我也曾給妳看過一篇懷念梅花的小文，開頭摘錄了四句引子——年年海角天涯，蕭蕭兩鬢生華；又是天寒時節，何處可看梅花。很高興如今再也不必為「無處可看梅花」而惆悵。羈居寶島數十載，從未上陽明山專門為看櫻花；不是對花有所歧視，卻是耿耿於它所代表的不祥事物。期盼著來年，我們可以相偕去陽明山賞梅，也可以結伴返家園重訪故居梅花。

訪梅歸來急著告訴妳這個好消息、好預兆，也請妳分享我的喜悅。最後，且讓我抄下我最喜歡的〈梅花頌〉，做為明日梅花之約的見證，效法梅花精神的期許！

萬花敢向雪中開，
一樹獨先天下春；
唯渠不變霜節操，
千古風標只自知。

於倚風樓・民國七十年元宵節

編註：本文原刊於《中華日報・副刊》，一九八一年三月十七日，第十版。

晝長蝴蝶飛

終於，噢！終於那些梅雨淒淒、潮潮濕濕的日子過去了。聽說過沒？據專家分析：低氣壓會減損記憶；我不清楚自己是否失落了些靈感，只覺得季節的擺子擺得好慢好慢，困陷滯留鋒中，連思想的弦線也受了潮，鬆鬆弛弛，竟譜不成一曲心靈之歌。此刻，驟晴初霽，雨後的陽光分外熾熱耀眼，照得吮滿水分的草木青翠欲滴，花容鮮妍煥發。而妳那天外來鴻，就像一隻閃亮著瑩澈藍光的青鳥，破雲穿雨飛來，頓時天際陰霾全消，心頭霧翳盡去，真箇是喜從天降！

很高興妳又有一次生存的衝刺，生活能從多方面去嘗試是另一種幸福，真佩服妳那股「不是一番寒徹骨，焉得梅花凌霜開」高度求真求美的精神。能撥開困頓的陰翳，生命又呈現一片晴空。為一個崇高的理想，為一份精神事業，我們都有奉獻自己，終身頂禮的熱忱。只是妳比我更有衝勁、更富活力。我想我的性格中大概屬於蘇州人那種「恬淡無為」的傾向太濃了。其實，生命的顯示，不全像孔雀開屏，炫耀華麗彩羽；也並不全是火箭升空，挾著萬丈光芒，嘯傲凌霄。有許多生命的跡象，原是靜寂紆徐的，像月光靜靜地照澈，深水暗暗地潛流，花朵悄悄地開放，人在默默地沉思。地球星辰的運行，又何嘗不是靜靜寂寂、悠悠舒舒？還有我那小園裡最受歡迎的訪客，也經常是悄悄地來，又悄悄地去。

我那小小庭園，花木未經刪剪，濃蔭匝地；小徑少人踐踏，青苔凝滑。日長晝永，花開花落，總是靜靜寂寂，卻也有不少喜歡這份幽意的小客人，經常三五成群，結伴來訪，或獨自逍遙優遊。乘著晨曦，披著陽光，御著清風，來去自由。一類是聞聲不見形的鳥雀，只聞婉轉鳴啼，啾唧吟唱，偶或羽光一閃，翅影疾掠，卻只隱匿枝葉濃密處；一類是見形不聞聲的蝴蝶，出沒花間、參差草際，栩栩從風、低飛徊翔，總是輕輕悄悄、悠悠舒舒。雖然同樣逐花尋芳，蝴蝶又跟蜜蜂完全不同，蜜蜂孜孜攘攘，只為覓取花心那一份釀蜜的原料；而蝴蝶，花前漫舞，花間依偎，花蕊輕吻，花瓣小憩，輕憐蜜愛，純粹一副愛慕、欣賞的姿態。在人的行為來說，似乎也近似莊子的恬淡無為罷，這就難怪莊周會夢為蝴蝶了。

每年，蝴蝶都是最早傳達春訊的小小使者，當牠們的芳蹤剛一出現，園子裡就開始繁華起來；從嫩黃的迎春花，而孤挺喇叭，而一串串的炮竹紅、花麒麟、鳶尾、鳳仙……鮮豔絢麗，開出一片無聲的喧嚷，寂靜的熱鬧。蝴蝶興高采烈地周旋其間，這朵花問候一番，那朵花讚美幾句，舞姿輕盈，行動飄忽，疾速來去，又悠閒迴旋。那樣「似閒還似忙」，蘇軾形容牠是：「初來花爭妍，忽去鬼無跡。」謝逸寫牠是：「才過東來又西去，適時遊遍滿園春。」彩翅舞出繽紛，竟把花的生命也帶動了，滿園麗日清風，花光蝶影，生氣洋溢，譜出一片歡欣鼓舞。有時我步下石階，左右翩飛，前後迴轉，就像陸游詩中寫的：「何處輕黃雙小蝶，翩翩與我共徘徊。」有時正待低頭審視一簇花，卻不防花朵竟迎面撲上，原來是蝴蝶振翅起飛，這讓我想起了那本可愛的童話《斑比》。當小鹿剛自母親學過了對花的認識，正想去向花問好，花卻抖簌簌飛走了，看得小鹿愣愣地，大聲嚷嚷：「看，一朵花在飛！」多麼美麗動人的情景。

世界上，蝴蝶的種類不知多少？常來這兒拜訪的想來也不過十幾二十種吧。那天卻已惹得來玩的外甥女直嚷：怎麼碰來碰去全是蝴蝶！其中小灰蝶是最小的小不點，不過指甲大小、嬌小伶俐，來時常三五成群，只在較低處盤旋迴繞，互相戲耍一陣，或斂翅花上，或掩映葉底，誰也不會注意；待臨近時，蓬然冒起如浪花迸濺，濺上裙裾褲腳又彈開去，紛紛升墜。黃白粉蝶喜歡成雙做對，卻並不比翼齊飛；總是高低參差，若即若離，一會追逐遊戲，一會逗引戲弄。平展雙翅，乘著風勢斜斜滑翔，又飄忽升騰，牠們是飛得最高的了，早晨掀開窗簾，就看見牠們在攀上陽台的珊瑚藤間穿梭遨遊，有時停在粉紅色的花串上，雙翅並攏豎立，像一扇光潔閃亮的帆，揚起在晨曦中，即將順著陽光的潮流起航。

最美麗的大鳳蝶總是獨來獨往，有一種孤高自賞的矜持。深色的羽衣印染著七彩圖案，健翩展揚收斂間，徐徐款擺，御風飄行；迅疾搧動，凌風高翔；那種自如悠舒，優雅高貴，美得教人入迷。蝴蝶似乎一直介入人間一些淒美哀豔的故事傳說中，梁山伯、祝英台化魂為蝶的故事，是我國流傳最廣的神話，卻不知為什麼在我們蘇州單稱鳳蝶為梁山伯。其實光是鳳蝶這一族，就種類繁多，大陸有色彩斑斕的「彩帶鳳蝶」、後翅三對彎鉤的「天狗鳳蝶」，台灣有紅色弦月紋的「寬尾鳳蝶」、紅翅（後）黑圓斑的「曙鳳蝶」、黑白斑馬紋的「朝倉鳳蝶」、藍藍綠綠的「北埔鳳蝶」和如夢似幻的金黃色變幻閃光的「蘭嶼鳳蝶」。在我看到曾來拜訪的蝴蝶中，還有赭色間黑條紋的「樺斑蝶」、土黃色白紋的「白三線蝶」、藍底紫斑的「紫蛺蝶」、粉白相間的「斑粉蝶」、赭黃底遍灑黑褐色圓點的「豹斑蝶」，和一些一閃即逝還不曾看清形色的稀罕客人。造物者製造了蝴蝶，是為了要讓我們看他能造出多麼美麗的生命。

妳相不相信，蝴蝶並不像我們想像中那樣怕人，不但通靈性，還很有人情味哩。那許多穿流不息的小客人，其實也不全來自遠方，可能不少還是土生土長就在園中誕生的。每年，從幼蟲到成蝶，也不知摧殘了我多少花樹，受害最嚴重的是扶桑和木槿。青翠的葉子忽然就一片片像蛋捲似地捲了起來，打開來時，白色的絲網黏得緊緊的，裡面裹著一條淡青色小蟲，蠕蠕蠢動；好一陣子，扶桑就像一棵棵長滿了綠色蛋捲的怪樹。其次是梔子花，春夏間萌發新葉時，那種光澤淺綠的小小葉子，細緻嫩芽，纖纖花托隱藏著的花蕾，煥發出新生的光彩；但幾天不見，竟是斷梗禿枝，只剩下黝黯的老葉。找到禍首，已經是指頭大的茁壯幼蟲。我用葉子裹著移到別的樹上，不想手一放，它卻蜷曲著身軀，由得自己跌在地上一動不動地詐死。原來不愛吃別的葉子，竟有這樣冥頑不化的小東西！還有是我扦插成活的幾株非洲鳳仙，剛剛展葉開花，一夜之間，嫩莖嫩葉被摧殘得一片淒涼，僅存的一片葉子上兀然坦陳著跟葉色一樣碧綠的幼蟲。可笑我仍然忍著心疼請牠啖齧另外一株。更有些紅黑色來勢洶洶的小毛蟲，從樹上到盆中，幾乎什麼都不放過。攪局一頓，也不知牠們全躲到哪去造繭作蛹？待脫穎化蝶，再也認不出誰是誰變的。卻有好幾次，當有蝴蝶停在花上時，我輕輕地湊近去端詳，牠不但不飛走，還緩緩地旋轉身來，好讓我看清翅底不同的花色。拭鬚搓腿地撮弄了半天，才施施然自我眼皮底下飛去，就像我是另一株植物。有一次我從地上挖了一株花，正待移植到盆裡，忽然飛來一隻黑斑樺蝶，就憩在我手中的花株上。合攏雙翅，安然養神，一直等我研究透了牠身上那數十顆大小不一的黑褐色圓斑。最妙的一次是我站在廊上眺望，一隻華麗的大鳳蝶竟打斜裡飛進來，搧動的翅膀正觸著我的額頭，迅疾掠過又轉身返顧，款款然隨飛隨遠而消失在牆垣。那輕疾一觸，溫柔而帶點魯莽。蝴蝶不會盲目到撞到廊下的人身上來；也許在牠是似曾相識，來向我打個招呼吧。

「藝花可以邀蝶」，張潮說得一點也不錯。高興我栽種了這麼些花花草草，常與蝶為伴，只不知花是怎樣去邀請的？我也十分讚賞《幽夢影》中的另一句：「願在蟲而為蝶」，若能做一隻恬淡無為、逍遙自在的蝴蝶，實在太令人愛煞羨煞！

可還記得我們小時候，幼稚園表演那齣〈蝴蝶姑娘〉。梳著雙髫的妳，站在台上用稚嫩的童音唱出：「蝴蝶姑娘我問妳：妳的家，住在哪裡？」於是紮著彩染雙翅的蝴蝶繞著妳邊飛邊唱：「我家，就住在此地百花村裡；百花開，請到我的家裡來。」

如今，蝴蝶就住在我家小園，陰霾已過去，百花正盛開。正是：「桃花李白一番新，對舞花前亦可人。」晝長日永，妳來不來翩翩與蝶共徘徊？

編註：本文原刊於《中華日報・副刊》，一九八一年七月十二日，第十版。

門前樹已秋

長長的一季夏，我不曾搦管，我荒廢耕讀，我更疏於音訊問候，緣因我又要遷徙，生活亂了步子。

炎炎的溽暑，我內心比氣候更躁鬱，我思緒比驕陽更燙炙，只因我再次要搬家，身心紊亂如焚。

中國人一向安土重遷，住一個地方便栽下了感情，日夜滋長，根莖蔓延。尤其是生於斯，長於斯的老家，在那片土地上，世世代代的腳印踩出了歷史，綿綿無盡的親情根深柢固。在老家的屋簷下，曾奉獻過多少心血和勞力，迴盪過多少笑聲和啼痕？誰又能割裂那血脈相傳？誰又能捨棄那淵源深厚的感情？但是，摯友，我們這一代人何不幸而生在這動盪的時代，外侮內叛，一次又一次戰亂，驅使我攜著沉痛，遠離家園，負著創傷，放逐異鄉。迭經流離顛沛，逃亡遷徙，急著擇一處乾淨地，尋一塊安樂土。按下驚悸，撫平創痛，且喘一口氣，告慰自己：隨處能安便是家。

人生本來如過客，若不能安居家園，又不能率性而為結廬於山崖水湄，到處為家又何妨！只是，每駐留一處，儘管生活上力求簡單，但時日稍久，慢慢地就攢集如許身外之物；生活必需的，精神必需的，種種喜歡的，裝飾點綴的……需用時並不完備，玩賞時多多益善，一旦遷移時全成了累贅。有那搬得動卻無法安排容納的，有那載不走又難以捨棄的；棄留之間，真教人煞費周章。更何況歸類、包紮、裝置、搬運，重新安排……那許許多多折磨人的繁瑣事件！人是最會給自己添麻煩的動物。如果生活中能稍微忍受種種不便，行動時就方便多多，如果不去喜歡那麼多身外之物，也就沒有那許多難以棄留的困擾。要像哲學家梭羅在華爾騰湖畔築居那樣簡單多好，一幢門窗敞開的小木屋，數件必需用品，誰來都可以自由出入，自己去留也不必掛心。像鄭板橋那樣「三間茅屋，十里春風，窗裡幽蘭，窗外修竹」，更是淡然灑脫，或者像有些部落民族一樣。每年來一次「焚」舊迎新也不錯，把廢舊雜物在年終全部清理出來，付之一焚。最徹底的應該是國畫〈棄瓢圖〉中那位撚鬍大笑的老人，已將身外之物全部揚棄淨盡，只留下一隻木瓢供隨時掬水飲用。等看到牧童以雙手就著泉流掬水而飲，恍然徹悟連那個都是多餘的，於是棄瓢於水，撚鬍大笑。完全擺脫物質的繫累，了無牽絆；人能做到那種大解脫才是大自在。

生活中的必需品，畢竟只有使用價值，棄留只有方便與不方便，不傷感情。那些精神上的糧草，固然最重最費事。動員全家捆捆紮紮，也總算一本不缺重新列隊上陣；那些易碎的玻璃瓷玩火柴盒，就讓它們密封囚禁，暫時不再亮相。而最使我心疼難捨的，是那許多深深扎根在土裡，蔓延牆垣，聳立壁角，攀緣屋簷的花花草草。

妳也愛花，一定體會得到我對它們的感情；院中一草一葉，莫不是我親手扦插、栽種、移植、灌溉、照料。每一株都享有我的愛心，擁有我的關懷，據有我的殷勤。而它們報答我以美的喜悅，性靈的頤養，七八年如一日。

最資深的首推珊瑚藤，從南方攜來五株秧苗，前後左右牆角各栽一株，不二年已牽滿圍牆、窗櫺、陽台。我曾在《花韻》中寫它——遠遠地，彷彿彩雲一片，降落人寰；臨近，竟是彩屋如六月新娘。牆垣簷角，疊翠掩碧間，繫綰著一串串細小的粉紅鈴鐺，懸垂著一簇簇精緻的粉紅瓔珞，噯，這一家，原來栽種了珊瑚藤！

與珊瑚藤同時北上的是數十株孤挺花，每年春末夏初，彷彿誰下了一聲口令，所有的石蒜花總是在一個早晨好整齊地綻放了。渾圓茁壯的翡翠管挺挺地從長葉叢中竄拔出來，就像做體操似的，一伸手臂，一左一右，迸放兩朵白裡透紅的大喇叭，吹著吹著，隔一個晚上，又一前一後，兩朵齊放，那是一支聲勢浩大，清一色純小喇叭樂隊，在花神的指揮下，演奏著春之組曲。

臨行（北上）前，朋友贈送的九重葛和麒麟花，來此不久我就移植在地上。九重葛的成長是一種生命的衝刺，直條條向上竄高，俏伶伶斜裡伸展，超越門牆，橫亙小巷，蔓枝揮灑自如，宛如靈蛇騁遊藍天；韌藤桀傲不羈，有似蒼龍騰躍碧空。風中起舞，雨中滴翠，陽光下招展篩金，卻總不忘返顧有情，留幾枝招呼窗中的我。花麒麟則在石階畔伸出一根根多刺的厚肉肢莖，彎曲迴旋於空間，糾虬盤纏於地面，恆常在堅韌的莖端，綻放四朵八朵一簇的小紅花。中國古老的傳說，麒麟是一種吉祥的動物；花，想必也是象徵吉祥的花吧。朋友以它賀我喬遷，把祝福的摯忱和思古的幽情，全交付給我栽種；彷彿南方的陽光，溫馨的友誼，也一同布滿在小院裡。

一些是從花販、花展攜來的花木。樹蘭已長得比我高許多，今年才第一次盛開。我喜歡那淡淡幽幽、沁沁甜甜、若有若無、似遠還近的幽香，總是隨風飄忽，充沛於大氣中，又沁入肺腑。當我被鉛字或墨汁染暈了心智時，就讓香氣清滌一番，提神醒腦。梔子卻又是另一種韻采，那一樹盈盈的白，從濃綠中竄出來，不染半點煙塵，不摻一絲雜質，白得璀璨亮麗，白得皎潔素淨，真箇是凝脂碾玉。花開時，常是梅雨季節，馥郁的香氣就像滯留鋒，在四周流連盤旋，穿窗入室。呼吸的是芬芳，穿戴的是濃香，連字跡也透著香氣，整天醺醺然有點讓人消受不了。

栽一株石榴，是為的喚回童年，故宅花木茂密的深園中，就有一株父親栽種的石榴。幼年的我看到石榴花開時，總覺得那是讓一根神奇的魔棒點燃的，那一朵朵渾圓的火焰在陽光下燃燒得熠熠熾熾。沒有人採摘壓得枝條低垂的滿樹花朵，不是怕燙手，而是捨不得摧殘白水晶、紅寶石的果實。現在這一株雖然遠不及老家的茂盛，開那麼三五朵花，卻已「照灼連朱檻，玲瓏照粉牆」了。

非洲鳳仙是新鄰居分贈的，拿來只三五株脆嫩的梗莖插在土裡，待慢慢復甦成活，長大開花，又一再折枝扦插，竟滿地繁衍，一年比一年旺盛。輕盈纖柔的五花瓣，有淺粉、橘紅、一品紅和滲透三色的絞花色，不斷地盛開、蔓延，竟遮奪了其他花草。若不是中間隔著水泥甬道，怕不早就漫過階前！我曾為它們寫過一篇〈花鬧〉，那些有它們開得喧嚷沸揚的時光，小院裡可還真熱鬧！

那些錦葉、木槿、彩葉草、虎斑蘭、吊蘭、一串紅、綠珊瑚、鴨跖草，都是旅遊或訪友攜回的紀念品；那些麻葉海棠、火焰芭蕉、鳶尾，卻是拾取人家遺棄牆外的，都長得生意蓬勃。鳶尾一開，到處都是翩翩欲飛的紫蝴蝶。一串紅掛起成串成串的百子炮竹，只待太陽燃放。柳丁已結實纍纍，南洋芒果濃蔭匝地，紫薇和杜鵑正在醞釀另一季的絢麗。而遍植於牆角周遭，是容易培養又取之不盡的黃金葛、羊齒草、冷水花、紅莧；為的是贈送友好，分享生命的喜悅——

摯友，我寫下這些花，卻寫不盡我的追思。猶記得當年拚命栽種，還借用了鄭板橋的「……晴雨總無憑，誑殺愁人，種花聊客中情。結實成蔭都未卜，眼下青青。」只要「眼下青青」，便已滿足，不在乎是否能看到結實成蔭。但是，我畢竟不能那樣灑脫。

遷來這邊，只兩街之隔，房子格局相似，仍然是倚風而居，不過街巷寬了一倍，門前多了栽樹的人行道。鄰居望衡對宇，屋樓重疊，濃蔭掩映，顯得疏疏幽幽。院裡沒有花，清晨沒有鳥來唱醒，惺忪間，只聽到門前一記記「刷、刷、刷」，竹帚掃落草的單調聲音，緩緩地由遠而近，又由近而遠。幾番風雨兼寒流，原來樹已開始落葉了。不再種花，不再留情，免得又傷情。但無花可栽，又意興闌珊，心情落寞蕭瑟，霜降、冬至，寒意全砌在我心頭。不知何時起，掃街的已從早上一次又加添傍晚一次，想來是落葉更多了。單調沉緩的刷刷聲，聲聲入耳。從心底彷彿被掃去了點什麼？惘然背誦韋蘇州的「門前樹已秋」句，不禁怵然心驚。莫非，噢！莫非，「窗裡人將老」！

祝福，願妳的殷勤，長留春天在妳園中。

編註：本文原刊於《中華日報・副刊》，一九八二年一月七日，第十版。

無言倚修竹

以為自己已參悟到勘破七情六欲，淡在喜中，但還不夠曠達。

以為自己已修煉到心如古井，潛流不波，但還不夠虛靜。

摯友，我這樣說，可別誤會我在《綴網集》裡寫的是違心之論，那是為人生訂的指標，正朝這個方向努力以赴，尚未臻於完善的境界。而只是一次心理沒有準備的遷移，卻使我元氣大傷。再要澄淨那份被擾亂的心情，培養那點被破壞的意境，彷彿不是一朝一夕的功力所能恢復，又何況波希米亞的日子尚未結束。生活中偏偏就有許多無可奈何，影響人生，無法超越。而最使我縈縈於懷的，還是被遺置的那許多花花草草，不知它們可曾受到較好的照料，抑是讓不知愛惜花木的人疏忽蹧蹋了？時節已經立春，原該是春意鬧枝頭，一片欣欣向榮……不再沾泥插枝，總不免有點悵然若失。幸好，現在住的小院中除了幾株白千層、檳榔、玉蘭，沿著西牆，竟還栽種了三四叢茂密的綠竹，雖然不知道為什麼一律都被削剃得矮矮禿禿的。相信稍待以時日，當一枚枚春筍披甲堅銳，破土而出，再長成新竹時，自會有一片蕭灑綠意，一番青翠搖曳，多少，也補償我失花之痛。

想在住處栽幾株竹子，原來也一直是我的心願。在南部二十多年，園子裡滿栽花樹，就不曾栽竹，卻修築了長長的竹籬笆。我喜歡那份樸拙天然，我也嚮往鄭板橋寫籬竹的那種「一片綠蔭如洗，護竹何勞荊杞。仍將竹作笆籬，求人不如求己」的情調。雖然沒有綠蔭如洗，但籬上一年四季攀滿了青青綠綠，密密層層的牽牛藤，倒也另有一番野趣。賃居台北九年，花販不售竹苗，迤邐的河岸上茂竹成林，卻難得一支。小園中被我栽成大雜院，群花聚居，仍然獨缺修竹。如今得來全不費功夫，權且當作是得之桑榆吧！

說到一向愛竹，不僅妳我，想來大部分國人都有同好。它那悠久的歷史也是中國的文化淵源；它那逆來順受又永不屈服的精神，也是中國人的精神；它那高雅清致象徵中國文人的謙謙君子之風；它那高風亮節代表人格的清介孤操……自古以來，不知多少文人雅士歌頌它、仰慕它、寵愛它。而它所具備的實用價值，又與我們的生活息息相關；沒有一樣東西像它那樣，既高雅，又世俗；既謙虛，又自傲；既合群，又獨立；既蘊藉，又灑脫。自小耳濡目染，常親芳澤，血緣中有民族性的深潛感情，怎不教人敬之愛之！更何況它與我的童年、我的老家、我那千斛鄉愁，是那樣纏綿地聯繫在一起。

妳的彩筆畫下了錦繡河山，妳的畫繪出了宇宙萬象；相信在妳的印象中，一定還有畫不盡的故鄉風光。還記得在江南一帶，在我們蘇州，幾乎是家家修竹，處處幽篁。小時候跟隨大人去郊遊上墳，去廟裡進香，穿過桑柳夾岸的河流，田畦間，翠竹掩映著一帶竹籬，三五農舍。登上清蔭遮覆的山徑，竹林深處，隱約顯現出一角飛簷，綠瓦粉牆。我常常幻覺前面走的是那扶杖垂鬚的逸士，而我是那負囊的書僮，我們正走在國畫中。

網師園、獅子林、滄浪亭、留園……那些幽邃美麗的林園裡，栽種得最多，最有韻致的是竹。一座座月洞門，一道道海棠門，框住幾枝疏朗清秀的湘竹，疊上數塊玲瓏剔透的太湖石，陪襯些唐菖蒲、黃菊，便構成高雅的逸品，長廊上各式各樣的落窗，一扇是一幅景觀，瀟灑秀挺的綠竹總是最生動的畫軸。

在最初的記憶裡，是老家庭中那一叢父親手植的翠竹，在我眼中，高得擎天指日，無風有風，總是輕輕搖曳招展，篩下縷縷陽光，篩下細細雨絲。炎炎夏日，太陽把它畫在沉垂的竹簾上，勾勒成巨大的墨竹，影影綽綽，給房中帶來一片蔭涼。而在最後一進外婆寢室的窗前，是一個無人走動的天井，L形的粉牆外，就像屏風般匝繞著密密茂茂的竹林，陽光總是遲遲地滑下竹梢，一晃就溜走了，早晚都是綠沉沉的，大人說那是姑媽家的花園，我卻怎麼也想不透，足足隔了兩條長巷，怎麼會彎過來？有一段時日我跟外婆睡，常常肘著窗台對竹子發呆，一邊在小腦筋中勾勒地圖；姑媽家的大花園我很熟悉，有船廳、書舫、池塘、假山，花木更是茂盛。竹林就在池塘和假山間向山坡延伸，地下堆得厚厚的籜殼，踩上去砉響。掩映其間有一座具體而微的小廟，說是供的狐仙——也曾想到若是在牆上開座月洞門，來去豈不方便！但一想到狐仙最愛惡作劇搗亂，招惹了牠可不是好玩的。越想心裡就越起毛，天一黑，忙不迭關上明瓦窗；睡不著就乾瞪著眼，聽風催竹聲亂喧，彷彿有點悲悲切切。只是等第二天早晨推開窗牖，看到明燦燦的陽光下一片青翠欲滴，映得滿室金碧交輝，又打從心眼溢滿歡喜，便在外婆妝台上豎起竹書架，擱上文徵明的千字文帖，蘸著墨汁，也蘸著青光，一筆一筆臨摹起來。

妳知道，有句俗語說：蘇州人都會搨幾筆（畫畫），就像北平人都會哼（唱平劇）兩句。父親那張大書桌上，就經常鋪展著筆墨宣紙，興致來時，隨時搨幾筆。練筆時總喜歡極其迅疾地先亂撇一陣竹葉，我在一旁看他運筆，似乎可以感到那力透紙背的腕力，和落筆的簌簌聲。有時也鄭重地比劃一番，再在素摺扇上畫幾根墨竹，題上「高風亮節」或「安道苦節」，贈送友人。父親在群花中最愛四君子梅、蘭、竹、菊，卻對畫竹較有心得。其實他儀表清癯、挺拔，氣質高逸，性情狷介、耿直、孤傲不羈，終年一襲素面嗶嘰長袍，顯得儒雅瀟灑，卓然不群，自己就具有竹的形象，只是「竹瘦而壽」，他不應該英年早逝。也許，由於他老人家一生愛竹像竹，亦培養了我對竹的好感。

竹的手采、形象、精神，一直被借來象徵人的性格、節操、氣質。是文人雅士標榜仿效的典範。而在現實生活中，它與人的關係又是那麼密切，處處有它參與介入，作伴為友。除了日常接觸的筷子、毛筆、扇子……還記得小時候我第一樣竹製玩具是一隻細篾編的六角小竹籠，高不過二寸餘，有一扇小門可以開啟，裡面可以養紡織娘、叫哥哥，或者知了。隨便懸在窗口，聽牠們大聲唱著夏之歌，或曼聲吟著秋之詩，那是寂寞童年最美妙的音樂。還有一種一元鎳幣那樣大的竹盒子，面上鑲了玻璃，用來養纖巧的金鈴子，擱在枕頭底下，晚上聽牠唱出清脆的金屬聲音，唱唱停停，常常分不清是醒著還是夢裡。

元宵上燈時學會了自己做兔子燈，先用細竹篾箍好架子，蒙上透明的紅玻璃紙，或用白棉紙剪貼茸茸長毛。晚上一燈在手，燭光熒熒，覺得比什麼花燈都神氣。

我的第一樣樂器是一支紫檀色的竹笛，只是當我剛剛學會吹一段：「誰家玉笛暗飛聲，散入東風滿洛城……」就因為氣管不好，被禁止再吹了。

我很喜歡父親書桌上那座竹根筆筒，四周還雕刻了風景、鶴鳥。另外一座卻是天然方竹，據說方的竹子還只有蘇州出產。一塊長長的竹刻臂擱，已被腕臂磨得光溜溜的了。

夏天裡，我最愛獨占著那只熟得紅透的竹榻，枕著有個小門的竹枕，抱著空花的竹夫人，午後小睡，不汗自清涼。

蘇州人嗜筍如命，蘇東坡愛竹不過「不可居無竹」，蘇州人還要加一個「不可食無竹（筍）」。從小就吃過不知多少筍，有時傻想，如果吃下去的筍都長成竹子，自己不就成為一座竹林了。

而抗戰勝利，買棹返鄉（其實是從避難的山村，返回服務的報社原址——江西上猶）搭乘的雙層巨竹編紮的竹筏。無邊無舷，穿過山峽，衝過湍急的渦流，驚險萬分……

噢，摯友，提到竹子，竟拉拉扯扯惹了如許事情。自己也沒想到幾叢斷竹而已，卻引起了如此深遠的往日情懷，喚醒了如許甜蜜親切的兒時回憶。當初年小幼稚，又怎能體會那可喜可貴的升平歲月，珍惜那恬淡安樂的閒逸生活！縱然無比深摯的感情，早已像豎竹般，在那芬芳的土地上，埋下了既深且固的根。

隨著年歲增長，閱歷添加，書也讀得更多。那些對竹的緬懷和嚮往，已揉合成一份崇慕之情。而做為一個現代人仍擁有舊文人情操的我，也越來越喜愛竹子本身高逸、幽雅、灑脫、勁節、挺拔的清姿，和它被人格化所代表象徵的人性與節操。就像從古以來，詩人雅士在詩詞中所稱頌的。

——勁本堅節，不受霜雪，剛也；綠葉萋萋，翠陰浮浮，柔也；虛心而直，無所隱蔽，忠也；不孤根而以挺聳，心相依以擢秀，義也——李昉寫竹具備了剛、柔、忠、義四德。宋文同讚它——虛心異眾草，勁節逾凡木。王健讚它——色經寒不動。高潔的竹格，也即是完善的人格。

——平生憩息地，必種數竿竹——如今，我也算是居有竹了。

平常日子「竹搖清影罩幽窗」，頗有點詩情畫意。

下雨時「夜雨竹蕭蕭，書齋更寂寥」，另有一番蒼涼意境。

「小齋灑灑頗宜貧，清有竹，靜無塵」，恰似生活寫照。而「小園終日靜」，「無言倚修竹」，這情景、這況味，比起繁花盛放，春意鬧枝頭來，似乎更有點使人忘卻塵俗的禪意。朝夕相對，一年下來，相信我將更進一步參透了「曠達」和「虛靜」。

寄語吾友，別忘了在妳那異國的小園中，也栽一叢「色經寒不動」的中國竹，以慰藉祖國之愁、鄉土之情。如若事忙，先不必寫信，就請畫一支竹報平安吧！

編註：本文原刊於《中華日報・副刊》，一九八二年三月十七日，第十版。

第一座城

你——來自南方的朋友，可記得你曾有過一個許諾，當你讀過我那篇書簡〈寄我一朵鳳凰花〉後，輾轉託人捎信來；許諾我來年鳳凰花開時，一定摘下最早的一朵寄給我，以解我相思，止我渴慕。雖然我寫的對象是那個一住二十年的小鎮，而你提的正是我第一次停留的城市，但兩地的鳳凰木花朵開得一樣鮮豔絢麗；就像對兩處的懷念一樣深永——我殷切地盼望著，卻忘了覆信。

台北的冬天和春天，一向都跟寒風淒雨糾纏不清，今年的冷鋒面更是遲遲不去。暮春尚未化盡風雨，驀然見到你在一個文藝集會上。正困惑於似曾相識，你已迎前招呼。三十年畢竟是很長很長的時光，彼此能一眼認出來，似乎寬厚的歲月還不曾留下太殘酷的鑿痕。那天六個人風雨小聚！只可惜匆促間來不及聯繫更多來自南方的文友，大家談笑敘舊間，彷彿又喚回了早年相聚的情景，那種屬於年輕人的坦誠，屬於舊文人的謙沖，以及對共同的愛好——文學。那種熱中和虔敬，在當時風氣純樸淳厚的文壇一角，還相處得十分融洽——而希爾頓的黑天鵝廳情調典雅，布置得就像一艘古老的帆船。揹著沉沉的鐵錨、扶著粗粗的纜繩，看室外大雨滂沱，似乎真有那麼一點風雨同舟的況味。

雖然你不曾為我帶來鳳凰花，卻也透露了不少消息。述說中，塵封像筍殼一層層剝落，城的輪廓越來越明確地凸出；問答間，景象一點一滴匯聚擴揚，城的風貌越來越清晰浮現。噢！屏東，我投奔自由第一座駐留的城！它歡迎的擁抱是那樣熱烈；惦念中，恍惚又感受到它那灼燙的陽光，似乎要將人融化蒸發那樣的熾熠。

那座太陽城，創下我生活中太多第一次的紀錄，留下我生命中無數第一次的嘗試和拓展，第一次遠離苦難中的家園，第一次漂洋過海，第一次看到了海鷗與壯闊的波濤。還記得在風浪中顛簸了四五天，才登陸美麗的寶島。人輕飄飄地失去了重心，抱著一大堆脫下來的禦寒衣裳，踏上陽光燦爛的高雄碼頭，大家第一眼看到鮮紅碧翠的西瓜和堤岸內一片綠意盎然，都楞住了，不是在廣州上船時剛度過春節，正是寒冷的冬天麼！

那座可以通向大武山的長橋，我常帶了兩歲的恬恬，去看底下通過的火車。橋下有菜圃、瓜田、花園，橋頭新拓寬的那條路端，便是我們第一站落腳點。兩排密密銜接的宿舍，共用一座古老的抽水機，幫浦整天不停地吼，噴出一股冷冽的地下水。衖巷裡人來人去，叫賣枝仔冰、冰淇淋的小販穿流不息。灰撲撲的馬路兩旁，大陸切麵、山東餃子、燒餅油條，一家家帶著鄉土氣息的小店就像雨後春筍般冒出來。後來我的第一本長篇小說《夫婦們》就以那裡為背景。在楔子裡有一段這樣的描寫——大雜院坐落在P市城郊，一道道矮矮的板牆圈圍出一個長方形的小天地。院外挨著牆栽的那一排大王椰，長得蒼翠整齊。有太陽時，它便投下一片蔭涼；有月亮時，它便篩下斑爛的銀輝。平常日子南台灣的風輕輕吹著，它總是隨風搖動它那巨大的綠梳，梳理著掠過它頭頂的白雲——它們是大雜院門前最端莊美麗的哨兵。院裡，緊緊連接兩排房子，坐在東邊屋裡可以一眼望透西邊屋。左鄰關門得重些，右舍便像感受三級地震，就這麼密切依偎，聲氣相通的十幾家人家，卻全有著不同的籍貫，不同的生活方式。唯一相同之點，便是大家都是不願受迫害的一群，大家都有著同樣的信心，寶島是一艘永不沉的渡船，大雜院只是這巨艦的一角。待渡過這一段腥風狂瀾，再同返故園。

坐在竹子編的牀上，靠著那張課桌，我寫下來台第一篇通訊報導，也是唯一的一篇越過台灣海峽，在祖國發表的。接著，給剛復刊的《中央日報》副刊投寄了第一篇小文，另外是《中華日報》副刊「海風」、《新生報》新生副刊……想想那時多少文藝前輩和愛好寫作的朋友，各自開始默默向文壇出發，副刊是一片廣闊深邃的園地；在那裡墾拓荒蕪，磨礪自己，副刊也成為一座縱橫四方的橋樑，溝通思想，建立文字之交。就這樣三十幾年來逐漸蔚成蓬勃融和的風氣，實在很有意思。

記得那時第一次看到鳳凰木花，很有「驚豔」的感覺。那樣鮮豔輕盈的花朵，卻盛開在如此茁壯盤虬的樹巔，細緻均勻的嫩葉，更烘襯繁花灼灼如火焰，點燃了南台灣漫長的夏季。第一次見到相思木——鳳凰木的姊妹，纖柔嬌媚的小花朵卻常常化作金色的相思淚，隨風灑落一地。第一次看見椰子樹，十分敬慕它的挺拔英姿，瀟灑丰采。第一次看見扶桑，好喜歡那精緻玲瓏的小紅燈籠，一盞盞懸垂在牆垣籬畔，搖曳生姿。第一次看見木瓜纍纍地結在樹上，打樹下經過時還真怕中了頭獎。第一次看到蓮霧，先就醉心於名字的充滿詩情玄意，輕巧的果實似淡彩畫般淺淺的水綠滲透淡淡的粉紅，恰如名字的雅潔清新。第一次看到屏東大橋底下沙灘上迤邐連綿的西瓜，大的大得一個人休想搬得動。第一次看到釋迦果，總讓人想起青青的佛頭。而第一次看到四鄉廣袤的田地，不是秧苗青青綠浪起伏，便是金黃耀眼穀穗沉沉，一年兩次收成，不由得教人讚歎寶島真是得天獨厚的福地！相信每一個第一次接觸這些那些的人，一定和我有著同樣的感受，想來你也不例外吧。

熱熱鬧鬧住了兩年大雜院，我們自郊外遷到市區，日式的木屋位於小巷第一家，緊靠著那條平坦、寬敞、筆直通向車站的馬路。坐在窗台上，一側臉就可以看到綠蔭掩映的一角，春夏間，嫣紅的鳳凰木花和金黃的相思花交織成一片錦繡。有一年，電力公司來橫加斬斷，我勸攔不成，還為樹們寫了篇義正辭嚴的「控訴」哩。石欄圈圍的前院，有一株開花似歡喜團的仙丹，一株每片葉子都是不同的抽象畫的變葉木。還記得有一次潤妹自妳們學校附近的溝渠中摘來兩片厚肉綠葉，隨便放在蓄水池中，不想沒有多久就滿地碧綠，抽出一穗穗藍紫色的花串。第一次看到這樣俊雅的花，也是第一次聽到那個既鄉土又高潔的名字——布袋蓮霧。後園一棵濃蔭匝地的南洋芒果，結實纍纍。夏天的晚上寫稿到夜深，常聽到咚咚墜地聲，第二天孩子們去拾取，一個怕不有半斤，沁甜多汁，嚐過的人都讚它好品種，只可惜我對芒果過敏，沒有這口福。

那時文藝協會成立不久，南部也有了分會，喜歡搖筆桿的人彼此由心儀而識荊，就在那幢魚鱗板小木屋裡，開始與文友交往，也包括畫家、音樂家、攝影家。偶爾小聚，去吃吃土土的小館，喝喝沒情調的咖啡，再不就去公園走走。屏東公園占地廣闊，古木蓊鬱，湖水瀠洄，風景天然，有一次，一位攝影朋友就近借了釣竿漁簍，讓我蹲在池畔樹根旁作垂釣狀，照下側影，輕蔭掩映深靜池塘，景致很美，只是臨池垂釣的人卻穿著長旗袍高跟鞋，實在有點可笑。屏東的太陽真是名副其實的「兇」——兇得厲害，也兇得可愛，只要一想起屏東，感覺上總熱辣辣地，不是曬，就像是沾著煉爐裡潑濺出來的熔液，真怕被融化。但就因為熱能高，植物營養特別豐富；成長力也強，那些椰子、木瓜、香蕉、西瓜……全長得豐碩沁甜，一年二收甚至三收的稻穀，更是優渥。我真的很喜歡那個富庶、樸實而帶點農村風味的城市。

屏東四年，我出版了第一本散文集——《青春篇》，第一本小說集——《生死盟》。那時還年輕，偏嚷著不要讓「散文時代」溜走。如今春華落盡，滿懷蕭瑟，才知道那時真年輕，卻懵懵懂懂，忽略了不少事情，錯過了許多光陰；再回首舊時，已是多少滄桑！

很高興你告訴我小城近況，喚醒了我彷彿已邈遠的回憶。有人說：回憶是另一種「重逢」。雖然，我知道人類永遠在求新求變，社會不斷在改革繁榮；尤其這許多年來自由中國各方面飛躍的進展，小城當然亦有了不同的風貌。也許，回去已找不到舊時路徑了；但在我不管多次的「重逢」中，依然見到大王椰守衛著望衡對宇的大雜院。抽水馬達不停地低吼著，紅土路上很鄉土的白堊小店，出售簡單的商品和親切。小木屋後園中，深夜芒果咚咚墜地聲，和屋旁那條濃蔭拱遮的大道，以及路端媽祖廟前母親最喜歡吃的魷魚羹攤，繞過幽靜的花木圓環，是我常去的介壽圖書館。那座悠久巍峨的黌宮是潤妹在那裡完成她的師範教育，那座寬敞完善的空軍子弟小學，是恬恬在那裡開始她的啟蒙教育。還有那到處光焰沖霄，閃閃灼灼燃燒在藍天下的鳳凰花，和那條兩旁椰樹拱衛、通向漁港、通向海邊、通向台灣最南端的綿長公路……

離開小城是某年空軍節的前夕，正是鳳凰木花將謝未凋時。現在又是八月，想來枝頭仍豔花如錦，摘不到最早一朵，一定還可以擷取最後一朵。去年忘了覆信、此刻卻是考慮要不要寫下地址，因為我怕萬一寄花來，尚不知我下一站棲息何處。若問為什麼不固定？且讓我套兩句王安石的詩作為答覆：只緣「如何憂國忘家日，還有求田問舍心」。

暫且就讓鳳凰花燃亮在「重逢」中吧！

載情不去載秋去

我終將離去，這安靜的村子。
我終將離去，這潺潺的溪流。
我終將離去，這倚風的小樓。

廊前樓簷，纏綿懸垂的珊瑚瓔珞依然搖曳生姿，牆腳垣角，高挺繁茂的一品紅將紅未紅，窗口的山茶花已含苞待放，滿園盈盈的綠意正滋滋成長，而我將離去。

倚風而居，只說暫借一枝棲；這一借，卻已將近十個寒暑。

還記得十年前我自南方遷來時寫下第一封書簡：〈春暖花開時〉，正是春寒未消，春意薄醒之際，忙著栽花播種，忙著布置安頓，記憶猶新。如今已是第九個秋天。這期間，我只斷斷續續寫下了二十八封書簡。卻已不知多少花開花落，消長盈虛，不知多少人事滄桑、物換星移，漫長的歲月，又彷彿轉瞬即逝。比起艱辛的抗戰八年，安和的日子實在太好過了。

初來時，村中房子似乎剛建好不久，我曾在〈人在山谷中〉形容它——舒敞的直達車駛出城市，駛向郊區，把塵囂和污染的空氣拋得遠遠的。兩旁青翠碧綠的田野襯得道路更寬闊，彷彿已再無人們居留的跡象。就在路那一端，綠白相映的房屋像是從地底忽然湧上來，一行行排列得那麼齊整，那麼均勻，就如一列一列好長好長的車廂規規矩矩停息在路軌上，閒閒靜靜散置在山麓下——綠白相映，是牆的粉刷。七八條直直的長巷，每條一百多家，牆連著牆，一眼望到底，陽光就那樣一無遮攔地瀉落下來。夏日晝午從巷口走到巷尾，人幾乎融化在那種蒸騰的白熱中。曾幾何時，各家園中的花木都漸漸長高竄出牆外，路樹已茂密成蔭，長巷變成花巷。一路走去，仰望兩邊粉牆上高聳、懸垂，臨空招展搖曳的繽紛花樹，是一樁賞心悅目的事，尤其有路樹的街巷，翠柯與庭樹互相參差掩映。當我走在人行道上時，喜歡瞇起眼睛專注前面，讓路上所有人車都失去焦點，而只看見綠色幽邃的「隧道」筆直向前伸展，想像自己是漫步在什麼名園勝景，想像那是通向無垠無極的神祕幽徑……

近十年來，我又何止千百遍經過扶疏弄影的花巷，穿過幽邃的綠色隧道。

「隧道」的一端通向路對面的市場，菜場簡陋狹隘，倒是圍繞在菜場四周的各種流動攤販，頗有吸引力。常常滿袋盈籃裝得沉甸甸地挽回家去，不是果腹的蔬菜魚肉，而是幾件樸拙的陶器，三二隻造型不同的花盆花缽，一些瓷的、木的小擺設、裝飾品，各種可愛的玩具，帶泥土的花秧樹苗。滿袋裝的是歡喜，那是心靈的營養。

花巷西端蜿蜒橫亙著新店溪，深深淺淺的溪水靜靜地流過石礫，沙灘迤邐展延。有人嬉水，有人垂釣，有人做運動。我們總是牽了狼狗愛瑪去散步，揀一根木棍遠遠地擲出去，愛瑪便游過去啣回來交還主人，一而再的重複，而牠總樂此不疲。下午有時同孩子去寬闊的砂岸漂水片揀石子，帶回家種水仙壓常春藤。

如果不是那些闖入的車輛，村子裡實在很清靜，家家紅門掩攏，庭園花木寂寂。黎明時分，我總是在鳥鳴啁啾中醒來，睡在樓上，就像住在群樹之巔，一睜眼望到窗外的雲天，彷彿自己也棲息在枝椏間的小窠中，當珊瑚藤蔓牽上陽台窗櫺時，鳥兒們與我只一窗之隔。接著傳來溪畔打石聲，有規律地響著如鐘聲滴答。不久又飄送過來一陣陣如新雛初啼的清脆歌聲，卻因為風向顯得忽高忽低，忽遠忽近，偶然傳來幾聲吆喝叫賣也那樣悠然抑揚。最是記得踏實的是掃街聲，刷、刷、刷，從門口一直掃過去，掃除了落葉和垃圾，掃走了一個又一個晨昏。

生性疏懶又不擅交遊的我，在村子裡，卻也有好些原來相識的熟人，和後來交往的朋友：秀亞姊、呂青姊、孫如陵兄和劉心皇兄的宅第只一街之隔；鳳兮、樂薇伉儷就住在我家巷口。隔一個菜場還有劉枋姊和丹扉，以前還加個郭晉秀。有什麼聚會，我們這一群女文友常結伴同車，一路談笑融樂，別人戲稱我們為中央新村幫或新店幫，一旦離開村子，我形單影隻，成了獨來獨往的獨行客。

雖然從不串門子，芳鄰們有時也是花友。經過誰家門開著整理庭院，誇讚一聲什麼花好，立刻就換來熱忱地邀請：剪一枝回去插吧。就這樣好些花草附著醇醇的人情進了院子，下次見面便交換花經，花草成活了，人也熟了。看到那些生意盎的花草，腦中馬上浮現贈花人的形象：金色彩葉和麻葉海棠來自巷口那位把花木收拾得纖塵不染的程太太，送我綠珊瑚的太太戴著怕有七百度的近視眼鏡。美人櫻和馬纓丹卻贈自那位半聾的路邊園藝家，開得滿園的非洲鳳仙，原主人早已鳳去樓空。而有一年春節我家幽香溢室，是對面的養蘭專家，把他盛開九枝的報歲蘭，供我喜迎新歲。

有一次我在地攤上替女兒買了兩件毛背心，回家才發現在路上遺失了。不想第二天在選菜時，卻瞥見一位面熟陌生的太太拖著空購物車施施而來，扶手上搭著的赫然是我失落的背心——原來她正在那兒覓失主招領哩。

有時門鈴一響，應聲詢問時，門外卻擲來一句：「鑰匙在大門上！」或是：「妳家的狗關在外面！」

多麼可愛的芳鄰們！

只要做過一次小小的交易，小販們便當作老主顧那樣親切。最早就在買瓷器的地上發現那只淺藍飛雲的小花盆，愛不忍釋，以後買菜時經過，總是熱切招呼：「今天這兩只妳沒有，帶回去吧。」或「我替妳留了這只最好看的。」如此這般收購了五六年。一個改行，又換了另外一對年輕夫婦，賣的是另外一種新產品，式樣細巧，生意作風一樣，甚至開了整卡車瓶瓶罐罐送來我門口，說是才從窯裡運來，繞道我家讓我先挑一些。到後來，自己也弄不清因為喜歡種花，才收集各式各樣的小盆小缽；還是因為有那許多花盆花缽，一定得弄些小花小草栽種，才不算辜負？朋友來我家，卻笑我在擺家家酒。買了幾個動物撲滿預備送小孩，幾乎成了動物園，購得一些紀念品，將送朋友，又不知弄了多少大人玩具。設計美觀的手帕，是一幅幅美麗的圖案、抽象畫，不是使用只為欣賞——我就是抵制不住小小可愛的誘惑！而那些誠樸的小販們從不自吹自誇，從不勉強塞給你，也不亂開價，投我所好推介，好像只為供給老主顧以喜悅。

那個賣水果的，風雨無阻，每天按時推車到門口，他會坦誠地告訴你今天什麼水果好，什麼差一點，價錢由他定，一毛也不少。供應那些年裝垃圾的簍簍紙盒，卻從來不肯收一毛。當他知道我家狼狗愛吃水果，我在挑挑揀揀時，他卻自顧剝橘子、切西瓜去餵狗。幾次忘了帶鑰匙，都煩他跳牆到園裡，或是鑽氣窗進屋子去開門；是附送的特別服務。

那位送了許多年信的郵友，他可以把寫錯了地址，或只有名字的信完全送到不誤。掛號信一次不在，原該收信人自去郵局領取，他卻不辭辛勞地為我連送三次。只是，有一年不知怎麼把「艾都拉」的賀卡都給了我。

那位掃街的老人，早晚兩次，用椰葉當掃帚，把磚縫中的落葉掃得乾乾淨淨。我總記得門右那株我把它當作茄冬的樹，他卻很認真地告訴我那叫「饅頭樹」，起因是由於對日抗戰時有一次戰役被困斷糧，戰場只有那種樹的葉子可以煮食充飢，最後突圍獲勝。所以老總統以此命名，而且還頒令普遍種植這種饅頭樹。

還有那個一本正經的明月和笑顏常開的阿秀，幫忙我打掃清潔，兼帶報導地方新聞、人物掌故。不是她說，真不相信這幽美的地方旁邊，從前竟是惡名昭彰的「撒拉西」（賊窠）；而迤邐一大片的沙灘，卻還是上一代浣衣洗菜唯一的水源。

儘管歲月無涯無岸，生命中總有許多驛站。隨時駐留，隨時出發。在這一站的駐留期間，平淡中也有喜有憂：

女兒結婚添丁，我家成為四代同堂。

認識了許多花草，又結交了不少新的沉默的朋友。

出版了三冊新書。

《綴網集》的寫作，是一種自我突破的嘗試。《花韻》卻是另一種美的喜悅。

住了兩次醫院，元氣大傷，只許〈減速慢行〉。

沒有好好把握那些寶貴的時間，做自己想做的事。

最後一隻狼狗愛瑪（已沒有精力再養了），被車子壓傷不治。

誰說時光消逝不留痕跡！它培養的感情深深地刻在心頭，鐫在生命中，我喜歡那往返何止千百次的幽美花巷、綠蔭隧道，和那份悠閒清靜的氣氛。我喜歡園中親手栽種的花花草草，每一株都賦有我的愛和關心。我喜歡與友人相聚的時光：談書、談花，談往日情懷、身邊瑣事，融洽又美妙。我喜歡乘著寬敞的公車，從起點到終點，經過溪畔和田疇，穿過杜鵑甬道和繁忙通衢，從容地享受速度和風光。我喜歡童心來復地去逛地攤，攜回些許可愛東西，增加一點生活情趣——但是，我終須離去，帶走一切日常所需，卻帶不走滿心歡喜。

離去，已是蕭瑟的秋天。載情不去，且載秋去，留下我那默默的祝福和情意。

離別前宵於中央新村・民國七十一年十一月十一日

編註：本文原刊於《中華日報・副刊》，一九八三年二月七日，第十版。

往日情懷

——新版小言

本書為艾雯遷來台北後所寫一系列書信體作品。新的接觸和感受，使她對自然萬象、風土藝術、人生意境，又有了新的認知與領悟。與友人閒閒細訴，機暢神流，親切委婉，卻也包含了人生哲思、孺慕之情、藝術詩心與生活情趣。將外在世界、內在經驗以及心靈深處最真切的關懷摯情，圓融成文，讀來如一注出山的澗泉、一道宛轉的清溪、一泓澄澈的湖水，萬種風致，一片冰心，都浸潤映照其間。

這一篇文字，原係《倚風樓書簡》初版時刊於書前的引介，而問世不過一年，該出版社卻突然消失無蹤。以致連累該書遁跡了五年，如今才重見天日。自己再覆核一遍，等於又重溫一次往日情懷；那種溫馨美好的感受，那種微妙雋永的情趣，那種豐盈的心靈之旅，和悠閒自在的探索之行，依然令人心動神馳。但時過境遷、情移物換，那樣的光景已難再。從倚風樓至停雲小築，停不是停，倚風依舊，緣於未曾去尋根，仍然有倚風羈居的感覺，意念如出岫之雲，亦常在漂泊流浪間。卻因眼疾，筆耕疏怠，倒是覓得與自然更多的相處，山崖探青、溪畔訪水，一恁不競之心，追隨水流，因而對那份隨緣起興，與物為春的情景，不禁格外憐惜。

以文會文，忘年之交，是人間最高潔可貴的情誼。必須在這裡提一提的，是朋友給我的鼓勵與批評，其間更不少錦繡文章，且摘錄於後：

——作者超越了平常狹隘的家庭親屬範圍，揚棄了身邊瑣事，以感恩的心情，付出深厚的愛和關切，懷著謙遜熱情去探索、參與、認同人生。融攝所見所聞所感去詮釋生命的歷程，信手拈來，意到筆隨，但涵蓋了大自然之美和人生真諦。從而獲得心靈的慰藉，肯定了生命的價值。處處有生活情趣、空靈的哲思及極濃厚的懷鄉思親之念，具有古典淡雅的風格。

豁達中有些許執著，優美裡染上了一縷蒼涼，歷經變亂，……人的意志經過挫折之後要轉弱為強，誠非易事。唯人有至善之性、至靈之心，會突然極限，放棄許多失落和損壞，珍重擁有的辛勞和成果，在宇宙天地默默造化中體悟到生命流行不息，智慧的光芒將燦然四射。所以作者能心平氣靜，凝神斂志，……提升自我到虛靈無欲、虔誠精一的境界，仰觀白雲蒼茫，俯瞰紅塵萬丈。參悟造物之神奇玄妙，證驗民胞物與的一脈之仁，在煙霧迷濛、塵埃飛揚的時代，融鑄心靈之美成為文字形象，留下了生命的轍跡，……而境界上又更有新境界。

〈又見天香第一枝〉／王逢吉

——晚上一口氣讀完《倚風樓書簡》，發現艾雯是把文字當作藝術的。字裡行間，充分流露了書卷氣與靈秀氣，而且既富情趣，又饒韻味，在她的筆下，許多微不足道的瑣事，都生動有趣，許多不惹眼的小東西，都呈現多采多姿。真是萬物皆有情、處處生意盎然；一草一花一木都通靈氣。再想想，艾雯其實是把生活當作藝術的，她蕙質蘭心、仁厚率真、恬淡自適，十分懂得享受生活情趣。任何平凡事物，隨時有嶄新的觀察與有趣的發現。透過這些文章，「借她的眼睛給我們看」，讓讀者也分享了她的特殊感受，適足以培養審美的觀念與高尚的情操。尤其是像她這樣年高德劭的文壇前輩，心境卻是永遠如此年輕。活水長流，充滿了青春活力，令人不自覺地也沾染了幾許青春氣息。

〈作家日記〉、〈人生船〉／沈謙

——艾雯把她來台北後新的接觸和感受，以她洗練、優美的筆調，與友人細訴，涵容了人生哲理和生活情趣。每篇都是一幅美的圖畫。

〈詩中有畫〉／唐潤鈿

——艾雯之文，字裡行間所流露的，多是花樹之美、田園之美、自然萬物情趣，以及友情親情之愛、人生之理，文字所表現的，是唯美文學的特色，立意造詞自是功夫深。

艾雯似乎比植物學家還要多懂得花卉草藤的名稱，多懂得所有姹紫嫣紅的性向和舒展的情形。她朝夕與花卉草藤相處，看它們盎然的生意，潤澤她的心靈，無限情趣。而身在其中，這一份意境和描寫自然花木生態的特色，是值得稱許的。

〈倚風樓書簡評介〉／林貞羊

——艾雯女士素為散文名家，寫起書信體這一系列文章，更掌握了書信的特長，親切、真摯而鮮活。一方面是娓娓如話家常，另一方面也向讀者展示了她充滿畫意詩情的心靈世界。那純美而富於雅致的生活情趣，在今日繁忙緊湊的世界中，幾乎是一種奢侈，那絕不是用金錢可以堆砌成的，而是來自一片巧思慧心。這種巧思慧心，在各篇章中閃爍著清潤的光華。

她以無盡的愛和喜悅來擁抱著生命，對天地萬物，永遠有歡喜讚歎之情……不僅只是沉浸在她自己與世無爭的「伊甸園」中，做一名隱者，她也關心著許許多多的人與事、故國之思、慈孝之情，也總是自然流露在字裡行間……那麼馨逸柔美如詩的篇章，在這匆遽的時代，有如一個花繁葉茂的清涼世界，正等待著讀者尋幽訪勝呢！

〈媽媽書房〉／莎雅

漢藝色研一向出版純淨的文學作品，很高興能將此書託付，由於他們有風格獨創的典雅封面設計。最讓我難以割捨的是當初金哲夫教授為我設計的水彩畫封面和小女恬恬所繪的插畫。

民國七十八年冬

艾雯全集3

散文卷三

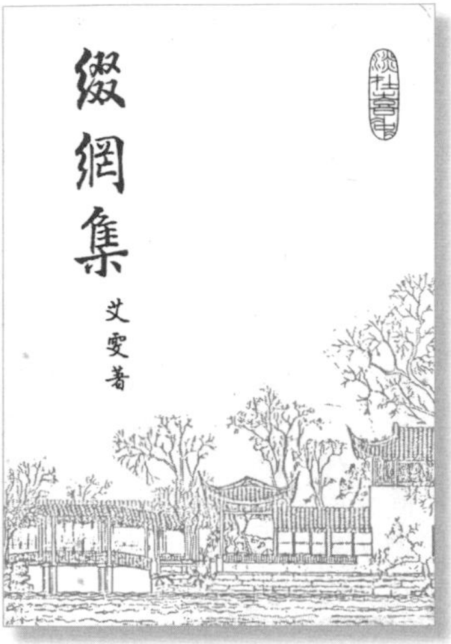

綴網集

綴網集：台北市，大地出版社，一九八六年三月初版。三十二開，一八四頁。

◎大地版原目：

回響（代序）、綴網自縛、土地的歸屬、淡在喜中、想想「曾經」、蚌和珠、思想錄形、心的貞潔、眼下青青、一杯龍井、失落的鑰匙、巨木小蟲、無夢、古井不波、自己的陰影、審判自己、最大的言語、忘性、兩種症狀、遊蕩的意志、突破自囚、今之隱者、經驗的負荷、星、告別、孤獨是完整、等、可愛陷阱、潛能、蛻變、悠閒、露根蘭花、謙受益、三個撲滿、歉疚、高樓樓高、疏竹寒潭、帳單免付、減速慢行、無形的負重、焚一爐沉香、修訂本、一念三千、欣賞別人、不好意思、孤雲獨去閒、潮、針黹之美、無聲之聲、山之頂禮、何妨白髮生、居有竹、生存的勇氣、塑造自己、執著、灰燼和塵土、憤怒是敵、秩序之美、侮辱自己、生來富有、與物為春、心中孤島、水流心不競、能源透支、返樸歸簡、分享喜悅

附錄

不具「風格」的風格

◎說明：

本集據大地初版編入。

不具「風格」的風格等一篇已收錄於《曇花開的晚上》。

艾雯擬改本書書名為「淡在喜中」。

回響（代序）

走過該走的道路，打過生活的仗，接受過人生的試探，經歷過時代的考驗、戰爭的淬煉，負起過人類負荷中屬於自己的責任和使命——時光的腳步悄悄地走過生命，生命的腳步踏實地走過現實世界；似乎都沒有留下什麼顯著的跡痕。然而，當黎明拂曉，心境寧靜似鏡；夜闌人靜，思想澄清如水，常感到有什麼自內在浮升，在腦際閃動，也「聽到我心底有些什麼，落葉似的沙沙作響」。

那浮升、那閃動、那聲音，正是人生之回響；貫穿歲月，透越塵埃，從生命深邃處一波一波傳來；通過感情的曠野、理念的隧道；通過沉思的長廊，心靈的幽谷，一聲比一聲清晰、有力；是哲理的領悟，是真理的顯示，是人性的剖析，是生命的詮釋，是價值的評定，是生活的體驗，是世事的透視，是善的執著，愛的擴大，是人格的提升，觀念的確立，是智慧的映照，性靈的昇華，是自我的肯定？……一切的一切，鎔鑄於情，提煉於理，宏納千緒萬念，默運潛移。

天清地寧，胸懷坦蕩。心光自照中，我忠實地錄下生之回響，作為自己生存在這個大時代的見證。

編註：本文原刊於《中央日報・副刊》，一九八一年五月二十六日，第十二版。

綴網自縛

有些人，就像是蜘蛛。

蜘蛛結網，吐的是有形的絲，為的捕捉蟲子當食物。人所繅的卻是無形的、感情的絲。它的黏附力又比蛛絲更廣泛、更堅韌；可以是一件物品，可以是一樁工作，可以是一處地方，也可以是一段時間、一種情況。

兒時的玩具，親人的手澤，朋友的贈予，旅遊的紀念，心愛的收藏，有特殊意義的紀念品，代表性和象徵性的飾物小玩意，甚至故鄉攜來的小石頭，沙灘拾取的貝殼，手栽的一花一草，斷簡殘篇，箋牘函稿——看得見的無數身外物，看不見的心頭不少繫戀。感情的絲——纏綿不盡，牽牽絆絆，幾乎無物不黏。隨著歲月年齡增長，密密層層，縱橫錯綜，既不忍割捨，又不能忘情；竟把自己困在網罟之中，動彈不得。

蜘蛛享受獵物，營養生命；人保留事物，只是欣賞，或偶然供回憶和懷念反芻——也許，那也正是心靈的營養罷。

而我自己，便是其中一個專門喜歡綴網自縛的人。

編註：本文原刊於《中央日報・副刊》，一九八一年六月四日，第十二版。

土地的歸屬

人類總是渴望著有自己的土地。

有人忙一生為的賺一塊地；

有人一生就在一塊地上忙。

更有人為爭奪土地流血、爭戰、殺戮。

在「所屬」的土地上蓋一間木屋或一幢高樓，人就自「囚」於一隅而沾沾自滿。

但土地是永恆的圓，不變的完整；是無垠的廣，無底的深；不能分割，不被占有；人費盡一生，也只是短暫使用；人拚命爭地，也只是表層一角。

六十歲、八十歲，就算活上一百歲吧，在億萬年，兆兆年的地球來說，也不過是一剎那、一眨眼。

當生命結束，人最後償付給土地的租資是自己的軀體——化作齏粉、化作塵灰；更以此肥沃並填充土地，生生不息。

而土地才真正擁有了人。

塵歸於塵，土歸於土。

究竟，究竟是土地歸屬於人；抑是人歸屬土地？

編註：本文原刊於《中央日報・副刊》，一九八一年六月四日，第十二版。

淡在喜中

從前氣得要命的事，現在可以一笑置之；

從前斤斤計較的事，現在已看得無所謂。

得不到的不再那樣令人渴望；已得到的也只是淡然置之。

不再為熱衷一事，廢寢忘餐；

不再為鞭策自己，焚膏繼晷。

在時間和世情的蹭磨下，對人較多容忍，對事較多涵養，對情更能自持；一切都看淡了。

正如史震林在《西青散記》所寫：「仰視碧落，俯念蒼生……淡在喜中——」一切都看得淡，保持內心的安詳沉靜；不再受外界的干擾、七情六欲的紛爭，也算是一種自我修煉。

古諺：「濃於聲色，生靈怯病；濃於貨利，生貪饕病；濃於功業，生造作病；濃於名譬，生矯激病——萬病之毒，皆生於濃。以一味解之——曰淡。」

此心一淡，則蠱冶之物不能移，熱鬧之境不能動。

莊子在〈刻意篇〉中亦曾說：「平易恬淡，則憂患不能入，邪氣不能襲。」

原來「淡」還可以使品性、人格免疫。

只是，果真修鍊到爐火純青、恬淡無為；熱忱也低了，活力也減了。缺少那股「入世」的衝勁，總不免有點蒼涼之感。

編註：本文原刊於《中央日報・副刊》，一九八一年六月四日，第十二版。

想想「曾經」

如果說：「曾經即是獲有」；

回想一下，這一生已「獲有」太多。

曾經立下宏偉的志願，曾經確定輝煌的理想。

曾經希望自己能用一支彩筆繪出美的世界，永恆的宇宙；一支黑筆寫出性靈內涵，人間萬象。

曾經嚮往環遊世界，曾經渴望結廬於幽靜的山林水湄。

曾經憧憬柏拉圖的理想王國，陶淵明的世外桃源。

曾經不斷鞭策自己，超越自己，塑造自我完美的心像。

曾經參與生存的戰鬥行列，曾經是文藝前線的尖兵。

曾經穿越陽光大道，也曾經通過死亡幽谷。

曾經希望自己是點燈的人；點亮一盞盞心裡的明燈。

曾經希望自己是個好園丁；在心園及文藝園地，墾拓出一片四季常青的林園。

曾經祈求世界大同、永遠沒有戰爭。

曾經盼望身體健康，能從事曾經希望、嚮往、憧憬——祈求的一切。

也許，真正獲有並不能永遠保持新鮮感；而擁有太多，有時卻是一種累贅。那麼，就想想曾經吧！不管是一種過程，一種意象，抑是心念之間一陣悸動，曾經是那麼美好！

編註：本文原刊於《中央日報・副刊》，一九八一年六月五日，第十二版。

蚌和珠

蚌實在很純情的生物。

牠對任何有意或無意滲入體內的微粒，不管是沙、是礫，都付出無限耐心，分泌愛的油膏，仔細塗抹、裹纏、滋潤……

那樣全心全意，那樣包涵容忍，那樣無休無止地細琢輕磨，慢慢地化礫刺為光滑，變粗礪為圓潤；終於塑造成珍珠——光澤、精緻、晶瑩、溫潤，而又堅實無比的珍珠。多麼動人的過程。

作家構思作品，宛如老蚌孕珠。

從事寫作的人就像蚌，將體驗、知識、思想、素材，加上心血、汗水、腦汁，付出愛心和耐心，無休無止地搓捻、琢磨、醞釀、鎔鑄，以求至善至美。

一顆塑造完美的珍珠，經過千百次淬煉，光彩永不滅。

怕只怕耐力不夠，火候不到，倉卒製造，粗糙脆弱，禁不起時間浪潮的沖激而被淘汰。

磨筆一生，若能竭盡心力，塑鑄成一部晶瑩完美，光彩永不滅的珍珠般的作品，可以死而無憾！

編註：本文原刊於《中央日報・副刊》，一九八一年六月五日，第十二版。

思想錄形

人所以為萬物之靈，就因為有思想。

而人身上反應最快、最敏捷，運用最頻繁的也是思想。

思想操縱行為，左右命運，領導人生，創造世界。

但思想既無形，又無聲，來去無蹤，稍縱即逝。任何卓越的、偉大的思想，若不經由口述筆錄，立即捕捉，既不能留傳，更無人知曉。

也有時腦際會閃過一抹美好的靈感，湧起一份雋永的思緒，出現一個奇特的構想，一縷玄妙的遐思，一注充滿愛意的關懷……卻全像電光火花般：一閃過去，煙消雲散，不著一點痕跡，也不再重顯。

科技發展到今天，有錄音機，可以錄下任何聲音語言；有錄影機，可以錄下任何具體影像；卻沒有一種機器，能錄下最可貴的思想。

如果有人能發明錄思想機，相信人與人之間關係必定更密切、更融洽，人生將更豐富，生活將更美好，世界一片祥和。

寄望於明日世界，有這樣美好的降臨！

編註：本文原刊於《中央日報・副刊》，一九八一年六月五日，第十二版。

心的貞潔

心，似乎變得不那麼單純了。

每當為一個嚴肅的主題、一篇精緻的文章，苦苦思索還不得要領時，一絲遐思卻像一個幽靈，一縷輕煙般，悄悄溜出禁園，飄忽隨意，黏上任何一片浮雲，一株花草，一件未完成的事，一個待安排的約會，一段往事的回憶，一份旅遊的嚮往，一份親情的懷念，明朝的陰晴，生活的雜碎……等怵然驚覺，猛收住不羈的野馬，卻已在曲徑歧途上奔馳了好一段路——白白浪費了時間、心力，又待回到出發點重新開始，多麼讓人氣惱！

「要保持心的貞潔，不要讓欲望四溢，不要讓思想四散。冥想沉思時，有一個專一不變的主題，其他的一概拒絕。」

但是，如果拒絕不能，約束無方，又怎樣才能築起防線；一待遐思欲趁隙潛溢，便亮起紅燈，或響起警鈴，及時封鎖？

然則，若當真需要防範，又算得什麼貞潔？

編註：本文原刊於《中央日報・副刊》，一九八一年六月十七日，第十二版。

眼下青青

得自父親的遺傳，一生就喜歡蒔花植草。不管住哪裡，只要居所有一角土地，總要栽種些花花草草；播種也好，分秧也好，插枝也好。眼看它成活、發芽、萌葉、茁壯、開花，自己參與了生命的萌始，也就分享了成長的喜悅。更何況那綠意盎然、花朵嫵媚，給生活增添了無限情趣。

我尤其喜歡插枝，無根而能生存，需要怎樣的勇氣、怎樣的耐力、怎樣堅強的意志，和堅韌的生命力！造物給予某些植物的秉賦實在優厚。反觀我自己，離開生長的家鄉，就不曾定居下來扎根。

或說，既不屬於自己的園地，又何必費心費力去墾植栽種？

地盡其利，又怎能任憑其荒廢？天賦泥土用之不竭的潛力，讓它投閒置散，更是泥土的悲哀、愛花者的損失。我種花的心情，就跟鄭板橋在〈種花〉一詞中寫的相似：

「晴雨總無憑，誑殺愁人。種花聊慰客中情，結實成蔭都未卜，眼下青青。」

能夠時時享有眼下青青的境界，便是精神上最大愉悅，心靈上無限滿足，又何必耿耿介意於結實成蔭呢？

編註：本文原刊於《中央日報・副刊》，一九八一年六月二十日，第十二版。

一杯龍井

清晨起來第一樁事，是為自己泡一小壺茶。先啜飲幾口，提神醒腦。當我開始養成這份嗜好時，曾品嚐各種茗茶，最後決定選擇了龍井，便一直喝到如今。

我喜歡龍井，一是它清淡幽遠的香氣；二是它蘊潤淨澈的綠色；三是它淡中見醇的味道，上口微苦，卻有回甘，很有點齒頰留香，舌底餘甘的意思。

習於清淡，從未嘗試過更強烈的、更濃醪的飲料。

如同我的人生。

生命中、生活裡，似乎從沒有什麼濃烈的、刺激的、辛辣的、豪華的、荒唐的、狂歡的、放縱的……

不圖飛黃騰達，只求安定；一任白雲舒卷、明月去來。

不求榮華富貴，只圖寧靜；在寧靜中獲致精神的獨立與自由。

不逐物欲名利，只願恬淡自適；度我至情至性的生涯。

一生便是一杯清、淡、馨味幽遠、微甘帶澀的龍井。自甘淡泊，細細品味，又何嘗沒有回甘餘香！

編註：本文原刊於《中央日報・副刊》，一九八一年八月一日，第十二版。

失落的鑰匙

像一個逃家的流浪兒，我蹲坐在朱紅門外一方小小的石礅上，腳畔擱著沉重的提袋，膝上摺著脫下的外衣，汗水濡濕的鬢髮貼在額際，口渴而又疲累。

門在我背後緊扃著。門裡有我喜愛的書卷，有我手植的花草，有可供我休息的舒適藤榻，有可供我解渴的新泡龍井，以及我熟悉的寧靜安詳。那正是我親自安排布置、朝夕廝守盤桓的家。但是，門鎖上了，鑰匙卻被遺留在門內。這一切熟悉而唾手可得的事物，分明近在咫尺，卻全變得遙不可及。

只為一扇鎖上的門，只為一枚小小的鑰匙。

在我們內心，都有不少可貴的、品性上的蘊藏，一個趨向永恆的性靈世界，可以供我們憩息、反省、認識自己，修煉人格，蘊藉思想，融攝智慧，提升精神，涵泳愛心。……可是，人們往往只顧忙著凡庸的俗務、名利和物欲的追逐。被外界看得見的聲色所迷惑，而形成了疏離，任由心扉寂寂深鎖。久而久之，竟連開鎖的鑰匙也失落了。

生活忙亂中的錯誤果然可笑；自己造成的疏離卻更加可悲可哀！

編註：本文原刊於《中央日報・副刊》，一九八一年八月一日，第十二版。

巨木小蟲

園子裡那株老榕樹已不知綠了多少春夏秋冬，總是在夏天裡一面換上新葉，一面落葉。兩年前忽然只落不長，越來越稀，最後成了衰枯的禿樹，一斫便倒，才發現齊根處像一鍋滾粥般，蠕蠕蠢動的全是白色小蟲。

記得小時候老家那寬敞的大廳裡，一天忽然掉下幾塊磚瓦來，上去檢查才知是樑柱蛀空了；而從底下望上去，卻髹漆依舊，一點也看不出什麼跡象。無懼於颱風、地震，承當起華廈重量，大樹巨椽安然屹立於時間空間；竟被一些細小卑微的蛀蟲木蝨由內齧空扼殺。

恍然想起：我們周遭和內心，不亦潛伏著類似的小蟲？像日常生活中許許多多細碎繁瑣的小事，心理上的疑慮、憂懼，精神上的負擔，感情上的煩惱……這些無形的蛀蟲，隨時趁虛侵入，逐漸滋生、繁衍，悄悄地齧蝕。日復一日，終有一天會蝕空意志的樑木，摧毀精神的支柱，而頹然傾圮，再振無力。

人若經歷過生存的搏鬥不曾挫敗，接受過苦難的試煉不曾躲閃，跋涉過崎嶇的道路不曾退卻，最後卻不提防被小蟲所毀，實在輸得很冤枉。

蛀蟲侵蝕，不會沒有預兆的；只是看自己警覺性高不高而已。

編註：本文原刊於《中央日報・副刊》，一九八一年六月二十四日，第十二版。

無夢

睡眠像稀釋了的酒，越來越淡薄。不管是多晚上牀，一晚上總有數次醒在夜的深靜中。昨晚，不知是醒在第幾個回合，忽然想起，似乎很久沒有做夢了。

日有所思，夜有所夢。夢是一種潛意識的活動，一種心態的反映。平時所嚮往的、思考的、擔心的、經歷的，往往會出現在夢中；可以是補償，可以是警告。夢是很可愛的，讓人擁有雙重生活：真實的和玄虛的。

年輕剛學繡時，總喜歡在枕套上繡上「甜蜜的夢」；晚上給朋友寫張短箋，末了不忘記寫上「祝你有個好夢」！在那樣的年齡，也正是白日也在做夢的時候；常常弄不清是夢是真。

那些醒來猶有餘悸的夢；那些沒有準備，上考場急出一身汗的夢；那些從崖梯失足跌落，大聲叫醒的夢；那些逃警報，跑得醒來還很累的夢；那些神遊幻境的夢；荒謬不經的夢；不可思議的夢；美麗溫馨的夢……難道從此不再光顧我？

印度的《奧義書》中寫到：「當一個人熟睡，他的官能隱退而寧靜，沒有做夢——那就是自我。那就是不朽的、無畏的。那就是梵——它似乎已達到了至上的寂滅。」

如果當真修煉到淨「梵」，無夢也就無憾，只是未入禪「林」的「凡」人而已；人生豈不更單調！

編註：本文原刊於《中央日報・副刊》，一九八一年八月一日，第十二版。

古井不波

「心如止水，古井不波」；人們常常用這兩句話來形容勘破七情六欲、不再動心。其實，井水雖不揚波，卻並不是止水；不然，又怎能汲之不盡，常保澄清？

井水是一注深深的潛流。因為深靜幽邃，肉眼看不透它的流動，也不受外界的影響干擾；但自有源頭活水，不斷溢注。

年輕時，自喻生命為一道溪流；越過礁石，沖出狹谷，挾著兩岸的烽火歲月，生活瑣屑，春華秋實，勇往直前，不停地向前奔流。

如今覺得累了，卻想做一口井。

一口深沉平靜的井，露天敞置在田野一角，映一抹藍天，一片浮雲，陽光時來溫存，星月輝澈冰心，雨絲在水面寫幾首即興詩，花瓣落葉捎來消息，小鳥偶然憩息欄邊打個招呼，也有風雨、也有陰晴、也有日月菁華；只是淡泊自處，默默潛行。

也許，當年只顧挾泥帶沙，匆匆奔流時，忽略了的天趣意境，一朝澄清明澈，更能欣賞品味。

但不知本身道行，還夠不夠做一口井。

編註：本文原刊於《中央日報・副刊》，一九八一年八月十一日，第十二版。

自己的陰影

早晨從市場回家，由大街彎進小巷，面前多了一個亦步亦趨的影印體——我自己的影子。

東西向的長巷，一直到底。太陽正在背後照射過來，把我拉得長長的。一步一腳，就踩在自己身上。步子跨大跨小、東歪西斜。總也擺脫不了，無法超越。

在我四周，依舊是璀璨的陽光；牆際的花葉沐浴在金光裡，鮮豔亮麗；擦肩而過的腳踏車也閃閃發亮。而我看到的只是面前自己黑漆漆的陰影，垂掛著重甸甸的提袋，顯得蹣跚顛頓，像是總走不到盡頭。

忽然想起，在生活中，常常有些憂慮、哀怨、苦惱、失意的事，使人身心沮喪，陷入情緒的低潮，只顧獨自傷感，不能振拔。彷彿已是生命盡頭，世界末日——就像背向著太陽，看到的只是自己的陰影；龐大沉重，籠罩一切，不勝負荷……

但是，只要轉過身去，面向太陽，面向人群，發現世界原來依舊光明燦爛；生命原來依然美好如昔；宇宙在運行中，依然生生不息。

如果感到自囚於情緒的陰影，隨時轉過身去，把它拋在背後，不去理睬。

編註：本文原刊於《中央日報・副刊》，一九八一年八月十一日，第十二版。

審判自己

昨天為了某項事件未能做決定性的選擇，譴責自己遇事猶豫不決，不能掌握時機。前天在某個場合中說話應對不當，討厭自己笨嘴拙舌，辭不達意。而今天又為計畫中的事未能如期完成，怨恨自己做事不能專心一注，集中精神。一生中也不知多少次對自己的行為、舉止、言語、儀態、學養、動作、措施……不斷地予以批判、自責、挑剔、追悔、詛咒、懊惱；似乎一輩子一直都在嚴厲地批評自己，審判自己。

人總是要求自己樣樣完美、完善，事事處置得當合宜。但並沒有塑立一定的「心像」模式，規劃嚴格的遵循路線，因此無法把自己認為越軌、差勁、錯失、笨拙的言行事先糾正、修改、剔除——只能事後裁奪。所以永遠是自己的批評者、審核人、裁判官、執法者、獄吏。永遠不停地苛求自己、挑剔自己、譴責自己、怨恨自己、討厭自己……

自己的審判，將是終身執行，今生今世不獲釋放。

誰又能寬免？

編註：本文原刊於《中央日報・副刊》，一九八一年八月十一日，第十二版。

最大的言語

越來越佩服那些能言善道，話說得既漂亮又得體的人。有的說得簡潔有力，有的說得優美文雅，有的說得婉轉動聽，有的說得風趣逗人，加上口齒清晰，措詞恰當，中間不忘調侃自己兩句，謙虛中卻有著肯定；顯示出自己的學養、觀念、成就和自信。說者神采飛揚，聽者如沐春風，不由得令人心悅折服。

言語是靈魂的聲音，是人與人交通的媒介：表達思想，發揮意見，說服別人，塑造自己在人群中的聲望；尤其在這「傳播」時代，口才更是成功的條件之一。猶如都羅里斯說：「悅耳有力的語聲，是人的品性中重要的一部分。」遺憾的是，我的品性中正好就缺少了這重要的一部分。

口鈍舌拙，有時被人誤解為驕傲冷淡；有時憋一肚子話就像水在鍋裡滾，沒處冒泡兒；逢上開座談會什麼的，獨我三緘其口，做個不吭氣的「純」聽眾。

但不善以說話評論事物，炫耀自己；至少，也不會禍從口出。一如索旦所說：「從未發現像沉默那樣可靠的安全。」

「無言是說話最大的藝術」，「沉默是最大的語言」；如此說來，我不僅擁有最大的語言，又懂得最大的藝術。雖然，一輩子只是個沒嘴的悶葫蘆。

不曉得朋友是不是認為我「沉默比言辭更為動人」！

編註：本文原刊於《中央日報・副刊》，一九八一年八月二十六日，第十二版。

忘性

據說腦細胞一共有一百四十億，其中三分之一用於記憶。細胞當然不會像荷爾蒙之類，隨著年齡流失。要嘛，分配比例有了新調整，人似乎越來越沒有記性。

常常失東忘西：既記不清往日情懷，更轉身忘了要做的事；張嘴忘了要說的話，出去忘了要帶要買的東西，常用的字想不起來。最令人難堪的是，替朋友介紹再也想不起名字。

平常習慣了思隨心到，如囊中取物。忽然間逢到腦中一片空白，像傳播故障的螢光幕，再也沒有影像。怎不令人困惑，懊惱！當真是老之將至，記憶減退？

那天無意讀到一篇〈健忘之樂〉，卻稱讚善忘也是好事；不愉快的忘得乾乾淨淨。而其他的忘了，等於新的接觸，新的境遇……記性不好的人永遠覺得生活饒有晨暉的清新感。

人生本是單行道。如果事物情境能再享有一次清新感，等於活過兩次，倒真是不錯。但最好還是在記性減退之前，能有一種技術性的自我催眠：記得快樂，忘記痛苦；記得成就，忘記辛酸；記得恩惠，忘記憤怨；記得美好，忘記醜惡；記得鮮花，忘記荊棘；記得陽光燦爛，忘記淒風苦雨……如此，則健忘的人有福了。

編註：本文原刊於《中央日報・副刊》，一九八一年八月二十六日，第十二版。

兩種症狀

一本書上說到人漸漸上了年紀，最容易犯兩種症狀：「自我厭棄症」和「回歸童稚症」。兩者似乎各走極端。前一種患者多半由於無所事事，精神沒有寄託，加上缺少親情關懷，生活上種種不如意，怨恨世界對他太苛刻，又恨自己太無能；終日自怨自艾，情緒低落，人格萎縮，自暴自棄。凡得自我厭棄症者，人亦厭之。

另一種自覺一生辛勞，已卸下生活的負擔，人生的責任，以及歲月的壓力；重負已釋，一身輕鬆，心理上又返老回童。重新拾回童年的好奇、好動、好玩，也許是尋求補償，也許是暫時忘我；而在一本正經的成人社會看來，卻是想法天真，動作幼稚，行為可笑，行事反常，背後揶揄一聲：「老天真」！

但是，與其因感染「自我厭棄症」而鬱鬱餘生，自棄人棄，不如鼓舞「童稚回歸症」的併發；對一切感到新奸驚奇。吸吮形形式式如吸吮生命之源泉，重獲赤子之忱，重享天真無邪之樂，重新開始認識世界……

至少，老天真自己還能擁有一個不太寂寞的暮年。

編註：本文原刊於《中央日報・副刊》，一九八一年八月二十六日，第十二版。

遊蕩的意志

也許，人的意志有時候還需要一些壓力和約束；就像套上軛一樣，才不至於閒散遊蕩，無所適從。

如果眾多待決待行的事件需要辦理或進行，而時間上既無緩急之分，又可以任意選擇，相信到最後往往是一事無成。

每當我想寫點東西時，先就在繁複的題材上面臨抉擇：寫抒情的、勵志的、人生哲理的、花木自然的、生活情趣的、往日情懷的、鄉土之戀的、天真童稚的、可愛動物的？寫一篇報刊約稿的罷，還是繼續寫系列散文中的一種？再不，乾脆寫篇小說算了。

每當我準備做點不費腦筋的事時，也不知先從何處著手：將收藏的火柴盒整理整理吧，也好藉此欣賞把玩；還有郵票呢、畫幅和卡片呢？不如去整理園子，有些花該分枝、該施肥；要不裁製一件衣服，縫紉機都快生鏽了！

天時人和出去散散心吧；博物館有畫展，植物園的荷花該開了，很久沒有去光華舊書市場……

思緒在各種事件中競走，意志在躊躇猶豫中遊騁；每種「可能」都分裂我。常常弄得精疲力盡，又白白浪費了時間；只因為不知究竟從何著手。

看到一段文字正好針對我的困擾——找出自己決定想做什麼唯一的方法，就是動手先做些什麼再說；往往在開始行動的時候，感覺就慢慢地澄清下來。我抓牢這幾句話，按捺住浮動的意志，就動手先寫下了這些。感受果然漸漸澄清了。但是，下一步呢？明天呢？

編註：本文原刊於《中央日報・副刊》，一九八一年八月三十日，第十二版。

突破自囚

據說有一種叫草履蟲的水蚤，小得可以生存在水滴中，只要一觸到邊緣，便立刻回頭轉身，從不去試著突破障礙，或越過界線。彷彿也就安於那小小的範疇，來回巡游轉圈，直到短暫的生命結束。

想起來，人何嘗又沒有這種現象。往往自閉於最初進入的小圈子裡，自己不敢豁出去，以為世界就這麼大。一生只踏著走過的覆轍，望著面前三尺地，做重複的工作，想類似的問題。不想再邁出一步看看周遭，也不想再考驗考驗自己有多大能耐，更不接受任何新東西、新知識。因循、苟安、沉滯……就像水草萍藻在水中逐漸繁衍，包圍圈子乃越縮越小，生存的空隙越來越狹窄；而思想滯澀，心靈老化，精神蒼白，智慧遲鈍，行動緩慢，生命力衰退……

多麼可怕的愚昧！

及時警惕放眼環顧周遭，仔細檢點行止。萬一，萬一發現自己有這般趨向，不管是心理上或是處境中的任何障礙，必須拿出勇氣，不顧一切地來一次衝刺！

編註：本文原刊於《中央日報・副刊》，一九八一年八月三十日，第十二版。

今之隱者

朋友常揶揄我是今之隱者：隱於名利界，社交圈外；隱於物欲橫流，科技囂張外的淳樸；隱於市廛紅塵中的淨土；隱於不合時尚的執著；隱於白底黑墨的鉛字背後。

我雖不欲承認，亦不予否認。因為我熱愛人生，喜歡生活，更關懷周遭的一切。我渴望能深深了解這生於斯長於斯的國家，知道發生在四周的事情，關切人類的命運，萬物的生長盛衰。我願意嘗試各種生活方式，參與各種生存的搏鬥，體驗人生的淬煉。我重視人性的尊嚴，尊崇生命的莊敬；更讚美那些奉獻的精神，忠貞的赤心，誠懇的意願，高潔的情操……我融攝所有的愛心、關切、感受，穎悟於方寸之間，鎔鑄成文字，織就篇章。呈現在別人面前的是我心血之作；卻與我那血肉之軀，色相形體無關。作者只須讓讀者通過作品了解思想，不必以自身詮釋作品。

而「隱」不是遁世，不是逃避。我入世接受試煉，參與人生，站出來還我自我：自甘清靜淡泊，好似清風明月；喜歡自由自在，如同閒雲野鶴。

儘管滿眼繁華，蓋世名利，我只取我那一簞食、一瓢飲。

編註：本文原刊於《中央日報・副刊》，一九八一年八月三十日，第十二版。

經驗的負荷

一個人的一生，往往是由各式各樣經驗堆積起來的：生活經驗，工作經驗，求學經驗，疾病經驗……。有些是自然而然形成，有些是偶然得來，有些付出了代價，有些苦心積慮取得；而有的增加生存的適應力，有的豐富生活的內涵；有的卻是失敗的教訓，痛苦的經驗。

那些由於缺少常識，準備不夠，認識不清而造成的不幸經驗，免使我們重蹈覆轍。那些從歷練中、實踐中得到，以及前人傳授的經驗，果然使我們駕輕就熟；但亦並不是永遠可以遵行倚重的原則或方式。隨著時代改變、科技躍進，以前的方法，已很多不適合現在；譬如一些勞力的經驗，對電動的機器就根本用不上；一些陳舊的商業行為，在推行廣告宣傳攻勢的今天就行不通；所謂蕭規曹隨的守成觀念，在講究效率的現在，也顯得落伍迂儒。甚至在今天還被重視為成功的行為，到明天可能毫無價值了。

我們一直是重視經驗的民族，往往高估了經驗的價值，不免過於憑恃經驗而養成依賴性；反而因為太多的積習阻塞了新的發展，制馭了更高的能力，壓抑了新的生機。

為了重新肯定自己，有時必須毅然卸下經驗的重負，從積習中超拔，再自行動中、實踐中、開拓中，一點一滴創造嶄新的經驗。

編註：本文原刊於《中央日報・副刊》，一九八一年九月七日，第十一版。

星

忽然想起：來台北後，似乎許久沒有看見過星星了。

去院中翹首仰望，天空邈邃而暝暗。

上陽台登高遠眺，穹蒼渺茫而朦朧。

摘下眼鏡頻頻擦拭，難道是近視越來越深，應該是到了不再加深的年齡。驀然記起報上的一則新聞報導，提到目前空氣污染的程度，日益嚴重……

是了，一定是空氣污染，人類文明科技所製造的廢氣、毒素、煙霧，已使大氣不潔，地球蒙塵，星辰遮蔽。而生存在現代的都市人，終日為追逐名利物欲忙不過來；晚上復迷失在霓虹燈裡，螢光幕前。誰還有閒情去關心自然，去探聽既不能供給能源，又不能生產黃金的星星的消息！

晴朗的夜，長空如洗。孩子們歡喜地數著星星，純稚的聲音唱出：一閃一閃亮晶晶，滿天都是小星星……一顆疾飛的流星，忙不迭許下一個小小的願——代代相傳，我們童年都曾享有過這種美好的時光，蘊潤幼小的心靈。星星有說不完的奇妙的故事，是動人的詩篇，是美麗的綺夢；也代表著理想，願做個摘星的少年。如今，孩子們卻只能在科幻電影裡，偶然看到些怪異詭譎星球的畫面。

懷念著抬頭便是星光閃耀的寧靜之夜；不知道是為自己再也看不見星星感到遺憾，抑是為從未看過星星的下一代感到悲哀。我把眼鏡拭了又拭；寧願，寧願相信是近視又加深了，而瑩澈的星光依然照臨靜謐的夜空。

編註：本文原刊於《中央日報・副刊》，一九八一年九月七日，第十一版。

告別

當我們成長到某一階段，走過若干人生之路，活著，便是不斷地告別。

首先告別的是那些荒謬幻影的夢想，羅曼蒂克的愛情，奔放熾熠的情熱，告別青春，告別勇往直前的衝勁，告別海闊天空的壯志，告別闖蕩江湖的豪氣，告別虛榮的追求，告別烏托邦的嚮往，告別燃燒自己的熱忱，告別鞭策自己的力量，告別貪瞋，告別欲望，告別往日情懷，告別自我期許，告別名利，告別健康，告別七情六欲……

幸好在不斷告別之間，已不知不覺學得如何以智慧觀點恬淡自處。內心沒有什麼執著，沒有任何繫縛，沒有一點迷戀，便沒有什麼懊傷煩惱，正是五蘊本空，六塵非有，反自見本性。當最後衰憊的軀體終於向塵世告別時，已經是妄念俱滅，自性真空。一如佛說：自在解脫，妙淨圓寂。

既是告別，當係曾經擁有，曾經取得，曾經使用，曾經享受，曾經參與，曾經體驗，曾經支配——隨著年歲耗損，隨著時光泯滅，如是，應已無所憾恨。

編註：本文原刊於《中央日報・副刊》，一九八一年九月七日，第十一版。

孤獨是完整

每當被生活中種種需求、瑣事、人情……影響我、滲透我、折磨我、分裂我，弄得支離破碎，不知道自己是誰時，我總是像野獸躲避追捕般，隨時隨地躲進一個僻靜的洞穴中。那神奇的洞穴，便是「孤獨」自處。

我把那些紛擾全部摒棄於門外，讓自己沉澱、澄清、復原，找回完整的自我。在那樣的時刻，我集中思想，省察自己，檢討日常的言行是否同自己的意願相符，是否能真誠地對待自己，表達內在的本性。唯有自我觀點，才能恢復本來面目，肯定自我。

在那樣的時刻，我讓思想和感受全部開放，感覺和能力把我帶往各處，我進入生命，遨遊宇宙。而體驗到人與萬有之間，蘊藏著無限，感覺到宇宙與萬物乃一個整體。

在那樣的時刻，我悠悠獨行，以感恩的心情欣賞萬象，從大小事物，自然景象中，去發現喜悅、智慧、趣味，獲得默契和共鳴。

不被人和事分割，孤獨能歸還人完整；完整醞釀創造的力量。有人說：「年齡讓人學會孤獨的藝術」；也有人說：「孤獨是憂傷中的友人，是心靈昇華的伴侶。」似乎越來越傾心這樣的藝術，越來越喜歡這位既親密又嚴肅的伴侶了。

編註：本文原刊於《中央日報・副刊》，一九八一年九月十九日，第十二版。

等

一抹淡金色的夕陽，斜照著高樓一角，兩點棕黑色影子倏忽投入光暈，在陡削的絕壁上移動。那種壁虎功猶如特技表演。而小身影忽隱忽現，更像變魔術——只是兩隻麻雀，竟選擇了淺淺的屋簷與水泥磚楞隙處築了窩；儘管牆腳下車水馬龍，市聲紛擾。牠們卻接近穹蒼，遠離塵囂。真佩服牠們懂得鬧中取靜！忽然有人撞我後背；原來我正在候車，隊伍已向前移動，我卻觀望對面高樓的麻雀，忘記了身在何處。

生活中總有許許多多事情必須等待。浪費時間還在其次；最難捱的是等待時情緒的煎熬，就像有一世紀那麼冗長，是精神上可怕的刑罰。

在等的經驗中，我學會了避重就輕，轉移目標的方法：可以就地取材，專心觀賞眼前及周遭的事物、櫥窗、廣告、建築、路樹、字畫、裝潢，形形式式的群眾，一隻倉皇的狗，一隻悠閒的貓……總會發現一些特殊的、可愛的、可笑的、感人的、賞心悅目的事情或行徑；如果不在等車，我又怎會發現小麻雀的智慧和牠們可愛的祕密！

一點點會心的喜悅，一點點意外的收穫，就算是枯等的一份額外補償吧。

編註：本文原刊於《中央日報・副刊》，一九八一年九月十九日，第十二版。

可愛陷阱

在世界上，有那種最原始的陷阱，是人類為捕捉野獸設置的；有社會上一些險惡的無形陷阱，是人害人安排的；也有自己挖掘的，或深或淺的陷阱，只緣個人性向或興趣所在。

有人傾向於權力，畢生謀求篡奪；有人迷戀色情，不惜眾叛親離；有人沉迷賭博，可以傾家蕩產；有人貪婪無底，處處侵占掠取；有人生性殘忍，以虐待暴行為樂；有人貪圖逸樂，一味追求享受；有人嗜好口腹之欲，越吃越饞；有人喜歡收藏蒐集，全力以求，常致玩物喪志；有人酷愛藝術、文藝，投入全副熱忱，嘔心瀝血，廢寢忘食。——正如赫胥黎所說：各種樂趣——吃的、性的、權力的、舒服的、占有的、（玩賞的）、殘忍的等等，陷阱就在這裡。不管是怎麼樣的陷阱，它的特點就是讓你越陷越深。

且不提那些暴露人性惡劣的種種，有些陷阱還是滿可愛的，顯示出至情至性的一面。我就喜歡自己挖掘的那些小小陷阱。——對若干事物收藏的著迷，對花木的喜歡忘情，和對文藝愛好的執著。當我迷迷糊糊陷進去時，真箇是別有洞天，樂在其中，身心浸潤，完全忘記了世俗的紛爭，人間的煩惱。

如能稍稍約束自己，小小可愛的陷阱，又何嘗不是心靈最好的避靜所。

編註：本文原刊於《中央日報・副刊》，一九八一年九月十九日，第十二版。

潛能

地球上有不知其數的山，山中深藏豐富的礦產；人們設法探勘、開掘，取用不盡。宇宙中有千千萬萬物質，物質蘊藏無限量的原子能；人們試著測度、甦解，化為動力。

唯有一座礦山，人無法探勘。

唯有一種物質，人不能測度。

那就是「人」自己。

每個人究竟有多少潛力，有什麼樣的潛能？別說旁人無法探測，連我們自己也毫不知情。平常所謂竭盡所能，也只是發揮了表層的能力。也許，經過各種嘗試，各種冒險，受到嚴厲的壓力，或是強大的震撼和衝擊，會觸發，會引爆，會擠迫，會喚醒其中的若干反應；但也不過是部分。那密封壓縮在生命神祕深處的潛能，永遠是一個未知數。當生命誕生時悄悄形成，當生命消逝時也就隨之消失。

如果有那麼一天，終於有儀器探測人的潛能，而使之甦解、爆發、運用，只怕這個世界——包括太空在內，對人類來說，實在是太小太小了。

編註：本文原刊於《中央日報・副刊》，一九八一年十月三日，第十二版。

蛻變

當蠶和蝴蝶的幼蟲長成時，便為自己做一個繭或蛹；一待圓熟，美麗精緻的新生命，破繭而出，展翅晴空，翩翩花間，毫無畏懼地迎向光明。

當我們開始獨立生活時，不知不覺也慢慢地替自己做了一個無形的繭。不變的生活方式，固定的工作，習慣性的行為，膠著的思想觀念，局限於部分的能力，一些苟安，一些惰性，以及與周遭環境相似的行動舉止；就是這點點滴滴，絲絲縷縷，黏糊成一層層無形的蛹表繭殼，將自己局限在其中。彷彿已定了型，鑄了模式。

每當自己越來越不喜歡這不在期許中的模式，也厭倦了周遭滯留的一切，總想去接觸更廣袤的世界，拓展思想，接受些新的事物，提升精神，添注些新的情趣，潤澤心靈，選一種更高的理想，貢獻自己的忠誠。

多麼渴望著也來一次蛻變！突破舊的繭殼，從蛻變中獲得煥發精銳的新生；創造生命的奇蹟，開拓一個更崇高的新境界！

編註：本文原刊於《中央日報・副刊》，一九八一年十月三日，第十二版。

悠閒

悠閒與其說是一段空閒的時光，不如說是一種情懷。光有閒暇，缺少那種雲淡風輕的幽雅情懷，只不過是無所事事的無聊空白；而有那樣情懷的人，縱使在煩冗中也還能偷閒學少年。最懂得用智慧來享受悠閒，也是最熱愛生活的人；在我國歷史上，蘇東坡就是最具代表性的人物。

有悠閒情懷的人，心中沒有偏執、沒有目的，以赤子之忱，易感之心，隨時隨地可以放眼世界，欣賞萬物，靜觀人生；能從平凡中發現新穎的美，自萬有中獲得心靈的滋潤，精神的提升，品格的陶冶。

張潮在《幽夢影》中說：「人莫樂於閒，非無所事事之謂也。閒則能讀書，閒則能遊名勝，閒則能交益友，閒則能飲酒，閒則能著書。天下之樂孰大於是。」對我來說，第四則應該改為閒則能欣賞萬物，靜觀人生。

中國人原來就是最偉大的悠閒者（林語堂語）；蘇州人又是最喜歡那種優遊歲月的悠閒

生活：說是民族的傳統也好，地方性的習尚也好。生存在這機械文明取代一切，物欲橫流，性靈塗炭的現代，我高興自己還能執著於一份悠閒情懷；執著於中國人最可愛的特性。畢竟，享受悠閒生活，所費不多。

編註：本文原刊於《中央日報・副刊》，一九八一年十月三日，第十二版。

露根蘭花

安土重遷，一動不如一靜；千百年流傳下來，一直是我們這個古老民族的生存觀念。像種籽從萌芽，茁壯，到綠蔭滿枝；生於斯、長於斯的那塊土地上，曾鏤下數不清的腳印；滲入世世代代的汗水、歡樂，和淚痕；植下綿綿不盡的親情和恩情。又有多少人捨得割裂這淵源的血緣，離棄這深厚的感情！

但是，動盪不安的時代，一次又一次外侮內叛，戰亂把這一代人驅離家園，放逐他鄉。迭經流離顛沛，逃亡遷徙，停一處驛站便自我慰勉：「到處能安便是家。」

能安便是家；駐留一處，安定下來，移植的樹木會慢慢扎下根，展葉伸枝再成長。三十餘年來，我也孜孜地從事人類的活動，負起為人的責任與使命；只是，南下北上，東搬西徙，每當遷移告一段落，似乎總覺得欠缺點安定和踏實。

有一天看到那幅元代鄭無南畫的露根蘭花，才恍然有所憬悟；不是失根，而是缺土。

蘭花斜倚山崖生長，根莖蟠虬外露，只在空中吸收著陽光、雨露和地氣，依然莖葉秀挺，花朵翹揚，欣欣向榮。而我呼吸著自由的空氣，啜吮著中華文化的養料，血管內循環著炎黃子孫的血液；儘管東遷西播，住無定所，竟也生活得意氣奮發，充滿信心。恍惚間我便是那株雖然根下缺少屬於自己的土壤，卻牢牢攀在堅固岩石上的露根蘭花。花的精魂融注在我身上，從湮遠的年代，一直流傳到今朝，莊敬自強是我的精神；堅貞是我的芬芳；揮舞正義之筆，為生存、自由戰鬥昂揚之姿是我的形象。

「如何憂國忘家日，還有求田問舍心？」王安石當年的感懷，恰如我今日的情境。若問，為何露根而生存？只緣無心求田舍。

謙受益

中國人是最「謙」的民族。

我是這古老民族的一分子。

父親遺留給我的一盒圖章中，便有一方雕琢如意，鏤刻花飾的修長青石；蒙他老人家手澤，篆刻了「謙受益」三個古樸遒勁的隸字。自幼面提耳命，品性中早就秉承了這份遺產。只是，我不太喜歡附加的「受益」兩字。謙就是謙，是單純高尚的品性；猶如水晶的瑩潔，玉的溫潤，應該是出自內心的赤忱。謙沖為懷是本身的修養，謙和待人是做人的本然。謙虛是對自己各方面的成就、業績、表現，不自滿足。謙遜、謙讓都是尊重別人、自謙不夠，完全是誠懇的意思，求諸於己的做事做人態度。涵蘊於內果然如是，表現在外的亦如是。不需要附帶任何利益和條件，不冀求什麼好處和酬報，更不摻雜半點功利觀念。

謙虛不是自貶，更不是自卑。不用誇說「謙尊而光」，也不必做「謙謙君子，卑以自牧」。謙是自知、自信；了解自己的需要，知道自己的不足，而朝自己確立的目標、方向，作再深入地探求，再高遠地拓展。如果說因此受益，那就是本人因感到不自滿足，而虛懷若谷，一生不斷地求進步、求擴充、求更新。

編註：本文原刊於《中央日報・副刊》，一九八一年十月九日，第十二版。

三個撲滿

小時候，還不太懂得金錢的價值哩，大人總會給一個撲滿教存錢；代代相傳。現在的孩子也都擁有一個或數個撲滿；只不過已不是從前那種樸拙的黃泥燒缽，具有各種可愛的造型，亦可以當擺設。

儲蓄是一種美德，一點一滴積存更是一種樂趣；不僅限於金錢。除了小時那個具體的撲滿，我還另外自備了兩個無形的：一個頭腦撲滿，儲蓄知識；一個是性靈撲滿，儲存所有美好的一切。

自小存錢的撲滿，雖然養成我節儉的習慣，似乎並不曾加強我對金錢的價值觀念——永遠沒有足夠的財富安置生活。儲存知識的撲滿，使我有形無形地從書本、自然、社會、生活體驗中，汲取了不少。最豐富的該是性靈的撲滿，幾乎每天我都不費什麼的收藏一點：一篇雋永的文章，一幅動人的畫，一首優美的小詩，一句啟發的言語，一個嬰兒的笑靨，一枝初萌的新芽，一隻來訪的小鳥，一點愛心，一份領悟，一種心得……記取時，便已充滿喜悅。

日後偶然檢視，發現竟無意間儲存了如許無價的珠寶。

編註：本文原刊於《中央日報・副刊》，一九八一年十月九日，第十二版。

歉疚

望著那隻美麗的鳳蝶撲在濡濕的地上，雙翅微微抖簌，欲飛不能的模樣，我不禁感到一陣深深地歉疚：是我用水管澆花，淋濕了憩息在樹蔭的牠；卻又不能幫忙。一直到牠無恙重新振翅飛走，歉意才稍減。

在我們一生中，往往最多、最容易形成，或引起的心理負擔，不是責任，不是感情；而是那種引咎內責，和力不從心的歉疚。大到不能報效國家，不能服務社會，不能克盡孝道，不能好好照顧孩子，親友囑託不能辦理，欠下人情未曾償還，不能幫忙解決問題，不能應付編者索稿，不能赴約，不能接待；小至由於心情不好，言語粗暴，疲累不適，冷淡他人，忽略了別人的心意，忘記了家人的期待，沒有覆信，沒有答謝，甚至不小心踩了貓的尾巴，剪斷了盛開的花枝，破壞了鳥巢……有些是限於能力，有些是限於時間，有些是體力不及，有的是限於原則，有的礙於面子，有的則不願違背自己良知，也有無心的疏忽，無意間漏失。不管原因為何，總不免耿耿於心；有輕微的如陰翳薄掩，有短暫的像驟雨掃掠，有猛烈的像浪濤沖激，有深沉的能使心臟絞縮酸痛，更有那永遠的，不時啃齧著靈魂……

越是勇於反躬自省，動輒引咎自責的人，越是有太多或輕或重的歉疚；一生中便常常填塞胸膺，起落方寸間。

編註：本文原刊於《中央日報．副刊》，一九八一年十月九日，第十二版。

高樓樓高

今天，人類已從擁擠的地面擴展到爭奪空間；大廈高樓，處處聳立。森森然、冷冷然，鋼筋水泥、塑膠玻璃，又禁錮著多少高等動物？

住高樓可以逃避現實，隔離人群，自闢為現代伊甸園、烏托邦、世外桃源；不是高山流水，不是田園阡陌，而代以最高度的物質文明、電化設備。

住高樓可以建立高高在上的優越感，類似征服山峰，睥睨山谷中人的心情，俯視腳下熙熙攘攘的人們；久而久之，自以為是世上最崇高、最偉大的人。

住高樓更可以高瞻遠矚，拓寬視野，胸襟豁達。猶如蘇軾題詩中所描寫——

……無限青山散不收，雲奔浪捲入簾鉤，直將眼力為疆界，何啻人間萬戶侯。聞說樓居似地仙，不知門外有塵埃，幽人隱几寂無語，心在飛鴻滅沒間。

多麼曠達的境界！就怕運氣不如宋朝有的是空曠，緊閉的窗外不見雲山，堵住眼力的只有對面冷冷的高牆，一扇扇監視你的窗戶，和被污染了的一線灰色天空。心，只能幽閉在空中樓閣間。

縱然華廈千萬幢，我卻寧取平屋——腳踏實地，步步著實。以自己挺直的脊椎和硬朗的雙足，屹立於大地；沾著點泥土，更親切可喜。

編註：本文原刊於《中央日報．副刊》，一九八一年十月二十三日，第十二版。

疏竹寒潭

人與人相處，總不免有些無界的意氣之爭，是非之辯，怨尤之聲，忿忿之言。生活中、事務上，自難免有許多微不足道的煩惱、紛擾、憤慨、困惑、憂慮。

為此，我抄錄了《菜根譚》中最喜歡的一則，壓在書桌玻璃板下——

風來疏竹，風過而竹不留聲。雁渡寒潭，雁去而潭不留影；故君子事來而心始現，事去而心隨空。

每當自己被乖戾之聲，逆耳之音呱吵不安；為繁瑣、傷神之事擾亂心緒，總是默誦一遍又一遍，讓紛擾逐漸澄清平靜。

就像陣風吹過林隙，又轉瞬寂杳，飛雁掠過水面，又疾忽消失；依然歸還我一份幽雅自在。

「事來而心始現，事去而心隨空。」唯有不時時委心於百事，保持虛靈不昧，才能維護源頭活水永不衰竭。唯有不受周遭環境的渲染，保持澄澈純淨，才能反射事物，明察秋毫。唯有不受外界的影響，保持寧靜安詳，才能擁有內在的統一和諧；而一任萬象流轉映照其間。來者自來，去者自去，更不留半點痕跡。

不求得道成仙，只求修煉到心如寒潭一泓。

編註：本文原刊於《中央日報・副刊》，一九八一年十月二十三日，第十二版。

帳單免付

我們吃飯、穿衣服、住房子、交通、教育、享樂……生存在現實社會，生活所需，都有代價。是沒有不付帳的。然而，生命中另外還享有最好的一些。畢生予取予給，卻從來不曾付過費用，那是——

當生命形成時母親就付出辛勞、憂慮和無盡的愛。

當生命開始就呼吸的空氣，照耀的陽光，輕拂的和風、吮飲及洗濯的清水。

聽覺享受的鳥唱、蟲鳴、松濤、水吟，美妙的天籟和動人的音樂。

視覺欣賞的花朵、樹木，雲霞的絢爛，蝴蝶的華美，星月的清暉，多采多姿的大千世界。

工作嬉喜其中的清朗白晝，酣睡做夢其中的靜謐黑夜，更番變換景色的四季，豐富涵博的大自然。

走過的道路，經過的橋，憩息過的山林，踐踏過的大地。

常常使用的字，表達內在的聲音。

友誼的溫馨。

我們的生命便在其間涵泳、成長、拓展、擴充，吸收養料，滋潤心靈，陶冶性情，培養勇氣，增加樂趣……那是一份開示給生命的帳單；但是沒有定價，不必償付。這一切一切，都是無條件供應，不收費用。

對不需付帳的最佳享有，我所能回報的，比起那種種偉大無私，只是微小的關懷、愛心和衷誠的感謝。

編註：本文原刊於《中央日報・副刊》，一九八一年十月二十三日，第十二版。

減速慢行

開車的人，大多喜歡風馳電掣地疾馳，不耐慢行。

人生又何嘗不如此：生命的列車，總是急急匆匆，勇往直前。我自來不是那種結構堅實，鑄造完美的型，卻也憑著那股生存的勇氣，責任的動力，在崎嶇坎坷，迂迴驚險的人生路上，衝刺奔馳了好一陣。只是，一次又一次的故障，一次比一次嚴重。為了免得老是進廠保養，如今是減速慢行。

盡量減除身心的壓力，放鬆自我鞭策，控制衝動，隨時調整速率。從緊張擁擠的快車道、高速公路上退出來。正好對過去做一次返顧，對未來重新估價；這段時期，自覺對人生有更深一層的領悟，對世事有更清明的透視，對萬物景象有更親密的觀賞，在思想上也有較開朗的見解，竟是另有一番境界。正是「豈無他憂能老我」，且「付與天地從滋始。」

偶或從人生的紛擾中站出來，做一次旁觀，來一番估價，又何嘗不是好事？

我不禁低聲央求：

噢，時間，請勿匆遽催促，且隨我減速慢行。

編註：本文原刊於《中央日報・副刊》，一九八一年十一月二十八日，第十二版。

無形的負重

這世界上負荷最重的不是駱駝，不是牛馬，甚至也不是卡車；而是以脊骨挺立，以雙腳行走的人。

有看得見的，論斤論噸的載重；有看不見的無限量負荷。別看人四肢輕捷，行動俐落，揮灑自如，卻經常被種類繁多的無形負重壓得很艱苦。諸如責任、義務、使命、要求、道德、感情、良知、欲望、理想、榮譽、野心、志願……做一個正常的人，就有那麼些精神上、心理上、思想上、感情上、情緒上的負荷。有些潮汐，此起彼落；有些像岩石，層層疊疊；有些忽來忽去；有些長期駐紮；有些經常拜訪；有些驟然突擊；有些與生俱來，終身廝守。也有些隨著年歲逐漸減輕或加重，有時覺得自己被困陷其間，卻無法擺脫；有時束縛得緊緊的，掙扎不能；有時幾乎壓斷了脊骨，也難以推卸；有時雖然已竭盡心力，依然絲毫不能減輕。只是，某些負荷往往促使我們不得不戰戰兢兢，以免隕越；矻矻從事，不敢怠忽；勤勤孜孜，勉力以赴；奮發向上，勇往直前……

負荷有時果然是一種壓力，有時竟也是一種動力。

編註：本文原刊於《中央日報・副刊》，一九八一年十一月二十八日，第十二版。

焚一爐沉香

燎沉香，消溽暑，鳥雀呼晴，侵曉窺檐語。

翠葉藏鶯，珠簾隔燕，爐香靜逐游絲轉，一場愁夢乍（酒）醒時，斜陽卻照深深院。

三十年前，我大概不會欣賞這種古意盎然的詩。

十年前，只是讀讀，可能不會領略那種邈遠的意境。

不想近幾年，竟成為我部分生活的寫照。焚一爐香，不為參禪，不為祈福，不是皈依三寶求涅槃；只緣我喜歡那點幽遠悠閒的情趣，和那種超拔身心於物外的寧靜自適。

玲瓏仿古小香爐，燃一錠沉香，或一撮檀香末。眼看一縷縷輕煙裊裊不絕、迴旋、糾纏、擴散，化作香霧氤氳，驅穢僻邪，提神醒腦，純化了感官。不由人不心平氣和，凝神一志，自然而然進入另一個清心無欲，沉思默想的境界。

我喜歡在神思惘慵時焚一爐香，提神醒腦。

我喜歡在心意浮躁時焚一爐香，安定情緒。
我喜歡在思想滯澀時焚一爐香，培養靈感。
我喜歡在陰雨如晦時焚一爐香，淨化性靈。
我喜歡在需要反省時焚一爐香，靜思默想。
我喜歡在晝長心閒的日子焚一爐香，提升境界。
我也喜歡在沒有鳥語花香的日子添一炷香，製造氣氛。

編註：本文原刊於《中央日報・副刊》，一九八一年十一月二十八日，第十二版。

修訂本

一冊出版很久的集子又重新印行。我自己校對修訂：改正些錯字錯句，刪除些贅言贅語，也稍稍加強詞意的表達。發現有些想法現在看來有點天真幼稚，也有些想法連自己都感到有點驚訝；但全保持原意不變。有的出版社喜歡把這樣校正增刪過重新排版的書，加上個「修訂本」的附註。

一個人也彷彿一本書，越是有自知之明，越是隨著年歲增長，不斷地在修正自己。有些不合時宜的觀念，稍微予以轉變；有些近於偏執的成見，不妨刪除；有些因循的習慣，慢慢剔掉；有些多餘的考慮，可以不必；有些情緒上的激動，不妨緩和；有些銳利的刺應該收斂；有些桀傲的角應該磨鈍。過於嚴肅不妨隨和些，過於拘謹應該豁達些。對人的態度更仁厚，對事的尺度較放寬。而對一切名利虛榮，七情六欲，更應該看淡看輕。自然，相對地，多少也增添些新的閱歷、知識、心得、觀感……雖然增刪都並不顯著，卻漸漸形成一分清明朗澈的氣象，充滿胸壑，照耀靈台。

書的修訂本應該更正確精純；人的修訂本應該更練達超脫。每個人的書都是自己的孤本，誰也無法翻版盜印。

編註：本文原刊於《中央日報・副刊》，一九八一年十二月二十二日，第十二版。

一念三千

「一念三千」，那天無意中得到這句雋語；就像正低頭匆匆走過嘈囂，擠迫的人生甬道，驀一抬頭，乍見展開在面前的竟是一片空曠的綠野平疇，山高水秀，氣象萬千，別有一種幽邃遼闊的境界。不由得胸襟豁然開朗，無限歡暢。一如醍醐灌頂，塵俗盡去，另有一番醒悟。

一念三千，心念一轉，可以容納三個大千世界；方寸之間，原是如此寬廣無垠！

一念三千，心念一轉，可以遨遊海天，縱橫宇宙；方寸之間，竟然如此豪邁壯闊！

有容才能關愛萬物，包涵天地，參與人生活動，擔當人類任務。胸中可以是千巖萬流，自有丘壑，可以是清朗晴空，萬里無雲。些微生活中的煩擾、匱乏，情緒上的疑慮、憂忡，只不過是陰翳遮掩，轉瞬便自消散，又何必耿耿於懷。

自由才能超然物外，騁思太虛。「仰首攀南斗，翻身倚北辰」。心中可以斂自至微，寂然不動；可以充沛至大，萬境融通。稍許生存中的限制、窒塞，心靈上的壓抑、罣礙，也不過是塵俗的桎梏，隨時可以解除卸脫，又何必悁悁自囚。

「一念之喜，景星慶雲。一念之怒，震雷暴雨。一念之慈，和風甘露。一念之嚴，烈日秋霜。」心體本是天體。若世事不如意，且凝神靜氣想一想：

一，念，三，千。

編註：本文原刊於《中央日報・副刊》，一九八二年二月九日，第十二版。

欣賞別人

像欣賞山的壯穆，水的奔放，天的高曠，地的豐饒，雲的飄逸，花的鮮妍，樹的挺拔，果實的圓碩一樣：我常常以同樣的胸懷，欣賞別人種種可愛、優點、長處、才幹、風度、氣質、修養和某些自己所缺少的品質。

例如：敏銳的機智，卓越的思想，洋溢的才華，剛毅的性格，恢宏的器宇，涵博的學識，臨機立斷的果決，包容一切的涵養，磨鐵成針的耐心，卓然不群的風度，遇事安然若素的鎮靜，令人如坐春風的談吐，處理事務有條不紊的才能，溫文儒雅的氣質、親切和藹的態度……

有些是純客觀的欣賞，有些是心悅誠服的欽佩，有些是五體投地的崇敬，有些是無限傾心的仰慕。被欣賞的人不一定認識，也不需表達；就像欣賞自然萬物，欣賞一篇雋永的文章，欣賞一幅生動的畫一樣：也是一種美的喜悅，一種精神的提升，一種心靈的滋養。對照之下，更加深了對自己的知明度（自知之明）。

「與善人遊，如行霧中。雖不濡濕，潛自有潤。」——《抱朴子》——雖然未與交遊，也許「雖不濡濕，潛自有潤」，被心儀的也就影響了自己的品質言行。

編註：本文原刊於《中央日報・副刊》，一九八二年二月九日，第十二版。

不好意思

「不好意思」，這一句看來輕描淡寫的話，有時卻是代表一種執拗的觀念，也是某些行動的一種阻力，更是一道無形的防線，防止人們超越自己的界限。一副心靈的桎梏，扼殺活躍的意念。

由於上一代的保守，不敢接受新事物，不敢突破舊觀念；這句口頭禪，便成了面臨挑戰的最好擋箭牌。影響所及，更形成下一代的心理障礙。想學點什麼，不好意思；要做點什麼，不好意思；有關競賽的事項，不好意思參加；想表達一點自己的意見，不好意思開口；要請教於人，不好意思啟齒；甚至自己的利益不好意思爭取；自己吃了虧，不好意思計較；不情願的事，不好意思不答應。年輕面嫩，樣樣不好意思；待年歲稍長，又說還跟年輕人較量，更不好意思。

如果不事事退縮在這阻力後面，也許，我的生命更充實，我的生活更豐富，我的能力更強，成就更可觀，我的人生更有意義。今天的我，也不是今天的我。

如今當我勘破這觀點，卻已事過境遷，歲月不再。許多事限於精力，許多事興趣減退，一切都已太遲。

我要告訴下一代，只要動機純正，行為正當，理由充分，想學什麼就去學，想做什麼就去做，想說什麼就說出來。機會稍縱即逝，年華一去不返。生活原就是各種嘗試，要突破那點心理障礙，沒有什麼不好意思！

編註：本文原刊於《中央日報・副刊》，一九八二年二月九日，第十二版。

孤雲獨去閒

常常有人問我：你是不是很寂寞？

甚至有朋友在文章中寫到我，說我寫作完全是「被寂寞所迫」。

寂寞麼？這世上能有幾個人不經歷過寂寞！幼時被大人忽略的寂寞，不被人了解的寂寞，懷才不遇的寂寞，感情沒有著落、精神沒有寄託的寂寞，生活過於單調的寂寞……如果由於沒有外來的聲色事物填充或消遣，就感到空虛無聊，無所適從；那樣，就等於否定了自己的存在。

寂寞，才有完整的自我：可以探索人生，觀賞萬物；可以發現自己，尋找內心的新大陸。

寂寞，才能拓展思想的邃遠，培養靈魂的深沉。

寂寞，才能創作。

而選擇了文藝工作，通常都是寂寞的人。不過「寂寞亦可以說是愜意的苦難，而苦難使人誠懇。」使人虔敬，使人專注，使人坦裸地顯示自己，赤忱地奉獻自己，為一份志趣，為一個理想。

唯有能從寂寞中汲取，「從寂寞中穎悟的人，才能感到寂寞不僅可以容忍並存，而且常常是令人振奮的夥伴」，從一邊督促的畏友。

何況藝術本來就是寂寞的奉獻。

不過像尼采借蘇魯支所說：「這棵樹孤寂地生在山間，高入雲霄，倘若它願意有所言說，必沒有人能了解。」「而在高處，只我孤單一人……寂寞的冰霜使我顫慄」……那種獨占最高枝的寂寞，我不想也不會領受；我卻真正喜歡李白筆下：「眾鳥高飛盡，孤雲獨去閒。」的那種況味，也許有點蒼涼，但又多麼灑脫自在。

「孤雲獨去閒」，是何等邃遠的境界，何等高潔的情懷！

編註：本文原刊於《中央日報．副刊》，一九八二年二月十五日，第十一版。

潮

整理書籍，自木箱中取出藏書，打開包裝，卻發現封面褪色，字跡黯淡；不僅失去了收存時的光彩，且裝幀鬆散，書頁脫落，拈在手上，有種黏濕綿軟的感覺——只緣受了潮。

由於慢性缺氧，北上便選擇了現在的住處。認為空氣新鮮，環境單純，對身體有所裨益。不想八九年來，健康不見進步，體力似乎更形衰退。根據調查，才知道此地濕度較高，器官反而更受潮。

硬度最高的金屬器皿、刀劍，受了潮會生鏽、風化。

製作精密的家具木器，受了潮會脫膠、鬆散。

珍貴的字畫、照片，受了潮會發黃、模糊。

衣服受了潮會霉爛。

食物受了潮會敗壞。

機械儀器受了潮會失掉靈活的彈性。

人的器官受了潮會失去功能。

潮，看不見，觸不到，卻似乎無處不在，無孔不入。那種慢性的滲透、侵蝕，像是某種可怕的陰謀，偷偷地進行著。看不見的傷害、損毀，往往待遲遲才發覺，已難以復元，或無法補救。

甚至連思想亦會不知不覺受到無形的滲透而腐化；意志受到滲透會消沉；情緒受到滲透會低落……

避免受潮，最好向陽居住，保持乾燥。常常使用，勤加拂拭。避免滲透，最好充實內涵，有向上的意念，健全的思想，和正確的人生觀。

看不見的滲透對人對事物都是一種可怕的陰謀，悄悄潛伏四周，趁隙侵蝕。生活中、思想上，不得不提高警惕：

謹防受潮。

編註：本文原刊於《中央日報・副刊》，一九八二年二月十五日，第十一版。

針黹之美

人類工具中最小也最具魔法的，是針和筆。筆捕捉住智慧和思想，繁衍文化；而針黹縫織出文化中最燦爛的一部分。

針是第一位把實用藝術帶進生活的功臣。女人的慧心巧手，更縫織出溫馨美麗、多采多姿的人間。

架著老花眼鏡，皺紋裡溢注慈祥，仔細地一針針把福祐傳給綿綿子孫。

靜靜的晝午，綠紗窗前，低眉垂睫，凝神一致，細緻的動作，縝密的心意，最能顯示出女性的嫻靜、溫柔和耐心。

柔和的燈光下，伴著孩子做功課，良人閱讀、絮語，悠舒地一針針，織出一室安詳、寧謐、溫馨的氣氛。

多麼動人的三幅屬於生活本身的圖畫！

我喜歡拈針引線，僅次於執筆寫作：可以一任心意構想、設計、裁剪。從老到小，為家人一針針納入我的愛心和關懷，一縷縷串起我的喜悅和祝福；為自己添製一份美好和振奮；為住屋增加點色彩和溫馨。在製作的同時，也滿足了另一種創作欲和成就感。

儘管科技時代，事事專業，成衣織品滿天飛。我也教女兒在繁忙中不要遺忘了這可貴的，女性的天賦，和冷落了這份生活最好的藝術。

編註：本文原刊於《中央日報・副刊》，一九八二年三月十七日，第十二版。

無聲之聲

耳朵是對外敞開的門，任何聽得到的聲音都被接納；不管是不是悅耳或動聽。但是，有一種最神妙的聲音，卻不經由那敞開的門；而是憑性靈的領悟，內心的感應。

當黎明的時分，混沌將闢未明，光明與黑暗融會難分。我肅立窗前。恍惚聽到天在呼喚，地在叫喊，虛空中陰陽交戰劇烈，萬象正屏息待命。

當行經曠野，似乎聽到雲彩飛騰疾奔的跫音，風長驅直馳的呼嘯，河泊深沉潛流的行吟，山莊嚴肅穆的宣言。

當走過叢林，彷彿聽到群樹述說成長的歷程，果實低詠圓熟之美，枝梢親切絮語，落葉發出歎息。

當漫步田園，彷彿聽到露水蒸發的輕喟，萌芽的笑聲，花開的歡呼，泥土醞釀的喧譁。

當獨坐書城，可以領悟先賢聖哲智慧的密談，啟迪心智。當沉思冥想，可以感受繆斯撥動心弦的叮嚀，獲得靈感。當季節更審，可以聽到春神溫柔的召喚，令人奮發。

那是無聲之聲。是天籟、地籟、心籟、萬籟，是萬有生命在訴說；是「巨大的存在在呼應，是永恆通過這些在呼喚我們」。而每當我凝神諦聽，內在的一切紛擾澄靜平息。唯有靈明之心與花草，與自然，與神靈，與哲賢，與萬有直接交通感應；境與神會，竟是一團和諧，無限喜悅。

常保持內心的純淨虛靜，神志的澄澈清明，聆受存在的感召，感應永恆的呼喚，領悟先哲的啟示，傾聽自然萬有的訴說；引領我進入另一個無聲勝有聲的玄妙境界。

編註：本文原刊於《中央日報・副刊》，一九八二年三月十七日，第十二版。

山之頂禮

搬來這裡，寢室的長窗正面對著一抹遠山。

儘管有屋脊遮掩，依然可見山勢巍峨崛崴；雖然缺少奇峰峻嶺，卻也崗巒起伏，綿延不絕。

一日數次，憑窗向遠山遙致敬意，山的風貌更是時刻不同，儀態萬千。黎明時蓊鬱；陽光下嫵媚；暮色中蒼茫；煙嵐下縹緲；陰霾中淒迷；晴朗時層次分明；雲霧裡影影綽綽；風風雨雨時，隱匿無蹤影。但這些都只由於光線、氣候、視覺印象造成的幻景。山仍然是山，始終保持莊穆本色，巋然屹立，以不變應萬變。

生長在水鄉，年輕時獨鍾情於水。浩淼江河、潺潺溪流，奔放激進，晝夜不息；予人勇往直前的啟示和鼓舞。而如今，乃越來越崇敬山的莊穆、凝重、靜定，頂天立地、屹然不動。是堅毅的象徵，是永恆的標竿，亦是沉思的巨人；蘊蓄日月光華，融通天地菁英。

山嶽屹立著，以深廣厚實的基礎。

人站立著，憑他挺直的脊骨和力量。山貴在卓然獨立，以不變應萬變。人貴在執著人格的尊嚴，莊敬自強。

一些爬山者常常宣稱：「征服了××山」，實在有點狂妄。山的莊穆絕對不容被任何人或物冒瀆，就像人的尊嚴絕不能被任何強權暴力侵犯一樣。

面山而居，朝夕相對，但願能常沾點靈秀之氣，以啟迪玄深之靈思；能時得浩沛之氣，以開拓萬古之心胸。

編註：本文原刊於《中央日報・副刊》，一九八二年四月十三日，第十二版。

何妨白髮生

老友聚會，正暢談歡笑，意興遄飛間，忽然有人說了句：發現大家都有白頭髮了！又說想當年締交，正年輕氣盛，我們這一群，真可以說是白首偕老。語雖詼諧，卻多感慨。彼此審視，當真有的黑白絞花，有的兩鬢微霜，有的已是銀絲燦燦；也有卓然不群的，立刻聲明是人工加工，互相調侃自嘲一番。只是，語氣顯得勉強無奈，飛揚的神采也黯淡了。

就像其他自然現象一樣，白髮只是生命的里程碑，人生的一個階段；但是當發現在自己頭上時，總不免怵然心驚，惴惴在念。人人都希望活到老，卻又都怕老。

其實「外貌的老化並不可怕，思想老化才最可怕。」檢討自我，如若對人生，對生活，對所從事的任何工作和理想，依然充滿熱忱和興趣；對所有美好可喜的大小事物，依然感到喜悅和振奮；對周遭一切，依然寄予同情和關懷：足見心智尚未老化，大腦尚未起皺，內心仍蓄有尚未消耗的青春，血液中仍不斷溢注源源活力。反之，如發現自己有自私、固執、悲觀、憂鬱、頹廢、呆滯，和對一切一切全漠不關心的傾向：那才是最可怕的老化徵兆。

青春不只紅顏；年輕或年老，是一種心情，一種意志，全來自思想、精神和心態。「想當一位四十歲的老人，或是一位七十歲的青年，完全在自己決定。」與頭髮白不白，似乎毫不相干。

凡是從事文藝工作者：由於思想不斷拓新，精神不斷提升，性靈不斷開發，生活不斷擴充；在創造中，更是永遠年輕。

元朝黃庚有一首題白髮的詩，寫得很灑脫：「但得青春在，何妨白髮生。斜陽紅盡處，一抹暮山橫。」

朋友能白首偕老，更是人生難得；且待明朝白髮結伴好還鄉！

編註：本文原刊於《中央日報・副刊》，一九八二年四月十三日，第十二版。

居有竹

從小，對竹就有一種特別的感情——在對一般植物的愛好中，更滲入一份景仰。由於經常看父親畫竹，總在一旁鄭重地題上「高風亮節」。

竹在植物中非草非木，自成一族；風采挺拔秀逸，卓然不群，常被人用來代表謙謙君子之風，高雅逸隱之士。竹中空而節堅，不屈不撓，既柔且韌；又被象徵品格的狷介，節操高潔，志行正直。沒有一種植物像竹一樣，既高雅，又隨俗；既謙虛，又自傲；既合群，又獨立；既灑脫，又蘊藉。自古以來，不知多少文人雅士歌頌它，讚美它，以竹格比人格，我認為形容最恰如其分的是：「心虛異眾草，節勁逾凡木。」（宋・文同）「色經寒不動，聲與靜相宜。」（王建）。

雖然我不敢像杜甫那樣決然宣稱：「平生憩息地，必種數竿竹。」而衷心也一直嚮往居處能有竹；就像故鄉故宅。

不想新居長廊外，正面對鄰家茂密的竹園，一片青翠，竟直上高樓；近得伸手可攀可觸。真箇是「竹樹遶吾廬，清深趣有餘。」「臨堂翳新篁，悠悠念無形。」而「清風既暠暠，映日頗離離。」「夜來每有月，疏影看新篁。」「夜雨竹蕭蕭，書齋更寂寥。」前人所感受的詩情畫意，我竟全在此時此地體會領略到了：是何等的福分！更難得的是樓頭觀竹，是樹之巔，葉之梢，益加清晰生動。當新筍破土而出，日長夜大，直往上竄，堅銳遒勁，有如古之武器三叉戟。昨日猶在欄下，今朝貼近窗口，明天已只能望其項背。而當暴風狂雨交加之時，看群竹那樣奮勇抵抗，猝被摧壓彎曲若斷，疾忽又勇猛掙扎躍起，排山倒海、氣勢磅礴；待風平雨歇，依然一脈瀟灑清逸：不禁令人感歎生命力的無比堅韌。

寫讀倦了，佇立廊前，面對疏影搖曳；綠色洗我雙眸，醒我神思，悅我心胸。悠然記起梅花道人題竹詩：「相對兩無言，只可自怡愉，惜我鄙卑才，幽閒養其拙。」說我養拙也好，養晦也好；我獨喜愛：「色經寒不動」，那分永恆的蒼翠。

編註：本文原刊於《中央日報・副刊》，一九八三年四月十九日，第十二版。

生存的勇氣

生存中有兩樣無形無質，卻最不能缺少的東西：外在的空氣和內在的勇氣。

不是那種千百人我往矣，衝鋒陷陣，冒險犯難，英雄式之大勇；而是一般外對形勢境遇，內於立場良知，無畏無虧，明辨是非之勇。例如：

選擇了目標，要有實踐的勇氣。

面對生活，要有接受挑戰的勇氣。

受到挫折，要有跌倒了爬起來的勇氣。

身處逆境，要有能縱橫自如的勇氣。

遭受貧困，要有以清高支持匱乏的勇氣。

有所作為，要有克服生活上許多不能發揮自己的障礙的勇氣。

置身大千世界，要有抗拒任何誘惑的勇氣。

對抗不合理的傳統，要有破除陋習的勇氣。

對不情之請，要有說「不」的勇氣。
堅持原則，做自己想做的事；要有不怕孤立的勇氣。
獻身藝術，全力以赴；要有耐得住寂寞的勇氣。
確定立場，寫自己想寫的文章；要有不被商業文化污染的勇氣。
要有突破自我限制的勇氣。
要有控制自己情緒的勇氣。
要有承認自己錯誤的勇氣。
要有不怕嘗試的勇氣。
要有承受疾病折磨的勇氣。
無根而能生存，是最崇高的勇氣；初生之犢不怕虎，是最可愛的勇氣。無意識的一時衝動，卻是最愚昧的匹夫之勇。

勇氣來自內心對真理的執著，來自求好的嚮往，來自自身更高的境界，來自合理的工作；也有勇氣是人生的各種壓力所迫出來的。就如尼采所說：「這是一個焦慮的時代，一個群眾道德和個人孤立的年代。勇氣是一種必需品。」

人不能大智大勇，但應該有無畏無懼，明辨是非，能肯定自己的勇氣。
「失去了健康，已損失了很多——再損失了勇氣，一切都失去了。」相信自己至少還能保持那點肯定自己的勇氣。

編註：本文原刊於《中央日報・副刊》，一九八三年四月二十八日，第十二版。

塑造自己

有時，我們常常會半是抱憾，半是懊悔地說：

如果讓我再倒回去。

如果我年輕××歲。

如果當初不是走那條路。

如果那時我能夠……

說這樣的話和有這樣的想法，多少都有點不滿意現在的自己。認為過去全是由於父母的意思，環境的影響，傳統的因素，外在的需求，現實生活的壓力等等因勢造就；並不是經過自己選擇，或按照自己的性向、意願所安排，可能已埋沒了天性中某些優異的秉賦，忽略了一些人生寶貴的機遇，失去了若干生存的權益。要不然，成就和情況就不一樣。

我們似乎永遠沒有時間成為自己。

但是，我們也許還有機會可以成為第二個造物者；不管過去如何，從現在開始，以自己的思想再塑造一次自己。

首先，放棄那個非己。擺脫一切外界的需求，別人的牽制，習俗的影響，生活的壓力，功利的驅使；孑然一身，歸還真正的自我。

把持天性中的特質和秉賦，盡量表達內在的本性，發揮蘊藏的潛能；在任何情況下不妥協，但也不自滿自餒。

為了達成自己所希望的形象，自我鍛鍊：訓練自己成為圓滿的人。「在完整裡面，一切都可以得到償贖而肯定。」

體認自己存在於這個世界的特點，並為自我和存在接受自己的責任。

從另外一個角度看世界和人生。

接納一些新的事物和觀念，提升自己。

重新學習一些新東西，再教育自己。

改變人生觀，「不要以世俗的成就為目標，而盡量在生活與行為上，把自我實現到極致。」從自我肯定中，再求充實、提升與創造。

人永遠是有可塑性的。試試從現在開始，成為自己，也許還不太遲。

不然，就只有無怨無悔地接受非己吧；不要再認為自己只是環境的產物而感到委屈。

編註：本文原刊於《中央日報・副刊》，一九八三年六月七日，第十二版。

執著

由於人有五官六根，七情六欲，乃使人產生了執著的意念。一個人執著的意念，就像敲釘入牆，拔不動也拗不斷；但有時也會一念貫通，豁然悟澈，心執自除，不留痕跡。

有的是為理想，全力以赴；有的是為觀念，終身捍衛；有的是為原則，畢生守持；有的是為信仰，忠誠奉獻；有的是為情感，堅貞不移。能認清自己為人做事的立場，了解自己處身的環境，生存的意義，而把握自己，不屈不撓，堅持到底，或貫徹始終，堅定地去追求自己所需要的人生目標；那是至善的人性與道德崇高的結合，理智和感情鎔鑄的抉擇。這樣的執著，應該是可愛可敬的。

有的是囿於成見，落入狹隘的思想模式；有的是因循迷信，盲從傳統或積威，冥頑不化；有的是想法偏向，自鑽牛角尖；有的是護衛著已失去時效的價值觀念，故步自封；有的拘執於淺薄的「自我概念」，凡事以自我為中心，唯我獨尊。類似這般執著自我的人，處處自以為是，把不合時宜的謬見當經綸；剛愎自用，不能容納別人的意見；思想刻板，拒絕接受任何新觀念；心靈閉鎖，不能適應環境的變動，往往自囚於心牢中而不自覺。這樣的執著，實在可笑亦復可悲。

擇善「固執」，但若過分執著，刻意為善，也可能成為「業」，而局限了自己的思想行動，無以自拔。

「今日之是不可執，執之則渣滓未化，而理趣反轉為欲根。」——（陳眉公）。我一直執著於守住自己做人做事的原則；但對外界的一切，很願意取得協調隨和，盡可能抱著「生而不有，為而不恃」的胸襟，參與人間，欣賞萬物。心中若對情、對事、對物無所執著，理趣自然不會轉為欲根。

人若一旦能祛除我執，放棄一切對事物的執著，完全做到置六根內無心無念，於六塵中無染無雜，來去自由，通用無滯，從塵慮貪欲中自在解脫；也就到達涅槃寂靜，一片平安祥和的禪境了。

編註：本文原刊於《中央日報・副刊》，一九八三年六月二十二日，第十二版。

灰燼和塵土

常聽到有人在唱：燃燒吧！火鳥。

火鳥大概是指火鳳凰罷；傳說中那是一種神異的鳥，衰竭時可以在焚燒中獲得重生。

人類也常點燃生命的火花燃燒自己，卻不是為了再生；而是為了使生命發光，為了照亮自己和別人，為了創造生存的光榮。提煉自己品質的純度，像從砂礫中煉金。每個人只要選擇了自己生存的目標：一個莊嚴的理想，一份高貴的信仰，或是一種真誠的志趣。專心致志，全力以赴，內心深處自會燃起一股熱忱，隨著身心的投入，越燃越熾熱，越燒越旺盛。

一種燃燒是為某種神聖的使命感，為了全體人類的福祉，為了成仁，為了取義。燃燒自己，照亮別人，那是最高貴、最光榮的燃燒；縱使毀滅了自己，精神已永垂不朽。

一種燃燒是為了藝術，為了科學，為了追求完美。燃燒自己，發出美麗動人的光芒，使自己從昇華中獲得愉悅，使世界更美好，使人類的心靈更充盈，生活更豐富。

大作家傑克倫敦曾說：「我寧可作灰燼，不願變塵土。我寧願我生命的火花燃燒，一瞬間照耀天地，光華奪目；也不甘萎謝枯乾，無聲無臭。人的正當功能是生活，而不僅是存在。」

活著，不僅是存在；是真正按照自己的意志和理想生活。有活力充沛，火勢熾旺，一生燃燒炘炘烈烈；有微光薪火，慢燃細燒，終其一生不熄：程度有差別，熱能終不滅。怕只怕熱忱不夠，中途漸漸冷卻，欲振乏力，終成塵土；或是燃燒正熾熱，驟遭本身所無法抗禦的外力摧折。就像不久前被病魔奪去生命的那位畫家，臨終時沉痛地悲呼：「好不甘心！」不是為死亡，而是為藝術的中輟；因未能完成心願而感到無比的憾恨與無奈。

做為一個文藝工作者，就該讓自己像一束薪柴般，全副身心投入燃燒中，不斷迸射出美麗而溫馨的火花，直到生命一寸一寸地燃盡，化作灰燼；散揚在時空的大野，也不願淪為塵土，悄悄地腐化。真是：春蠶到死絲方盡，蠟炬成灰淚始乾。

燃燒吧，有理想的人，有一分熱，發一分光；寧作灰燼，不做塵土。

編註：本文原刊於《中央日報・副刊》，一九八三年七月十六日，第十二版。

憤怒是敵

沒有什麼能在一剎那醜化一個人的形象，像發怒一樣。

橫眉豎目，齜牙咧嘴，臉上肌膚扭曲歪斜，面目猙獰，聲音尖銳高亢，說話咆哮嘶吼，惡毒粗野，行為乖戾，動作粗暴野蠻。如果當時馬上存下寫照，相信當事人自己看了一定也會感到驚訝；造物造人竟有這般醜態？

憤怒是一匹潛伏在天性中的狼；如失去教養的控制，沒有理性的約束，就趁隙竄出來發作一陣，醜化了自己，也噬傷了別人。

只要——

一時暴躁，損傷了美好的形象。

一時激忿，破壞了人際的和諧。

一時衝動，粉碎了生活中的平安寧靜。

一時憤怒，摧毀了一生的幸福，甚至造成終身遺憾。

「憤怒像一種炸藥，碰到東西就一同毀滅。」

「吾人凶德，莫甚於怒。能致疾病，褻威望。召人之仇憾。」

「怒生於惡」。容易動怒，正好暴露了自己品格上最顯著的弱點；往往是「趨於愚昧，終於悔恨」。

把憤怒當作是敵人；要是不能征服這體內的頑敵，就會被敵人所統治。

若能在情緒上，像車輛一樣裝置自動緩衝機，及時緊急煞車，臨崖勒馬，待暴戾之氣漸漸冷卻而化解於無形，也就天下太平了。

怒氣有時也是內在的一種儲存，發憤可以給生命增加熱忱；如在瑣細事上動輒發作，等於浪費了熱能的庫存。

「怒」以動成，「忍」以濟靜。制怒之道，似乎唯有「忍」字。中國人原是最注重修身養性的民族。如果能修煉到：「守恬淡以養道，去嗔怒以養性。」那才是涵養見真處。

編註：本文原刊於《中央日報・副刊》，一九八三年七月二十一日，第十二版，原題〈憤怒是敵人〉。

秩序之美

所有的花樹總在一定的時期萌芽、開花和結實；一年到頭，源源不斷。所有的動物總在一定的季節繁衍、冬眠或遷移；天生天長，生生不息。一年四季，春夏秋冬，配合四時氣節；節令分明，歲序不亂，宇宙運行，循環不已。

「天地位，四時行，萬物生。」在自然的法則下，萬物的盈虛、消長、盛衰；生命的繁衍、擴展、綿延，竟是那樣莊嚴、和諧、恪守程序，而又充滿了韻律之美。

人與自然秩序，宇宙運行，原本是鎔鑄為一的。在我們的日常生活、起居作息、思想行為，和各種人類活動中，秩序把千百種複雜繽紛的經緯，編織成分明的條理；將一枚枚散漫游移的音符，譜成規律的曲調。

使生活自然而有步驟，從容不迫。

起居作息有良好習慣，養成健全的身心。

物品安頓放置各有其位，井然有序，方便妥貼。

冗務瑣事處理按部就班，化繁為簡，有條不紊。

思想體系納入軌道，縝密精確，成為行動的基礎，或導向高深的境界。

排隊是人類行動最高的自律表現。

軍隊是紀律與力量組合的壯觀。

隊形集散間，瞬息萬變的團體舞是最美的律動。

循序排列的圖書，從天文地理到藝術科學，一目瞭然。

分門別類的資料，從上古史到昨天的新聞，一查便是。

秩序把一切事物導致於完整、恰當、均衡和美好。就像英諺所說：「它能鍛鍊精神，陶冶身心，使心智健康，身體強壯，社會寧靜，國家安全。就如房屋的棟樑，身體的骨骼，是一切步入正軌的要素。」

秩序有時也是一種憑恃，使迷惑、猶豫的心有所遵循，不必憂懼亂了方寸，錯了腳步。

我喜歡有些秩序所帶給生活的祥和，身心的平衡，思想的澄清，以及迴旋的餘地，悠裕的時間。至少，有秩序是安排自己的生活；卻不是被生活所安排。

而寧靜的心靈，也就是有條理的心。

若說造物者就是規則的神，則人類更在自己生存的規則中添注了自律及創造了調和。

編註：本文原刊於《中央日報・副刊》，一九八三年八月二十八日，第十二版。

侮辱自己

按理說，侮辱應該是外在加諸本身的曲解、侮蔑或輕視。人誰能侮辱自己？

事實上，有時就會產生那樣的感受；那是當我做了一些毫無意義的事，或是白白蹧蹋了一段大好時光後。

時間——生命寶貴的原料，應該是何等莊嚴，何等尊貴！每個人都擁有屬於他自己的一份，那樣一寸一分，那樣豐盈充沛地掌握在自己手中。可以用來塑造理想中的自我，可以拓創美好的人生，可以達成宏偉的志願，可以完成任何使命，可以雕琢自己完善的生命形象。但是，當如此這般珍貴的原料，如果只是常被一些卑微、瑣碎、無聊、繁冗的俗務占用，或為毫無意義的事情所耗損；能不教人悲忿地感到生命被侮弄，才華被委屈，精力被浪費的屈辱？

人生在世，似乎就有許多不想做又不能不做的事情；做過了，純粹是消耗。除掉留下一份自我挫折的情緒，精神上、思想上、心靈上，全是空白；而許多喜歡做、渴望做，確實要做的正事，卻因為時間被剝削分割，終也無法投注全副心力去完成。

究竟，時間不是豆腐，可以一方一方分售；思想不是水龍頭，旋關旋開。三個二十分鐘絕對不等於一個小時，被支解了的思想拼湊不成完整。零星透支的結果，往往沒有成就感，只有罪惡感。愧對自己的良知和期許。

一生，彷彿成為一種搶救時間，心力交瘁的搏鬥。

有人說世界上最不幸的人，莫過於不工作的人；我卻認為應該是：必須做自己不想做的工作的人。

也有些沒有生存目標，一生專做些毫無意義，蹧蹋生命原料的事，卻渾渾噩噩，全不知道在侮辱自己的人；也許，愚昧也是一種福氣罷。

隨著年齡增長，每每對浪費時間，不能掌握自己，那樣的感受越來越強烈。畢竟，生命的原料不是金錢，用掉了可以賺回來；不是物質，耗損了可以補充：而是越用越少。恁又再禁得起隨便蹧蹋！

若是有朝一日忽然不再有那種侮辱自己的感受。只有兩種可能：一是已經麻木不仁，喪失了自我；一是毅然決然改變生活方式，擺脫一切世俗之事，摒棄所有外界的需求，將全副心力時間投注在自己想做的事情上。

如能達到後者的境界，則竭盡此生，應再無憾恨。

編註：本文原刊於《中央日報・副刊》，一九八三年九月四日，第十二版。

生來富有

常常，我會情不自禁被一些美好可愛的事物所吸引；或為一些意外的發現，一些奇妙的情境，一種生命顯示的現象所感動。在激賞讚美，歡喜沉醉之餘，覺得這世界實在太偉大、太豐富、太玄妙了；而自己有幸生存其間，亦就生來富有——我天生的財富不是去占有，是去欣賞。我心靈的銀行永不停竭地貸我以審美的眼光，授我以小事的樂趣。

那些顯示著造物神奇的白雲彩霞、星辰日月、崇嶺幽谷、泉石溪流、風聲松濤、波光嵐煙、美麗色彩。

那些洋溢著生命喜悅的花草樹木、豐饒田園、鳥鳴蝶舞、走獸游魚、純稚兒童、人類活動。

那些閃耀著人類智慧的圖畫、音樂、詩歌、文章、雕塑鑄造、玉石珍玩、手工藝品，以及更多新發明創作……

世界太美，無法讓人每分都認識它。但是，我們可以任意享受我們所能看到的每一分。

能有開寬的胸襟，寧靜的心靈，事事關懷的興致。自欣賞世界萬物中獲得單純的喜悅、心靈的共鳴，該是人性中最自然也是最高的情操。懷著感恩的心情，接納自然，接納生命，接納藝術，接納喜悅，心曠神怡，自在灑脫。而任何占有，卻是很累人的。懷有欲念時，欣賞便已不單純：刻意追求，得不到時的失望；擁有時又必須承擔保管的責任。得失的壓力，厭舊的心理，可能就逐漸遮奪了事物的光彩，失去了純欣賞的樂趣。

詩人告訴地主說：「土地是屬於你的，風景卻任由我欣賞攝取。」要欣賞自然，不必擁有山林田野。這世上有許多事物不是要我們去研究，去分析，去詮釋，去占有；而只是去喜歡，去愛。而有些事物不能占有，有些事物不必占有；也還是同樣可以去欣賞。

「每個人與生俱來，都有享受『無用之物』和『欣賞美』的能力——只要能從大大小小的事物中發現喜悅和智慧、趣味與共鳴；就會不斷發現生命中新的意義。」——赫塞。很高興自己能擁有這份深厚的與生俱來的能力；未經世俗沾湮，始終把世界當作一個無限奧祕美好的存在去發現，去靜觀，去欣賞。從來不用錙銖必計的眼光打量它，更不計較它的得失好壞。欣賞萬物又超然物外，才能領略：「心地上無風濤（欲念），隨在皆青山綠水，性天中有化育，觸處見魚躍鳶飛。」那種滿懷蘊藉喜悅，渾然相應，又宛然自適的境界。

沒有物欲之心，但俱本然之性；只是悠然欣賞宇宙化機，靜觀人間萬象，萬物才真正「皆為我備」，眾生才「由我旁觀」。豈不是生來富有！

編註：本文原刊於《中央日報・副刊》，一九八三年十一月二日，第十二版。

與物為春

當我臨流自照，覺得我就是那支忽湍忽湲，奔馳不停的溪水。

當我面對青山，覺得我就是那脈莊穆凝重，永恆的沉默。

當我佇立樹下，覺得我就是那片蒼翠葳蕤，向上展伸的枝葉。

當我凝望蒼穹，覺得我就是那朵舒卷自如，悠然來去的白雲。

當我注視自由飛翔的鳥雀，天真嬉喜的兒童，耕作中的農夫，忙碌的人們：我彷彿也感受到那御風掠空的高曠，那童心來復的歡忻，那沾接泥土的潤澤，那奮力投注的熱忱。

當我讀一則雋永的文字，觀賞一幅幽逸的畫，聆聽一首悠美的樂曲：我恍惚便進入那高邃的意境，便是畫中那一葉不繫的輕舟，便是乘著旋律之翼飄舞的音符。

在這般心與物冥，渾然忘我之時，常常分不清是我自己溶入溪水中，抑是溪流流經我生命；分不清是我在看山，抑是山在看我。

在這般情與神化，悠然無我之時，渾不知自身在領受生命的喜悅，抑是生命的喜悅浸溢身心；渾不知萬物生命中有我之情，抑是我生命中亦具萬物之情。正是，「此中有真意，欲辨已忘言。」

我喜歡那種物我交融、情與神化、天人合一、心與物之靈悠然往來，無言會心之樂融貫生命中，而至「忘其形骸，悠然無我。」「當其得意時，心與天地俱，閒雲隨舒卷，安識身有無。」那是大詩人李白超逸的境界。

我也喜歡那種心物合一，彼此交流，依稀感到自己的存在竟是與宇宙息息相關，與萬物相感相通。真「天地與我同根，萬物與我同體」而在渾然同體的大諧和中，領受同一生命的喜悅。「與物為春」，那是大哲人莊子超世而未嘗離世，與自然萬物共其生命最高最善的境界。

唯有淡泊寧靜之心，才能游心於所見所感之物中；讓心與物融合為一，達悠然無我之境。

唯有真摯仁愛之心，才能體恤萬物，契合宇宙；以性情涵攝天地萬象，去發現生命的共鳴，同享生命的喜悅。

但求此生：永懷淡泊心，常與物為春。

編註：本文原刊於《中央日報・副刊》，一九八三年十二月三十一日，第十二版。

心中孤島

有次去澎湖，看到那許多無人居住的大小島嶼，靜靜地散布在煙波縹緲中。不禁讓人心嚮神馳；如果能擁有一座蕞爾小島，遠離庸碌塵囂，做一個與世無爭的島主該有多好！生存在二十一世紀，誰又能像小說中的基度山一樣，去買一座以自己命名的島？其實，在我們內心，早就有一座小島。

「你隨時可以退隱到你心中去，一個人不能找到一個去處比他自己的靈魂更為清淨——尤其是如果他心中自有丘壑在，只要凝神一顧，立刻便獲致寧靜——用這種退隱的方法，使自己得到新生。」一千八百年前，羅馬的哲學家兼執政者瑪克斯所說的丘壑，也可以是島嶼。

無需外求，不必退隱；只稍斂神一顧，便隨時進到心中的小島。

島上可以是綠草茂林，一片幽邃；可以是峰巒起伏，別有洞天；可以是雲淡風輕，逍遙淨土。時常怎樣想，便是怎樣的境界。一憑自己薰染安排。

儘管浩瀚人海，風浪壯闊，波濤詭譎：小小孤島，穩如磐石，堅如堡壘。亮著智慧的燈塔，照耀聖潔的靈明，有著無比的尊嚴，絕對的和平；不受任何人侵犯，不受任何事干擾。在那個安詳寧靜的小天地裡，自己是唯一的主人，是閒逸的隱士，是權威的君王，是島主，也是忠實的守燈塔者。

當我身心交瘁時，在島上調息；當我感情受創時，在島上療傷；當我受挫時，在島上韜光養晦；當我無所適從時，在島上培養決斷；當我因不平而憤懣時，在島上平息恚怨；當我無法承受生活壓力時，在島上舒鬆自己；當我迷失時，在島上尋回自己；當我對人生有所困惑，對生命有所疑慮，在島上深深地沉思和反省；當我軟弱消沉時，在島上重新修煉提升……。而每當我自心中孤島轉回紛擾人世，面對現實：自覺渣滓盡去，煩慮解除，思路澄清，心平氣和，重又獲得生存的勇氣和信心。

偶然，腦中也常映現煙波浩渺中閃耀的小島，是那樣撲朔迷離，似近還遠——

不是眼中有島，心中有島。

縱使眼中無島，心中也仍有島。

而熒熲不滅的是島上供奉的靈明。正是：

此島（身）有物主宰其中，虛澈靈台萬境融。

編註：本文原刊於《中央日報·副刊》，一九八四年六月二十六日，第十二版，原題〈心中的島〉。

水流心不競

從庭園遷來樓居，總有一份難以排解的屈抑感。發現澗溪，是另一種補償；補償沒有泥土供我栽種的遺憾，卻有親近流水的喜悅。

磺溪來自山上，穿越公園。崖岸濃蔭掩翳，綠草鮮麗。水並不深宏，只緣溪牀中岩石堆疊，流過時沖激奔撞，浪花迸濺騰迴，聲勢奪人。臨近溪畔，萬籟俱寂；只聞一片水聲喧譁，充塞四野，蓋過一切。

凡是晴好而身心爽朗的日子，「朝水」已成為我必修的早課。揀一塊岩石獨坐水中央，或是背倚那如屏巨石迎流佇立。記得初謁澗溪，為聲勢所震懾，總是情不自禁全副身心投入，萬念俱隨波逐流而去。一瞬間便盪盡積鬱塊壘，滌清凡慮俗思。離開時，步履輕盈，胸中已毫無執著和罣牽。

有時盤踞石上，凝視水流在面前沖激迴旋，落葉自肩頭飄墜疾轉。恍惚自己便是那中流砥柱的岩石，屏息勞塵，泰然自若，截斷眾流，寂然不動。真箇是「山流任急境常靜，花落如頻意自閒。」深深領略到那種：「一任桃花流水杳然去，胸中別有天地非人間」的境界。

有時靜坐岩石，浸潤於淙淙聲中。朝陽甫映溪水，心靈臨流自照，澄澈明淨。情思順流舒展，悠然暢達，又覺得自己正是：「淺石寒流，清漪細響。慮淡閒靜之人，寂然若無。」中那個慮淡閒靜之人。寂然若無，若無若有，似水榮華，似水才名；怎又及得上似水閒情！

澗水奔湍激騰，只緣經過之處岩石阻擋，必須衝越；若溪牀平坦，也就紆徐湉湲，泱泱自在。生命之流又何尚不如此：一生總會經歷不少崎嶇坎坷，不得不掙扎、超越；而這其間也自有風行水面，清漪盪漾的光景。水流經之處，潤澤大地，灌溉草木，一片生意。但水只管一路奔流向前，雖利萬物而不爭。在這爭權奪利的世上，也還有些人孜孜不倦地從事研究、發明、創造、著作，造福人類，美化心靈，闡揚人性。但做的人只是由於自己的志趣、理念；只是因為喜歡和關懷，而有所作為，心甘情願地貢獻自己，畢生以赴，卻是「為而不爭」。

為而不爭，水流不競。物欲名利不能沾染高潔情操，世俗凡庸不能侵犯個人尊嚴。清介一生，竟是淡然自若，怡然自得。

相處日久，我那不競之心已與流水交融默契，息息相通。澗水向前奔流，永不停留。生命走向未來，孜孜不倦。一恁它「紅衰綠減，苒苒物華休。唯有清溪水，無語自東流。」

編註：本文原刊於《中央日報・副刊》，一九八四年十月十九日，第十二版。

能源透支

「有些人有無窮的憂慮，太多的考慮；這是一種醫治不好的疾病。」而我，似乎正是這類患者中症狀較輕的一個。

做某些事情，總在要做未做之前，心中先一再考慮事情的做法，進行的步驟，可能遭遇的麻煩與挫折，結果又將如何？……反覆預感至衝勁抑低，熱忱減退；卻仍躊躇不前。有時是為了要解決一個問題，便一逕去想那個問題，以致心力交瘁，問題依然懸而不決。

想寫一篇文章，往往先將所有主題、人物、情節、結構、段落、結尾，設想得周密詳盡。預定計畫過程常常令人怡然沉迷，如要振筆書寫時卻已意興闌珊；而腹稿仍在腹中。

對某些事情，總是情不自禁去牽掛；颳風下雨時，擔心上班上學的沒有拿傘；老人不知可曾添加衣裳；窗戶又怕漏雨；園中剛開的花兒怕被淋謝了；小鳥的巢是否承受得住；橋下的西瓜會不會被沖走！晴好的日子，又擔心遊客弄髒了溪流；託辦一樁事，擔心會不會增加別人麻煩；朋友許久不通音訊，擔心是否安好；出版商潛逃，擔心自己的書沒有著落；擔心被忙碌的父母疏忽的孩子會感受外來的傷害；擔心環境污染，風氣墮落；擔心科技物質文明將泯滅人性，侵蝕文化；擔心「了不起進步的時代」真正變成「無情的時代」（邱吉爾語）；擔心明天的……不是只有「菩薩心腸」才「為月憂雲，為書憂蠹，為花憂風雨。」——張潮。生存在這世上，若關心周遭一切，種種擔心，似乎永無了時。

泰戈爾說：「我的憂思困擾我，要問我他們的名字。」我要說：我的憂思困擾我，由於我知道他們太多的名字；因而，不知不覺陷入他們溫柔的重圍，不能自拔。

一天，使用不久才配電池的相機照相，鎂光燈卻不亮；原來漏電漏光了。若是一百噸煤，白白消耗了九十九噸，能發電的也只有那麼一噸；不是能源儲備不夠，而是被透支漏失了。

有時覺得自己就像漏電的鎂光燈，關不嚴的閘門，不經意地任由生命的活力漏失、透支；往往到正式使用時，已能源不繼，為力無幾。

真該聽聽柏拉圖說的：「人類的任何事情，都不值得擔心。」為人如能做到「縱浪大化中，不喜亦不懼，應盡便須盡，無復獨多慮。」又多麼豪邁灑脫，泰然自在！

「別為整個世界擔心，不然便會被世界粉碎。」似乎應該在未曾被自我和世界壓碎之前，警告自己：控制能源，嚴防漏電。

編註：本文原刊於《中央日報・副刊》，一九八四年九月七日，第十二版。

返樸歸簡

望著〈棄瓢圖〉中那位已將身外之物全部揚棄，只留下一枚供飲水用的木瓢，及見牧童以雙手掬泉而飲，恍然憬悟連那個也是多餘的，於是棄瓢於水，撚鬚大笑的老人。我幾乎能體會他那種徹底解除物役拘絆，身心豁達，一無繫累的感受——痛快之至。

也常想到像梭羅築居在華爾騰湖那樣簡單多好：一幢門窗敞開的小木屋，數件必須用品，出入全不必照顧。或像鄭板橋那樣：「三間茅屋，十里春風，窗裡幽蘭，窗外修竹。」一更是恬淡自適，灑脫不羈。人一生的自然現象，彷彿成橄欖形，單純——繁複——單純，生下來一無所需，一無所求。隨著慢慢地成長，由於外在的誘惑、刺激，本性的欲望、虛榮，一直不斷地追求、取得、占有。有那生活需要的，裝飾點綴的，種種喜歡的……待膨脹到某一程度時，會忽然感到疲憊和厭倦。發現舒服、方便、享受的後遺症，竟是不斷消耗自己的麻煩和累贅；而所有浮華、舒適、繁複、逸樂的生活，實在是人性昇華最大的阻礙。

生命逐漸走向橄欖那一頭尖端，自己越來越渴望能超脫物役，反樸歸簡，活得單純。就如梭羅所說：「安於貧乏，像聖哲，像一株長在園中的草。不要弄一些新的事物——不管是衣服或朋友，來麻煩自己。」「當和諧地簡化一個人的人生，萬有的律令就一點也不顯得複雜了。孤獨不算孤獨，貧匱不是貧匱，而軟弱也非軟弱。」

只有最智慧的人，才過著比貧者更簡易的生活。

一個人能像「棄瓢老人」那樣捨棄許多事物而不覺得可怕；足見他是真正富有之至了。這富有是屬於精神的；在精神的空間，他擁有無窮。

印度烏波尼娑度認為：「一切皆不具，一切皆無；是即一切皆不望。」捨去掩蔽的自己從褊狹生命中解脫出來，才能進入簡易而自然的靈感生活。

我們的先聖老子主張：「見樸抱素，少私寡欲。」要過樸素的生活，克己自修，應「不見可欲，使心不亂」。

生存在這個時代，似乎不可能做到，「一切皆不具，一切皆無。」和「不見可欲」。而應該修煉成：「見可欲，心不亂」的定力，及早建立真純的虛靜之心。

「簡化生活、精神和情趣單一集中，那是力量」。

如今，我最迫切需要的，正是那種力量。

編註：本文原刊於《中央日報・副刊》，一九八五年八月二十八日，第十二版。

分享喜悅

單純的喜悅，常來自對一切生命、自然、美的愛好和頌揚；因此，一生沒有什麼大的歡樂，卻從不缺乏這份喜悅。

我喜歡在生活周遭栽滿花早；植物本身就包含著生命、自然和美。從照料它們成長中，我獲得了無限樂趣。卻也不忘記多栽些容易成活的葛藤蕨葉，持贈親友；為的是分享那點喜悅。

我喜歡那些樸拙、精緻、趣味盎然的小擺飾及小藝品，欣賞種種經由慧心巧手創造的美，常使我心悅情怡。選購時，也常準備許多，好與別人分享喜悅。

若是發現一些為忙碌的人所忽略的，或是別人見不到的美；某種神奇的現象，一片美好的景致，一次動人的展出，一些人性散揚的光輝……。凡不能藉事物本身與人分享的，便將心中滿溢的喜悅注入文字中，希望自己是個忠實的渡者，把見到的美好通過性靈渡給讀者。

造物所賜和人類創造的一切美好事物，我們不只要以感謝的心情去接受，更應該讓它運轉流暢，處處傳送，好讓人人分享。而單純的喜悅因為分享，便益加擴大增多。獨樂時只是閃爍心頭的一支火苗；共享時卻互放光輝而擴散成一片溫馨，將彼此柔柔地圍裹。剎那間情趣與性靈交融，物我兩忘的時光，又何等微妙。

在愛好相似，領受同一喜悅中，儘管是陌生人，自然會藩籬盡去，互抒性情。如在某種場合巧遇所見相同的同路人；花攤前碰到對花草有相似興趣的同好；或是在異鄉異地驀然聽到親切的鄉音：相悅原不必曾相識。

當友好相聚時，真情交流，讓所有的思想、欲望、計畫、期許，在甜蜜的氣氛中分享，伴隨著無比的喜悅。

家人的成就，孩子的榮譽，朋友的心得，喜訊！

我喜歡與人分享喜悅，也喜歡分享別人的喜悅；在授與受的交替過程中，人性才能交會、溝通，圓滿地自奉獻化為接受，由分享成為共享，其樂融融。

「我們感到花的美和愛時，在我們生命中即注入一種新的歡喜；我們又對其他一切事物感到愛和美時，便又再注入一種新歡喜。如是不絕地感受，不絕地注入，生命中歡喜的範圍就不絕地擴大而等於無限……如同時以已注入萬有之自己的意識，再擴充為他人意識，令他人亦如我一樣歡喜。」這一段妙文，是泰戈爾對「分享喜悅」所作最好的詮釋。

人與人彼此分享喜悅，渡者人渡，讓我們覺得這萬有世界多可愛，這親和人間多美好！

編註：本文原刊於《中央日報・副刊》，一九八五年八月十七日，第十二版。

艾雯全集3【散文卷・三】

作　　者　艾雯
編輯顧問　張瑞芬　陳芳明　應鳳凰（依姓氏筆劃排序）
主　　編　封德屏
執行編輯　王為萱
美術設計　不倒翁視覺創意

編輯製作　文訊雜誌社
　　　　　10048台北市中山南路11號6樓
　　　　　02-2343-3142
出　　版　朱恬恬
　　　　　11147台北市忠誠路二段50巷8號
　　　　　02-2832-1330

排　　版　浩瀚電腦排版股份有限公司
印　　刷　松霖彩色印刷事業有限公司
初　　版　民國101年（2012）8月
定　　價　全10冊（不分售）平裝新台幣4,600元整
ISBN　　　978-957-41-9321-9（第3冊平裝）
　　　　　978-957-41-9318-9（全套平裝）

◎財團法人｜國家文化藝術｜基金會贊助
台北市文化局 Cultural Affairs Bureau of Taipei 贊助

國家圖書館出版品預行編目資料

艾雯全集 / 艾雯作. -- 初版. -- 臺北市 : 朱恬恬, 民
101.08
冊 ;　公分

ISBN 978-957-41-9318-9（全套 : 平裝）. --
ISBN 978-957-41-9319-6（第1冊 : 平裝）. --
ISBN 978-957-41-9320-2（第2冊 : 平裝）. --
ISBN 978-957-41-9321-9（第3冊 : 平裝）. --
ISBN 978-957-41-9322-6（第4冊 : 平裝）. --
ISBN 978-957-41-9323-3（第5冊 : 平裝）. --
ISBN 978-957-41-9324-0（第6冊 : 平裝）. --
ISBN 978-957-41-9325-7（第7冊 : 平裝）. --
ISBN 978-957-41-9326-4（第8冊 : 平裝）. --
ISBN 978-957-41-9327-1（第9冊 : 平裝）. --
ISBN 978-957-41-9328-8（第10冊 : 平裝）

848.6　　101013788